W9-CKF-773

ЧЕЙСОВСКАЯ КОЛЛЕКЦИЯ

Марк Харитонов

ПУТЕВОДНЫЕ ЗВЕЗДЫ

Москва 2015

УДК 82.43
ББК 83.3 (2Рос=Рус)
    Х20

Издательство благодарит Давида Розенсона,
без которого создание этой серии
не было бы возможным

Оформление серии А. Бондаренко

В оформлении обложки использована работа
Галины Эдельман «О, если бы поднять фонарь...»
(О. Мандельштам).

ISBN 978-5-9953-0358-9

© Харитонов М., 2015
© «Книжники», 2015

СОДЕРЖАНИЕ

Оживающая память

Вспомнилось: много лет назад я шел по переулку мимо синагоги. Толпа собиралась на праздник. Я не знал даже, как назывался этот праздник. Я шел из Исторической библиотеки, где читал о русской истории — и это была моя история, я собирался о ней писать. Но почему такими прекрасными вдруг показались мне лица этих людей? Мужчины с бородками шолом-алейхемовских и шагаловских персонажей, большеглазые женщины. Мне были близки их улыбки и голоса. Напоминали они мне кого-то? Что значила эта внезапная, необъяснимая нежность, какая память оживала в душе — или все-таки в крови?

Мне еще долгие годы предстояло осознавать и осмысливать это свое самоощущение: самоощущение еврея и русского писателя.

Я прочел с тех пор множество книг. Все, что приходило мне когда-нибудь по этому поводу на ум, оказывалось кем-то уже пережито и продумано.

Самоощущение израильского уроженца, для которого чувство национальной принадлежности с пеленок естественно и беспроблемно.

Самоощущение человека, который стал ощущать себя евреем, лишь когда ему об этом напом-

нили — неприязнью, преследованиями, погромом, Освенцимом.

(И при этом ощущение несвободы, когда сами мысли на эту тему все-таки навязываются обстоятельствами, средой — вне личного выбора, вкуса, убеждений, а то и вопреки им.)

Сознательный выбор тех, кто объявил себя евреем из солидарности с преследуемыми и гибнущими.

Призыв пастернаковского героя к евреям освободиться, наконец, «от верности отжившему допотопному наименованию» и «бесследно раствориться среди остальных».

Еврейство не как национальное чувство, а скорей как ощущение напряженности с окружением. В этом смысле, писали некоторые, евреем можно быть только среди неевреев. Экзистенциальное измерение этой проблематики полнее других обобщил Кафка. Макс Брод волен толковать многих его персонажей как евреев, чувствующих себя чужаками среди других. Но ведь сам Кафка нигде в прозе не упоминает даже слова «еврей». Стоит только это представить, чтобы ощутить, как все вдруг мельчает и становится частностью.

Зато эта тема естественно переплетается с темой избранничества, пусть даже невольного, нежеланного, как от рождения унаследованное клеймо, с темой личности и толпы, противостояния, которое вряд ли приносит счастье, но способно духовно возвысить, и с темой приспособленчества, когда тянет стать неотличимым от большинства.

«Гетто избранничеств <...> — сказала об этом Марина Цветаева. — В сем христианнейшем из миров поэты — жиды».

Жиды — потому что поэты. Поэты — потому что жиды.

Некий герой у Борхеса «имел обыкновение порицать сионизм, который превращает еврея в человека заурядного, привязанного к одной традиции и одной стране, лишенного тех сложностей и противоречий, которые сейчас обогащают его». Тоже известная тема.

Да, уж в этом смысле выбор теперь есть. Существование Израиля вроде бы дает наконец возможность желающим стать такими, как все. Что, может, более естественно.

Только проблема-то ведь все равно останется. Хотя, возможно, она будет обозначаться когда-нибудь другим именем.

Все логические построения можно оспорить — опровергая иной раз самого себя.

Свое родство и скучное соседство
Мы презирать заведомо вольны.

Это сказал Осип Мандельштам, человек русской, европейской, эллинской, христианской культуры. Его заметки о еврейской родне, о «хаосе иудейском» ироничны и отстраненны. Но он же, противопоставляя себя вороватому «литературному племени», вспомнил свою кровь, «отягощенную наследством овцеводов, патриархов и царей». Что это за наследство? Что это, в самом деле, за субстанция в крови?

Пожалуй, больше любых рассуждений могут сказать нам образы людей, которых ты знал, их судьбы, картины пережитого. Уточняешь свои представления, свое место в жизни, сверяешься с путеводными звездами.

О РОДСТВЕ

Я не знаю у себя никого дальше деда, Иосифа Абрамовича. Отец же мой о своем деде ничего толком сообщить не мог.

Мой дед был местечковым юристом в Уланове под Винницей. Что это значило? Он был грамотный, писал по-русски и составлял для окрестных обывателей и крестьян необходимые бумаги, жалобы, ходатайства, выступал третейским судьей. Платили за это обычно не деньгами, а приносили кто яичек, кто курицу. Так мне рассказывали родители.

Я помню его: с седенькой бородочкой лопаточкой... но, возможно, тут память уже подменяют фотографии. Помню, как он набивал табаком папиросные гильзы при помощи специального никелированного приспособления; я ему помогал. Помню, как он провожал меня в школу. Как приехал в последний раз к нам в Белоруссию, в Добруш, куда папу послали работать после войны. Однажды увидел, как я, третьеклассник, читаю «Антирелигиозный сборник» («Апостол Петр, беда какая, вдруг потерял ключи от рая»), и заинтересованно стал выяснять у меня, почему я считаю, что Бога нет (должно быть, уже в мыслях о близкой смерти) — но не спорил, не убеждал. Он умер в том же, 1946, году, вернувшись в Москву. От него остались еврейские книги, которые долго растрепывались по листам. Папа говорил, что в московской синагоге за ним было закреплено персональное место с именем, вырезанным на сиденье скамьи.

Фамилия его первоначально была Харитон; окончание «ов» добавил либо он сам, либо какой-то писарь. Откуда в нашем роду греческое имя, не могу сказать. Как-то в «Истории евреев» Рота я вычитал, что эллинизированный иудейский царь Антиох поощрял соплеменников принимать греческие имена. Но вряд ли это может иметь отношение ко мне. «Харитон — это русское имя и еврейская фамилия», — прочел я недавно у одного известного писателя. Сказано без всяких сомнений. Сразу вспоминается, конечно, знаменитый академик-атомщик Юлий Борисович Харитон. Мой младший брат, работавший в оборонном «ящике», встречался с ним по служебным делам, жаль, не спросил, не к общим ли мы восходим предкам и к каким. В семье существовало убеждение, что они с моим отцом двоюродные или троюродные братья. Мой дед оставался в местечке, но были в нашем роду другие, которые, разбогатев, получали право жить в столицах, с бедными родственниками не знались. Дети одного из дедовых братьев, купца первой гильдии, стали крупными деятелями революции, впоследствии они были репрессированы. Одного, Бориса Лазаревича, я узнал после реабилитации, его стараниями мы получили как-то на лето дачу в поселке старых большевиков. Он отсидел 15 лет, как и его брат Гриша. Муж его сестры, тоже видный большевик, был расстрелян. Сама она сумела ареста избежать, до 1955 года скрывалась под другой фамилией, сын ее воспитывался у чужих людей. Потом, знаю, он стал видным математиком, уехал в Израиль...

Но это не моя история.

До меня дошли только обрывки воспоминаний об исчезнувшем мире времен моего деда и моих родителей. Целая своеобразная цивилизация — я могу домыслить ее черты, ее воздух по рассказам Шолом-Алейхема и Зингера. Мир тесной духоты и вкусных запахов, мир зеленых шагаловских евреев, где пасли коров, учили Тору и помогали беднякам, зажигали по праздникам свечи, где щуплый мальчишка — мой отец — капал свечным воском на бороду ребе, вздремнувшего в хедере за столом. Эта цивилизация погибла в концлагерях и газовых камерах, эти местечки стерты с лица земли — я сам никогда их не видел, лишь ловлю последние долетевшие до меня отголоски той жизни.

Вот, например, такой папин рассказ. Дедушка много лет кормил у себя по субботам бедняка, слепого портного; это была своего рода привилегия. Но однажды этого бедняка переманил к себе сосед. Дедушка очень обиделся. Собрались старые евреи рассудить их. В местечке были две синагоги: большая, для почтенной публики, и маленькая, для менее почтенной. Соседа наказали, определив ему ходить в маленькую синагогу. После этого они с дедушкой перестали разговаривать. Начальник местной милиции — большой тогда человек — узнал, что два почтенных еврея не разговаривают, и посадил обоих в тюрьму. За что? Потом объясню. Женам велели принести еду. Посидели, посидели, но долго вместе не помолчишь — поневоле стали опять разговаривать.

Теперь этот тип отношений практически исчез — я застал отголоски. Помню, например, как к нашему дому в Лосинке пришел освобожденный по амнистии 1953 года — просто узнал, где здесь живут евреи, и зашел попросить вещей ли, денег ли на дорогу; конечно, его и покормили. То был обычай доброты, не спрашивающей о подробностях, — традиция, помогавшая соплеменникам выжить среди всех бед и погромов. Что от нее осталось? Когда-то и в русских деревнях жалели несчастных.

Будучи местечковым юристом, дед не спешил выписывать метрики своим детям, он сам потом по надобности оформлял им паспорта, и даты рождения ставил задним числом, по весьма смутной памяти, а то и вовсе произвольно. Иногда они спорили с бабушкой: «Когда родился Лева?» — «В Пасху». — «Да что ты, в Пасху — это Соня. Помнишь, нам как раз принесли шалахмонес?*» — «Ой, чтоб мне горя не знать, это была Дора!» Так рассказывал папа.

Он сам оказался на два года моложе своего паспортного возраста. Подгонять возраст в метриках приходилось, например, потому, что обычай не позволял выдавать замуж младших дочерей раньше старших, а жизнь порой заставляла.

Однажды дед сказал свахе: нужно выдать замуж Дору, мою дочь. Она хромая, но, пока она не выйдет, другим приходится ждать. Сваха нашла жениха, согласившегося взять Дору за глаза, не глядя.

---

* Шалахмонес (*идиш*) — гостинцы, которые раздаются в Пурим (не на Пасху, т. е. не на Песах). — *Здесь и далее примеч. автора.*

Но он потребовал в приданое сто золотых пятирублевок — почему-то сумма была названа именно в таком исчислении. Дедушка обещал. Конечно, у него таких денег не водилось, но он знал, что делает. Когда сваха потребовала показать деньги, дед ответил с достоинством: «Будет жених, будут и деньги».

И вот приехали на смотрины из Бердичева жених (дядя Миша) с матерью. Сестер помоложе и покрасивее удалили из дома — чтобы жених попутно не загляделся на них и не переметнулся; выдать замуж хромоножку — вот была задача. На окнах бумажные занавески. Младшим детям (в том числе папе) дали в руки книги, чтобы приезжие видели, в какую попали образованную семью. И у невесты в руках была книга. Правда, папа уверял, что она держала ее вверх ногами — не столько от растерянности, сколько потому, что не умела читать. Жених, впрочем, вряд ли был грамотней, он этого не заметил. Более того, он не заметил, что его невеста хрома — она при нем не вставала, во всяком случае, не ходила. Так что после свадьбы это оказалось для него сюрпризом. Увы, не единственным.

Что до денег, то к приезду жениха дедушка одолжил сто золотых пятирублевок у богатого соседа, на два часа. Мать жениха первым же делом вспомнила о деньгах, потребовала показать. «Ты что, мне не веришь? — с достоинством спросил дед. — Голда, принеси». Бабушка принесла деньги, небрежно высыпала в большую тарелку. Женщины стали считать. Считали долго. До десяти они знали твердо, но дальше сбивались, приходилось пересчитывать заново. А дедушка на них и не смотрит — словно это ниже его достоинства. Наконец, досчитали все-таки до ста. «Голда, унеси», — сказал дед бабушке. И та унесла деньги, только не в другую комнату, а прямо к соседу.

Между тем разбили, как положено, тарелку, скрепили договор — назад пути не было.

Когда сыграли свадьбу, мать жениха напомнила про деньги. «Откуда их у меня? — ответил дед. — Ты хотела посмотреть на такие деньги, я тебе их показал». Все-таки не зря он читал Библию — последователь Лавана, которому надо было пристроить не только красавицу Рахиль, но и старшую Лию.

Так и получил Миша Дору без копейки, но с хромотой. Однако всю жизнь она ему повторяла: «Что бы ты без меня делал? Ты пропал бы без меня». И убедила его в этом.

Из-за этой Доры, между прочим, я и родился в России. Перед Первой мировой войной дед отвез старшего сына в Америку, а сам вернулся, чтобы перевезти остальную семью. Всех готовы были пустить, и только Доре иммиграционные власти отказали из-за ее хромоты в праве на въезд. А оставить ее одну дедушка не захотел. Это обстоятельство позволило моему отцу встретиться с мамой.

О том, что у меня в Америке есть (или были) дядя и двоюродные братья или сестры, я узнал совсем недавно. В двадцатые годы они еще писали, потом связь с ними стала опасна. Попытки папы разыскать их через Красный Крест оказались безуспешны. Какие у них теперь имена?

С отцовской стороны у меня было семь дядей и теть. Во всяком случае, стольких я знаю. Дядя Лева-фотограф, тетя Соня, Таня, Рая, Нюра (это московские), Геня из Ташкента, хромая Дора со станции Минутка под Кисловодском. (Имена, конечно, переделаны из еврейских.) Семеро. О восьмом, американском дяде, я только слышал. Девятым ребенком был мой отец. А всего у бабушки с дедушкой было двенадцать детей. Трое умерли в детстве.

Большинство из них никакого образования не получили — но своим детям высшее образование дали почти все: почтение к образованности у нас в крови. От детских лет у меня много по тем временам фотографий. Объясняется это просто: сразу два папиных родственника работали фотографами. Дядя Лева-большой (муж папиной сестры) и дядя Лева-маленький (папин брат). Первый был фотограф умелый и богатый, второй едва сводил концы с концами и потом ушел продавцом в магазин. А женщины были по большей части домохозяйками. Лишь когда прижимала нужда, кто-то устраивался на время работать.

Детство я провел среди них, хлопотливых, добрых, малообразованных, чадолюбивых, мастериц вкусно готовить. Они съезжались на семейные праздники, неумелыми голосами пробовали петь непонятные мне еврейские песни. Чем дальше, тем больше я удалялся от них. Я не сумел написать с подлинно родственным юмором об этих простоватых и добрых людях. С возрастом усиливалось чувство, что у меня с ними мало общего.

И лишь со временем я стал думать: так ли мало? Может, эта доброта и хлопотливость, это желание вкусно накормить и умение вкусно приготовить, это чадолюбие, гостеприимство, эта семейственность наложили на мое подсознание отпечаток больший, чем сам я готов осознать?

В сторону мамы*

Волосы моих дочерей, волосы моей мамы, — наследственная красота древней расы. Вдруг представил их прародительниц где-нибудь в Европе, в Испании и еще раньше, в Палестине, расчесывающих и украшающих такую же вьющуюся гриву... увидел их зримо, и защемило сердце от ощущения великой таинственной связи во временах.

С маминой стороны у меня родственников практически нет. Отца ее, Менделя, моего второго деда, убили в 1918 году. Кто — неизвестно. Одна из тогдашних банд. Постучали в дверь, велели выйти и застрелили у колодца. Мама помнит, как его, мертвого, внесли в дом. Он считался знающим лошадником, работал когда-то у помещика, а потом подрабатывал где мог, в основном на торфоразработках. После его смерти мамина бабушка — ее звали Хана — кормила семью как портниха.

---

*Два года назад брат обнаружил в маминых бумагах справку: «Об учете еврейского населения». Там написано, что в семье Менделя Ломберга 10.7.1915 родилась дочь Фейга (по-еврейски это значит, кажется, «птичка»). Фейга Менделевна Ломберг стала Фаиной Михайловной Харитоновой (а мой папа Израиль Иосифович Харитон стал Сергеем Иосифовичем Харитоновым).

Она шила нечто вроде пиджаков из так называемой «чертовой кожи» — плотной хлопчатобумажной ткани, получала за штуку 50 копеек. Но, будучи держательницей патента, числилась лишенкой, это закрывало детям дорогу к высшему образованию. «Мне надо умереть, чтобы ты получила образование», — говорила она маме.

Из рассказов мамы

— Я училась в третьем классе, но уже репетиторствовала — занималась с дочерью местного мануфактурщика, владельца мануфактурной лавки. Она была моя ровесница, но очень тупая. До сих пор помню рисунок материи, которую он дал мне в уплату, на платье...

Я очень хорошо рисовала, у нас был замечательный учитель рисования. Вообще были замечательные учителя. Столько лет прошло, а я всех помню. И была прекрасная библиотека в школе, мы входили в нее как в храм. А к пианино я только подходила и смотрела, как играют другие. Меня не учили.

Мама умерла в 1929 году, тридцати шести лет, от стрептококковой ангины. Я только что кончила школу. Отчим нас бросил, причем забрал все вещи, не только свои, но и часть наших. И уехал в Киев. Я осталась с братом Ароном и бабушкой. Бабушка испугалась, как бы у нас не пропало и остальное. Она собрала мамино приданое, несколько золотых вещей: мужские золотые часы, дамские часики на золотой цепочке, два кольца — завернула все в узелок и дала спрятать моему дяде. А он был торговец. Через два дня пришли к нему с обыском, за золотом. У него ничего не нашли, а все наши золотые вещи забрали. Без протокола, потом следа не могли найти. Я писала в Харьков, тогдашнюю столицу, что эти вещи мои. Как в воду канули. Их не было ни в одном протоколе, власть присвоила — ищи свищи.

Меня устроили работницей на сахарный завод, помогали всем миром, следили, чтоб я не работала больше четырех часов. Тогда за этим смотрели строго, профсоюзы много значили. Я уходила в половине шестого, первая смена начиналась в шесть часов. Мешки таскала. Получала 14 рублей в месяц, и как-то хватало на троих. Конечно, без бабушки мы бы не выжили, она умела эти гроши превратить во что-то. Другие дети жили в семьях, но меня им ставили в пример. Когда я вышла замуж, я впервые оказалась в семье, это была моя семья. А брат Арон поступил в Киевский университет, на английский факультет. В 1941-м их послали под Харьков убирать урожай, там же дали оружие, и он пропал без вести. То есть погиб.

На фотографии 1928 года — миловидная нежная девушка с лучащимся взглядом. Почему ей надо было пережить то, от чего избавлены были другие в мире? Зачем в Гражданской войне она должна была потерять отца, а в следующей — брата, терпеть из года в год лишения? Сейчас оглядываешься: как много страшного, нечеловеческого довелось пережить нескольким поколениям, сколько страхов, унижений, бедности, от которых избавлены были обитатели более счастливых стран... Но мои родители тогда этого не чувствовали: они находили в днях своей жизни всю полноту счастья.

—Питалась я на фабрике сахаром с патокой, из дома с собой брала помидор да луковицу — как было сладко! В хате у нас были глиняные полы, я любила их разрисовывать в шахматную клетку, каждую украшала особо, рвала траву пахучую, чтобы положить на пол. Только получив деньги, настелила полы дощатые.

А как тогда вообще голодали! Моя подруга в тридцать первом — тридцать третьем училась в медицинском техникуме. Она приезжала летом опухшая от голода буквально — вот такие ноги. Как прожили — даже не понять.

Коллективизацию помню. Мне было лет шестнадцать, мы ходили по избам, мужчины были с наганами, искали хлеб. А потом этот хлеб ссыпали в синагогу, и я — ты не поверишь — стояла с винтовкой, охраняла. Скольких выслали! А какие там были кулаки — беднота! У моего соседа была корова и три лошади, четверо сыновей. Объявили кулаком, всех выслали. А сейчас у людей машины — да за каждую можно купить тогдашнюю Андрушовку и Уланов вместе взятые, и еще бы осталось. Перед хатами лежали умершие от голода. Одна крестьянка просила оставить ей корову, ее отталкивали: «Уйди, куркулька!»

Уже в позднем возрасте я узнал, что нянька моя, Вера, была из раскулаченных, потому и попала к нам в дом. Она была из деревни в четырех километрах от Андрушовки. В тридцатом отца ее выслали, на время ее пристроила у себя как бы в домработницах тетя Таня, но в Андрушовке ей было жить нельзя, и мама, уехав в Москву, взяла ее с собой. Так в родительской комнатушке появилась домработница. Не знаю, из каких шишей они могли ей платить — она жила фактически на правах члена семьи. Наверное, многие московские домработницы той поры появились вот так, даже в небогатых семьях. В войну она эвакуировалась с нами, работала в госпитале, там встретилась с раненым офицером, вышла за него замуж. Потом он стал секретарем райкома на Алтае.

Среди впитанного в младенчестве — ее украинская речь, украинские песни. До сих пор что-то шевелится в душе, когда я бываю на Украине.

Семейные фотографии на твердом картоне с силуэтами Дагера, Тальбо и Ньепса на обороте. Ушедшая жизнь, незнакомые люди, но, оказывается, тоже связанные со мной. На одной фотографии — мамин дядя Соломон. Вначале он был художником, верней, маляром, а во время нэпа открыл в Одессе на главной улице, Дерибасовской, магазин готового платья и при нем пошивочную мастерскую. Или, может, наоборот, пошивочную мастерскую, а при ней магазин, потом еще второй, магазин тканей. Мама вспоминала, что он был жаден, бедным родственникам не помогал. Как-то приехал в гости, привез маминому брату отрез на брюки, так его хватило только на короткие штаны.

Потом его прикрыли, посадили, потребовали стакан золота (именно такую мерку). Он сдал, его на время выпустили. Потом потребовали еще стакан. Больше у него не нашлось. С 1930 года его арестовывали трижды. Он побывал на Соловках, строил Беломорканал, а к началу войны вернулся в Одессу, да так и остался, прятался. Там стояли тогда румыны, они не очень усердствовали в поисках евреев. Но за два дня до прихода наших вдруг стало плохо с сердцем, он выбрался к соседям, за грелкой кажется, и они его выдали румынам. Пришлось тем его расстрелять. А жена выжила, и дочка Соня (ее я хорошо помню). Соня тоже пряталась всю войну в подвале у своего русского мужа, но он тем временем наверху сошелся с другой и после освобождения сказал: жизнь я тебе спас, но дальше придется врозь...

Такие вот семейные истории.

Оказавшись впервые в Москве, мама думала, что все номера трамваев идут по порядку. Ей нужен был сороковой трамвай, и, когда появился двадцать четвертый, она поняла, что надо ждать еще шестнадцать номеров.

Это стоит истории папы, который знал в Москве единственный общественный туалет на Киевском вокзале и спешил туда с любого конца города.

Из рассказов папы

Думая о позднейших своих невзгодах, папа с удивлением вспоминал, как приехал в Москву в галошах на босу ногу, подвязанных шнурками, — и ему было хорошо. Он любил вспоминать тогдашнюю Москву, чайные, где извозчики заказывали «пару чаю», — жизнь, в общем, близкую провинциалу.

— Я приехал в Москву в 1928 году, стал ходить на биржу труда. Если не было работы, нам в день давали рубль. Однажды сказали, что есть работа грузчика. Я пошел работать на Житную улицу, там был филиал киностудии, которая находилась на Потылихе.

Я работал грузчиком, а жил в Кускове, снимал там угол у одной татарки. Она меня называла «жиденок» и говорила: после десяти не приходи, не пущу. И я знал, что не пустит. Если задерживался, я шел на Киевский вокзал, там были такие большие окна, можно было лечь на подоконник или на скамейку и спать. В пять утра приходила уборщица, тормошила: вставай. Я дожидался, пока она уберет, потом ложился досыпать.

Поработал четыре месяца, мне говорят: теперь ты можешь вступать в профсоюз. Это была большая честь, не то что сейчас. Я подал заявление, меня спросили: а твой отец не лишенец? Нужна была справка. Я съездил к себе на Украину, три дня туда, три обратно, привез такую справку...

Смутный эпизод: он работал на киностудии кемто вроде лаборанта, да еще при самом Эйзенштейне — фамилию запомнил, но цену ей узнал только потом; от искусства был далек.

— Когда в Москве шел процесс Рамзина, мы ходили к Дому союзов с факелами и кричали: «Смерть Рамзину!» Я понятия не имел, кто такой Рамзин, но кричать старался громче, за этим следили. Кто плохо кричал или тем более отлынивал, посмеивался, могли арестовать. Говорят, многих арестовали.

Однажды меня как комсомольца назначили фининспектором на Сухаревский рынок. Что это был за рынок, ты сейчас и представить не можешь. Смотрю, а у меня в кармане пиджака откуда-то деньги. Три рубля, пять рублей. Я поработал три дня и говорю: я боюсь. Я не могу здесь работать. Но мне доверяли, я был очень честный. Как-то я сказал начальнику, что хочу съездить к маме и что она просит привезти шерстяной платок. Откуда-то и об этом узнали: вдруг она получает в подарок шерстяной платок. Кто послал — неизвестно...

(Чем кончилась история, не знаю; она была рассказана после пьяного тоста дяди Левы: «Хотя мой брат в тридцатом году чуть не арестовал меня...»)

— Году в тридцать первом (или тридцать втором, сейчас не помню) я из энтузиазма вызвался раньше срока в армию. Два года, прибавленные отцом в метрике, позволяли. Тогда это было дело чести, не всех брали, нужна была справка, что твой отец не лишенец, то есть не лишен избирательных прав. А это было переменчиво: сегодня не лишен, завтра лишен. Я как раз проскочил.

Послали меня почти в родные места, в местечко под Винницей, у тогдашней польской границы. Я ходил в обмотках, потом получил кирзовые сапоги, а потом папа прислал даже хромовые. На шинель я как-то сзади пришил много мелких пуговиц — для красоты. И в таком виде пошел в клуб, на танцы. Там меня увидел начальник штаба, но ничего не сказал. А на другой день вызвал из строя: два шага вперед! Подошел сзади с ножницами и все пуговицы срезал.

Где-то на втором году службы увидели, что у меня хороший почерк, и взяли писарем в штаб. И вот как-то я шел по Виннице. Мне казалось, что все должны на меня смотреть. Новая шинель. Хромовые сапоги, хоть я не имел права их носить. Кобура, хоть и пустая. И вдруг меня окликают. Оказался знакомый из местечка, некто Ройтман. «Как ты оказался в армии? Откуда у тебя наган?»

Словом, через несколько дней в часть пришло заявление: как это обманным путем сумел проникнуть в Красную Армию, да еще у самой границы, сын адвоката, лишенного избирательных прав? Адвоката! Бедняк, у которого было двенадцать детей! И кто это написал? Человек, у которого отец владел крупорушкой. Я в 13 лет ходил к нему работать, гонял лошадей, он вечером расплачивался со мной за это крупой, то есть кормил кашей. Всё зависть, смешная местечковая зависть: ишь ходит с наганом, как будто лучше нас.

Меня вызвали в штаб, сначала накричали, потом начальник штаба — он был умный человек — говорит: поедем к вам в Уланов. Запрягли лошадей, поехали. Созвали собрание в клубе. Все пришли.

Начальник штаба говорит: вот, пришло такое заявление, пусть, кто написал, выступит. И вот этот Ройтман выходит и все повторяет: что отец — адвокат, хотя налогов не платит, но получает деньги за практику. А какие деньги? Крестьяне приносили кто яиц, кто курицу.

Тогда выступил один фельдшер, он недавно туда приехал. Спрашивает этого Ройтмана: «А вы сами кто?» — «Я? Кровельщик». — «И работаете в артели?» — «Зачем? Сколько сделаю, столько получу». — «Значит, сами частник?.. Да как вам не стыдно! Вы все тут бедняки. Человек с 17 лет работает, комсомолец. Вам бы гордиться, что один из вас удостоился такой чести, служит в армии, а вы завидуете, пишете заявления».

Тут я тоже взял слово. Говорю: а кто был твой отец? Кто на вас работал, когда мне было всего 13 лет, а вы со мной расплачивались кашей?..

В общем, проголосовали: кто за то, чтобы я осталась служить в армии? Все подняли руки.

А Ройтман потом приходил ко мне в Москве, извинялся. Он стал директором магазина. У него были дочери, он знал, что у меня сыновья, приходил посмотреть. Потом обижался, что его дочерями пренебрегли...

— Были самые голодные годы, когда я служил в армии. Я тайком носил хлеб одной еврейской семье. Распорол подкладку шинели, совал туда хлеба, а то прямо туда, за подкладку, сыпал кашу. Однажды встретил меня начальник штаба. Что у вас в шинели? Так и так, — объясняю. — Вернитесь, выложите все и скажите командиру, что вы арестованы на пять суток. Я еду все-таки отнес, они совсем голодали. Потом доложил, как положено, сдал ремень, оружие, отсидел пять суток. А потом прихожу и подаю начальнику штаба рапорт для передачи командиру полка с жалобой на него. (Прямо высшему начальству я жаловаться на своего командира не имел права.) Он прочел, велел мне рапорт порвать. Я отказался. Он еще трижды меня вызывал, сначала приказывал, потом просил отказаться от жалобы. Он боялся, на него уже многие жаловались, грубиян был. Но не антисемит, антисемитизма тогда, между прочим, такого не было, как сейчас. За это судили... В общем, разрешил отдавать им мой хлеб. Потом его, говорят, расстреляли как врага народа.

— Я тогда глупый был, комсомолец, во все верил. Однажды стояли мы в охране у тюрьмы. Нас послали в подвал. А там сидят двое, муж и жена, на шее у них такие деревянные колодки, вроде хомута, чтоб не могли шевельнуть головой и лечь не могли. Требуют, чтоб они отдали золото. Кормят селедкой, а пить не дают. Они сидят, плачут. Нас послали, чтоб мы поговорили как евреи с евреями. Я был глупый, во все верил. Я говорю: «Слушайте, зачем делать глупостей? Отдайте им эти деньги, стоит из-за них мучиться?» Они плачут, им же больно: «Откуда у нас золото? Были две пятерки, их забрали, а больше — откуда?» Потом их отпустили, у них действительно не было. А другие отдавали. Одна женщина, говорят, стала кричать: «Нет у меня золота!» — и так затрясла головой, что у нее распустились волосы и оттуда посыпались пятирублевки... А что, этими золотыми когда-то жалованье выдавали. Я думал, так надо.

Папа считался в семье самым умным, образованным и удачливым. Если бы он после армии вернулся на киностудию к Эйзенштейну, я мог бы родиться в непростой семье. Но уже появилась жена, надо было думать о заработке. Он кончил лесной техникум и всю жизнь проработал в деревообрабатывающей, бумажной и полиграфической промышленности.

Нищая московская молодость. Чтобы брюки выглядели глажеными, их клали под матрац. (Еще я пользовался этим уроком.) На свидание с мамой папа одалживал пиджак приятеля.

Фотография. У папы значки Осоавиахима и Ворошиловского стрелка (скорее всего, чужие, одолженные вместе с пиджаком). Мама в берете чуть набекрень.

Как-то он угостил маму пирожным, и у них не осталось 40 копеек на трамвай. Пошли пешком. Вдруг он увидел на земле красненькую — тридцатку*. Отмыл ее. Они пошли в магазин, купили курицу, всякой снеди. И на трамвае поехали домой.

— Как-то году в тридцать седьмом меня послали в арбитраж, я должен был там встретиться с Н. Вот мы встретились, ждем арбитра. Н. говорит: еще есть время, я выйду на минутку, покурю. И вышел. Проходит минута, другая, третья, является арбитр — а его нет. Ждем. Наконец я говорю: сейчас выйду, поищу его. Ищу — нигде нет. Что делать? Звоню своему директору: так и так, Н. исчез. Пришлось арбитраж перенести. А через три дня Н. является, весь черный, отощавший. Оказывается, он во дворе стал прохаживаться, глядеть на окна. А там было германское посольство. К нему подошли: что

* Тогда были тридцатирублевые купюры, красноватого цвета, я их еще застал.

вы тут делаете? Посмотрели бумаги в портфеле. А у него почерк был такой, что сам не мог прочесть. Ну, подержали и выпустили все-таки.

Тогда брали кого-нибудь каждый день. Как-то я пошел в свой наркомат. Хотел перейти улицу, вдруг вижу — машины черные, одна за другой. Я остановился посмотреть. Тут кто-то сзади: ваши документы! Я говорю: а вы кто такой? Показывает книжечку. Я говорю: у меня паспорта нет, только пропуск. «Покажите». Забрал пропуск. «Пройдемте». Я говорю: а в чем дело? «Там узнаете». Привели, там в коридоре сидят человек пятнадцать. «Сидите ждите». Не помню, сколько я ждал, наконец, вызывают: Харитонов! «Я!» — «Вот ваш пропуск, идите. Только больше не смотрите куда не следует». — «А что я такого сделал?» — «Подумайте».

Потом я узнал, что там проезжал Сталин.

Это восприятие человека, который мало что понимал и ничего не хотел, только чтобы его не трогали.

— Однажды вызывает меня председатель фабкома, предупреждает, что о нашем разговоре никто не должен знать, и говорит: «Директор фабрики — не наш человек. Ты слушай, что он говорит, и все мне докладывай». Я так испугался, что попросил увольнения и на два месяца уехал к маме в Уланов. Директор меня отпустил, он все понял. Ему то же самое говорили про меня, чтобы он доносил. Тогда всех стали забирать. Одно время брали поляков, всех подряд. Потом наше начальство. Нашего наркома, говорят, арестовали прямо в лифте...

Приближалось время, когда на свет должен был появиться я.

Родившийся
в тридцать седьмом

Гороскоп

Год моего рождения — 1937-й — вызывает у многих моих соотечественников чувства особые. Это был год, когда террор достиг вершины, год арестов, пыток, расстрелов, год общего страха.

Этот страх погнал мою маму из Москвы: когда пришла пора меня рожать, она уехала подальше от столицы, в Житомир, к тете.

Я порой думаю: не сказалось ли это на мне, не вошло ли что-то из тогдашнего воздуха в мою душу и кровь? Есть ведь такое ненаучное мнение, что впечатления, полученные женщиной при беременности, сказываются на потомстве. Нечто подобное экспериментально подтвердил библейский Иаков, добиваясь пестроты овечьего стада. Во всяком случае, состояние земных дел в день рождения влияет на судьбу новорожденного не меньше, чем расположение звезд. Известен вид гороскопа: восстановить хотя бы по газетным сообщениям, что происходило в тот день — 31 августа 1937 года.

По-украински — 31 серпня. Вторник. В тот день в Москву вернулись стратонавты Я. Украинский и В. Алексеев, совершившие полет на субстратостате. Летчик Задков вылетел с мыса Барроу к ледоколу «Красин». По местному радио — передача для домохозяек: передовая газеты «Правда» («Прогрессирующими, невиданно быстрыми темпами растет культурный уровень многочисленных трудящихся масс Советского Союза»), концерт из произведений Чайковского и Танеева. А накануне покончил жизнь самоубийством председатель украинского Совнаркома Любченко — «запутавшись в своих антисоветских связях и, очевидно, боясь ответственности перед советским народом за предательство интересов Украины». В тот же день назначен его преемник Бондаренко. В Испании мятежники атаковали Эль Пардо и Университетский городок. В Китае японские войска взяли крепость Усун. В Подвысоцком районе разоблачена контрреволюционная организация во главе с секретарем райкома. В этот день произведено 200 штук грузовых и 5 штук легковых автомобилей ЗИС. Академик Лысенко объявил о получении новой формы пшеницы, «равной которой нет во всей мировой коллекции». Продолжался разбор Страстного монастыря в Москве. В деревне Златополье на Украине арестован священник Сергей Ивахнюк, восхвалявший немецких фашистов и троцкистов. Тухачевская Марья Николаевна, 1907 г.р., решила поменять свою фамилию на Юрьеву. В театре Вахтангова шла комедия «Много шума из ничего».

Я выделял для себя эту дату, 31 августа 1937 года, в чужих воспоминаниях, дневниках и рассказах, пытаясь представить одновременное состояние жизни разных людей в разных местах.

В этот день генетик Владимир Павлович Эфроимсон был выгнан с волчьим билетом «за бесполезность работы», а подготовленный им материал по генетике шелкопряда уничтожен. Томас Манн в швейцарском городке Кюснахт работал над очередной главой «Лотты в Веймаре», потом гулял с женой в лесу. Было ветрено. В. Н. Горбачева, жена поэта С. Клычкова, получила в этот день телеграфное уведомление о том, что поэта Н. Клюева нет больше в Томске — возможно, перевели в тюрьму. Но был ли он вообще к тому времени жив?

О чем думал 31 августа 1937 года Д. Хармс? Я знаю, что он писал 12 августа:

> Я плавно думать не могу —
> Мешает страх.

Может, в тот день им было написано вот это, с непроставленной датой:

> Как страшно тают наши силы,
> Как страшно тают наши силы...

Или вот это: август 1937-го, без числа:

> Довольно ныть. И горю есть предел.
> Но ты не прав. Напрасно ноешь.
> Ты жизни ходы проглядел,
> Ты сам себе могилу роешь...

Дом

Едва оправившись, мама вернулась со мной в Москву. Так что на своей родине, в Житомире, я, собственно, никогда не бывал — если не считать нескольких недель после рождения. Но этого я не могу помнить, как не могу гордиться великими земляками. Кажется, их и не было — черта оседлости, не более.

Мы жили в общежитии при деревообделочной фабрике на улице Сайкина. Это был барак в виде буквы П: в одном крыле шестнадцать дверей, в другом — шестнадцать, посредине туалет. Вот этот туалет, метров шесть, родителям разрешили приспособить под жилье. А кухня была в особом бараке: огромная плита с двумя топками, не то что на тридцать две — на сто кастрюль. Но мама готовила у себя, на плитке — и вот ведь свойство молодости: это время вспоминалось им потом как счастливое.

А в 1938 году дед купил у цыганского табора халупу в Нижних Котлах и позвал построиться рядом любимого сына, моего папу. Папа сумел раздобыть у себя, на деревообделочной фабрике, стройматериалы по государственной цене — по тем временам (как и по нынешним, впрочем) это было большое дело. Деньги дал родственник, вошедший в долю. Дедушка выхлопотал разрешение на постройку сарая — дом в таком месте никто строить бы не разрешил. Нашли плотников, и они за воскресенье и две ночи подвели дом под крышу. Более того, в этом едва готовом доме печник тут же сложил печь. А существовало, оказывается, правило, не знаю, писаное или неписаное: если в доме есть печь, то это уже жилье, и сносить его нельзя. В понедельник в этот едва готовый дом въехала вся семья вместе со мной. Потом были долгие конфликты с пожарной охраной и разными другими инстанциями, дело разбиралось в суде, родителей оштрафовали за самовольное строительство на 25 рублей, но дом уже стоял, и тот же суд внес его в реестр жилых владений Москвы под номером 5а.

Знаменитые москвичи любят в интервью вспоминать Москву своего детства — существенный элемент самой начальной духовной пищи; это запечатлевается на всю жизнь. «Что для вас значит Москва? — спрашивают их. — Какое место памятно вам больше всего?» И те вспоминают арбатские дворы, Чистые пруды или, допустим, Хамовники. Я этой Москвы в детстве почти не видел. Места моего детства даже трущобами не назовешь.

Сейчас таких домов в Москве, пожалуй, и не осталось. Я вспоминаю его, когда вижу некоторые старые фотографии, вид сверху с какого-то высокого этажа: скопище деревянной убогой рухляди. Это воспринимается уже как этнография, как про индейцев Амазонки. Что утварь, что жилище, что одежда. А речи, разговоры! А газетные статьи, а эстрадные шутки по радио! Морок, ужас.

Но это была наша жизнь. И мы вовсе не считали ее плохой.

Дом с трех сторон был окружен стенами и заборами заводов: эмалекрасочного и шлакобетонного. А может, только одного эмалекрасочного, а шлакобетонный располагался напротив, уже не уверен. На ближней свалке постоянно валялась бракованная продукция вроде эмалированных металлических табличек для домовых номеров и названий улиц; здесь же можно было подобрать и гвардейские значки, и, говорят, даже ордена. Орденов я не видел, а гвардейских значков у меня было несколько: игрушки военных лет. Повешенное для просушки белье здесь чернело от копоти, когда начинала дымить труба. Еще одну металлическую трубу поставили уже при мне вне заводских стен, прямо у спуска к нашим домам. Она была горячая, и от нее всегда пахло испарениями горячей мочи, поскольку прохожим, особенно мальчишкам, интересно было наблюдать, как с шипением испаряется, прикоснувшись к трубе, ароматная струя.

Я сказал: у спуска к нашим домам. Они действительно стояли как бы в яме, и от дороги к ним надо было спускаться. Поэтому их часто заливало. Иногда проступали подпочвенные воды. Как-то мама вымыла пол, отошла к керосинке, где жарилась рыба, смотрит: на полу лужа. Она решила, что плохо вытерла, сделала это тщательней, но вода проступила опять, а потом поднялась так, что приходилось передвигаться по доскам, положенным на кирпичи.

За водой мы ходили «на гору», к колонке у Варшавского шоссе. Смутно помню, как в самом начале войны мы туда же, на гору, карабкались в бомбоубежище. Подъем был скользкий, кругом темень. И само бомбоубежище помню: тусклый свет, лица, ощущение пыли, земли над головой...

Зато внизу, в другую сторону, была Москва-река, речной порт, песок на берегу, не природный, сгруженный с барж. Купаться там было нельзя — вода в нефтяных разводах; но, помнится, купались. А самые памятные впечатления — когда спускали и поднимали водолазов, привинчивали и отвинчивали шлемы скафандров. Я часто туда бегал...

Черт побери, и это город моего детства? Пожалуй... Редко доезжал я на трамвае дальше Даниловского рынка или Большой Полянки, где был Дом пионеров. Помню в окрестностях целые кварталы разрушенных в войну домов. Если и видел что-то еще — это в память не запало.

Но в том-то и дело: и дымящуюся черную трубу, и пустырь напротив, и трехцветную речку Вонючку (о которой чуть дальше) я вспоминаю с тем же добрым чувством, с каким Эрих Кестнер, допустим, вспоминал волшебно-прекрасный Дрезден своего детства: «Если я действительно обладаю даром распознавать не только дурное и безобразное, но также и прекрасное, то потому лишь, что я вырос в Дрездене. Не из книг узнавал я, что такое красота. Мне дано было дышать красотой, как детям лесника — напоенным сосной воздухом».

Снова и снова вглядываюсь в себя, стриженного под нуль, тощего, дышавшего многие годы детства запахом горячей мочи от черной трубы, копотью от уродливых заводов, вонью реки Вонючки... Как это отпечаталось на моем человеческом устройстве, вкусах, характере? Что-то тут не так просто. Надо подумать.

ПЕЙЗАЖИ МОЕГО ДЕТСТВА

Что было для меня в детстве природой? Откос окружной железной дороги, поросший вьюнками; мы называли их граммофончиками (сюда приходили, чтобы помахать рукой машинисту). Пустырь напротив; цветы и травы, прораставшие там среди камней и мусора, до сих пор знаю лучше, чем всю флору последующих лет: подорожник, белый клевер, который мы называли кашкой, куриная слепота (было известно: если сок попадет в глаз — ослепнешь; никто, впрочем, не проверял), ромашка, полынь; в канавах лебеда, лопухи, крапива. А во дворе событием стал однажды проросток картофеля у заводского забора: белый, мертвенный, хрупкий.

Недалеко от наших домов в Москву-реку впадала река Вонючка. Я видел это название и на одной городской карте, на всех других река звалась Котловкой; сейчас она упрятана в трубу. Эта река действительно благоухала изрядно и каждый день меняла свой цвет: буро-зеленый, буро-желтый, буро-красный. Воду красил кожевенный завод, стоявший повыше.

И все же это была природа, такая же значительная, как настоящие леса, луга, сады, как реки, в которых можно было купаться.

Да, удивительней всего, пожалуй, убеждаться, что это тоже, оказывается, могло питать душу, что качество этой духовной, так сказать, пищи вовсе не однозначно сказывается на свойствах организма.

Мне вспомнились рисунки детей из концлагеря Терезин. Даже сейчас, когда он превращен в музей, там, кажется, можно сойти с ума. А они рисовали цветы, и солнце, и игры — все, что рисуют дети в другой, нормальной для человека жизни. Воспитатели, поощрявшие их рисовать, надеялись, что они, если выживут, смогут стать полноценными, не искалеченными людьми. И, может, не зря надеялись*.

* Совсем недавно я еще раз увидел эти рисунки в Пражском еврейском музее и впервые обратил внимание на возраст рисовавших. Иные 12–14-летние рисовали, как рисуют 6–7-летние. Может быть, они (не все, но некоторые) оказались задержаны в развитии, и солнце, травы, цветы на их рисунках были попыткой вернуться, остаться в утраченной жизни? Может, правильнее было не приспосабливаться к ужасу, а взбунтоваться, даже ценой жизни?.. Нет, это вопрос не к детям концлагеря, они и взбунтоваться не могли; перед их памятью можно только склониться горестно. Это о нас. Наше развитие в самом деле оказалось, пожалуй, задержано или искажено как-то иначе. В каком-то смысле мы долго еще оставались незрелыми.

Решает все-таки способность души усваивать и перерабатывать внешние впечатления, как перерабатывает организм во что-то полноценное даже скудную телесную пищу. Здесь нет прямой зависимости: чем питаешься, то из тебя выйдет. Если, конечно, не доводить до крайности, за которой начинается рахит, цинга, чахотка и психозы.

Ведь и духовный пейзаж тех лет никак не назовешь полноценным. Мы просто не знали многого и важнейшего в своей культуре. Для детей той поры не существовало даже Достоевского, Есенина, не существовало иконописи и мировой живописи, Пастернака и Мандельштама, Цветаевой и Булгакова, Платонова и Бабеля. Ахматову мы знали только по характеристикам ждановского доклада: полумонахиня-полублудница, Зощенко присоседился там же какой-то полуобезьяной; моему тогдашнему пионерскому разумению не совсем было понятно, почему оба оставлены в живых (врагов полагалось расстреливать). Зато в пятом классе мы должны были проходить по учебнику Бабаевского «Кавалер Золотой Звезды» (при всем своем добронравии отличника я этой книги, правда, не прочел до сих пор, но что-то читал и почище). Помню, учительница демонстрировала нам образец потешного символизма: «И перья страуса склоненные в моем качаются мозгу». Мы от души ржали, учительница грустно улыбалась: она когда-то любила это. В Музей изобразительных искусств я сходил однажды на выставку подарков Сталину: запомнился бисерный кошелек, изделие безрукой женщины, она вышила его пальцами ног; портрет Сталина, выгравированный на зернышке риса, — его надо было смотреть в микроскоп... Боже, Боже! А песни из репродукторов, а карикатуры в журнале «Крокодил»! А незабываемая первая учительница Мавра Алексеевна — та, что била первоклашек линейкой по пальцам и по «кумполу» (меня, впрочем, не била, я был добронравный).

Что мне запомнилось из ее науки? Два рассказа. Один — про то, как какой-то ее знакомый поднял своего сынишку за голову — и оборвал шейные позвонки, так что мальчик умер. Это засело как практическое знание: нельзя поднимать человека за голову. А второй: как евреи едят лапшу. Она у них длинная-длинная, так что они наматывают ее на что-то вроде колодезного ворота, только поменьше (так я понял), и затягивают постепенно в рот. Этот рассказ, помнится, меня смутил. Потому что про евреев я все-таки немного знал, но никогда не видел ни такой длинной лапши, ни таких приспособлений. Позже я подумал, что так в ее мозгу преобразился слух об итальянских спагетти.

Но вот ведь выучился, кое-что знал даже после нее. Сейчас этому впору удивляться. Насколько мы все-таки зависим в своем развитии от внешних условий?

(Вот сейчас уже появляются воспоминания людей, которые выросли при телевизоре, которым доступна стала литература, не существовавшая для нас. Но она не затронула и их: новые времена — новая бездуховность.)

Конечно, развитие многих из нас оказалось задержано. Интеллигенты в первом поколении, мы не имели наследственных библиотек — свою первую этажерку я заполнил сам. У прежних аристократов, у интеллигентов потомственных сословная и семейная традиция облегчала личный поиск — основные, первоначальные понятия, вкусы, правила были заданы едва ли не от рождения; отсюда ранняя зрелость и Пушкина, и Пастернака. Мне все это пришлось вырабатывать долго, непоследовательно, порой мучительно, все подвергая переоценке.

Но, может, эта потребность в усилии значила для души не меньше, чем доступность пищи? Может, главное было в этом усилии, в этом душевном труде? А вот готовность к нему, наверное, задается отчасти природным устройством, отчасти воспитанием. В семье нам все же привили понятия о честности, совестливости, доброте, труде. И была, в конце концов, классика — первостепенная духовная пища. Были Пушкин и Лермонтов, Толстой и Чехов, и по репродуктору звучала великая музыка.

ПОКОЛЕНИЕ

Я поздно осознал свою принадлежность к поколению, даже как бы сопротивлялся чувству этой принадлежности, как сопротивлялся духу времени, моде. В этом сопротивлении есть, наверное, что-то «неблагочестивое» (слово, которым Томас Манн обозначал позицию священнослужителей, не откликавшихся на потребность времени в религиозном обновлении). Впрочем, время само, помимо моего желания, лепило и лепит меня, мой образ мира.

Поколение — это, между прочим, те, чье сердце откликнется на песенки Утесова или Шульженко, для кого «Под звездами балканскими» или «В лесу прифронтовом» пахнут воспоминаниями, талым снегом, керосиновой лампой, вкусом лекарств, первой влюбленностью. Любители нынешних певцов и ансамблей поймут друг друга через много лет лучше, чем я их.

Или вот это: в 1946–1947 годах мальчишки начинали во множестве болеть за «Динамо», самую популярную — после сенсационных гастролей в Англии — футбольную команду; годом позже — за ЦДКА. Болельщиков «Спартака» и «Торпедо» среди моих одноклассников были единицы, их время пришло еще лет через пять. По этой примете можно определять если не возраст, то болельщицкий стаж.

Я помню, как впервые услышал о баскетболе, — в Белоруссии, в городке Добруш, куда моего отца послали после войны работать на бумажную фабрику. Приятель Марик Веберов, сын портного, приехал из большого города — из Гомеля, и рассказывал про необычную игру, где мяч забрасывают в корзину, висящую на столбе. Я мог понять все, кроме одной подробности: почему у этой корзины не было дна? Уж если забросили — так чтоб не вываливалось, чтоб видно было.

В волейбол у нас уже играли, а баскетбола не видели никогда.

Я помню фантастические рассказы про телевидение. В одном из таких рассказов человек заметил, что за ним следят с помощью телевидения, и разбил подглядывающий объектив. Представление об этом объективе (или экране) было неожиданным, мне казалось, что телевидение — это способность видеть на расстоянии как-то просто так... не знаю. О приборах я не думал.

(Дивный сон о книге с движущимися картинками — он обернулся нынешним ящиком.)

Как будут вспоминать мои дети свой нынешний дом — с телевизором, но без закутков, чердаков, чуланов, крылечек? Квартиру без печки, окна без морозных узоров на стеклах, без ваты и обломков елочных шаров между рамами? Воздушные шары, уже не способные взлетать, — когда-то предмет восторгов и переживаний, тема фольклора и поэзии. «Девочка плачет: шарик улетел». Теперь это из кино — почему-то нынешние шары у нас не летают.

Может быть, какое-то следующее поколение, поколение бескнижной, электронно-компьютерной цивилизации уже вообще не сможет нас понять. Да мы будем ему и не очень интересны.

Возможно, наше поколение останется последним, которое пережило войну и застало конечную фазу кровавой диктатуры.

Помните, сверстники, как прятались в бомбоубежище, как по военным московским улицам женщины вели огромные колбасы-баллоны с газом для аэростатов воздушного заграждения? Этих аэростатов было много в вечернем небе над химзаводом имени Карпова. Помните газеты, которыми были оклеены стены? Те, что над кроватью, читаны-перечитаны, прямо и вверх ногами: поздравления товарищу Сталину с 70-летием, речь товарища Вышинского на Генеральной ассамблее ООН, военные действия в Корее, футбольный матч «Динамо» — ЦДКА — здесь нижний край был оборван, открывалась грязно-желтая, в клопиных точках, фанера... с каким же счетом закончился матч?..

Помните хлебные карточки, очереди, хлеб с довесками? Как-то Марик Веберов, придя ко мне, упал в обморок — от голода. Мы-то сами не голодали.

Я помню, как к нашему дому приходили нищие — не те нищие, которых встретишь теперь в электричке, пухлые от запоя инвалиды, а настоящие, они благодарили за горбушку хлеба; я видел, как они потом перебирали, вынув из мешка, черствые, заплесневелые сухари. Это была настоящая нужда, настоящий голод. Иногда находилось для них и что-нибудь из вещей. Остаток рубахи, тряпицу, годную к употреблению, — все брали с благодарностью. Слава Богу, теперь не побираются ради куска.

В Добруше был лагерь для военнопленных немцев, их водили на работы. Они раскрасили фабричную Доску почета под мрамор — не отличишь от настоящего — и, как рассказывали, умели делать замечательные кольца из тюбиков для зубной пасты. Я иногда смотрел, как они под охраной играли в футбол на фабричном стадионе. Это была потеха: стукнет по мячу — и сам падает. От слабости, как я понял потом. Однажды я столкнулся с ними по пути из магазина, где только что выстоял с карточками долгую очередь за хлебом. Группу вела низкорослая женщина с винтовкой, пленные шли нестройной толпой, и такой у них был жалкий вид, что помню свою презрительную мальчишескую мысль: «Вояки! А весь мир покорить хотели!» Один, поравнявшись со мной, жалобно попросил: «Брот, брот! Хлеба!» И я ему кинул маленький довесочек.

Я-то под немцами не жил, враги были для меня абстракцией, и ненависть к ним была отвлеченной.

А несколько лет спустя на станции Лосино-островская, куда мы к тому времени переселились, я видел других заключенных: на путях остановился состав с зарешеченными товарными вагонами. Из-за решеток смотрели лица, и я смотрел на них с любопытством. Преступники. Уголовники. Представление об иных заключенных тех лет в моем сознании отсутствовало начисто — родители сумели отгородить меня от этого знания. Сейчас даже удивительно, как это удалось — им, школе, обществу.

Наша ностальгия по детству отравлена нечистой совестью. Когда мои сверстники, а тем более люди постарше перебирают сладостные московские впечатления о первом послевоенном мороженом или о «микояновских» творожках в лубяных коробках, пионерские восторги и мечты о полюсе — трудно теперь отвлечься от мысли, что в то же время, в те же дни, часы и ночи почти по соседству люди страдали и умирали от пыток, истощения, голода, издевательств.

Я помню, как с удовольствием принял известие об аресте врачей. «Берия взялся за дело», — сказал я, мальчик, читавший газеты и знавший, что Берия только что объединил под своей властью МГБ и МВД. Я не понял тревоги мамы — она только покачала головой и проговорила: «Что теперь будет?»

Мне было пятнадцать с небольшим, и я мог бы сказать с полным правом, что ничего не знал, ничего не понимал. Даже в семьях, где были арестованные, ухитрялись держать детей в неведении. В каком же смысле можно говорить сейчас о своей вине, об ответственности поколения за происходившее при нас?

Ссылка на неведение в таком возрасте вряд ли может все объяснить. Чтобы настолько ничего не замечать и ни о чем не задумываться, нужны были какие-то личные качества: несмелость ума, податливость совести, бессердечность, жестокость, трусость; тут уж не отвертеться. Разве не бессердечным (по меньшей мере) было мое удовлетворение арестом врачей? И постыдней незнания — что при виде арестантов не шевельнулось у меня ни жалости, ни сочувствия; любопытство, с каким я на них смотрел, было холодным, отчасти брезгливым; было жестокое чувство справедливости происходящего и своего превосходства: я-то был не преступник.

Не говорю о старших своих современниках, которым стоило бы глубже копнуть подоплеку своей бесспорно имевшей место искренности и убежденной веры. Не говорю о варианте откровенной подлости, лживости, трусости, шкурничества. Но с какого-то возраста и наше детское алиби перестает срабатывать.

Однажды ночью в нервном отделении Морозовской больницы, где я лежал с туберкулезным менингитом, поднялся необычный переполох, от которого я проснулся. Мимо наших стеклянных боксов проносили новенького мальчика. Его сопровождала мать, молодая яркая дама, и отец, особенно мне запомнившийся: очень маленький, в мундире серо-стального или мышиного цвета, с безжизненно-серым, каким-то ночным при свете включившихся ламп, ничего не выражающим и в то же время пугающим лицом. Такое лицо я видел единственный раз, но потом не раз представлял его, когда слышал о лицах ночных людей из МГБ. Он был оттуда. Мальчика срочно привезли с подозрением на серозный менингит. Диагноз не подтвердился, на другое утро его от нас перевели. Все очень хвалили спокойствие и достоинство, с каким держалась наш дежурный врач Вера Васильевна.

Это был 1949 год. Я написал в больничную стенгазету стихи к 70-летию Сталина. Спасибо Вам, товарищ Сталин, за то, что каждый день и час всегда Вы думаете и всегда заботитесь о нас.

В соседнем боксе лежала тринадцатилетняя девочка, больная хореей. Во время припадков она раздевалась догола — я смотрел на нее через стеклянную перегородку, на ее начавшую развиваться грудь, новое непонятное любопытство томило меня...

Но тут уже другая тема.

1976–1988

Друзья мои...

От многих людей, читавших мои книги «Способ существования» и «Стенография конца века», мне приходилось слышать: «Как тебе повезло: у тебя были такие друзья!» Общение с этими людьми было для меня счастьем, благодаря друзьям я развивался, их поддержка помогала мне держаться в трудные годы.

Они уходили из жизни, и мне хотелось рассказать о них другим. Юбилейные даты становились поводом рассказать и о тех, кто еще, слава Богу, здравствует.

Некоторые из этих воспоминаний публиковались в разных журналах. Собирая их в книгу, я заметил, что среди друзей почему-то преобладали евреи. Получилось так не по сознательному выбору, как бы само собой. Помню, как Давид Самойлов, окинув однажды взглядом собравшихся у него людей, сказал не без удивления: «Странно, почему тут почти все евреи. Исключение, кажется, только ты, Миша», — обратился он к знаменитому актеру Михаилу Козакову. Тот с усмешкой пожал плечами: нет, и он не мог себя назвать исключением.

Позднее я рассказал об этом эпизоде Тамаре Владимировне Ивановой, матери нашего выдающегося филолога Вячеслава Всеволодовича Иванова. «Ничего удивительного, — сказала она. — Еще до революции, с начала века во всех интеллигентских компаниях преобладали евреи». Здесь стоит заметить, что сама Тамара Владимировна, ровесница века, удивительно красивая даже в старости, происходила из семьи коренных русских купцов Кашириных — Окуневых, родители ее отца и матери были крепостными крестьянами.

Участь

I

В ночь после смерти Ильи Габая я перечел его стихи — и заново открывшегося слуха впервые коснулась пророческая их пронзительность.

> Я ощутил до богооткровенья,
> Что я погиб. Что лето не спасенье,
> Что воробьи и солнце не спасут.

Это написано за пять с лишним лет до гибели, но лишь после нее прозвучало вдруг во всей подлинности, в обнаженности души — исповедь и объяснение, горестное и скорбное. «Мне невозможно жить», «Мне стыдно, что я жив, когда творят правеж безжалостность и жадность, ложь и вошь», — слова, многими произносимые в худую минуту искренне и все же риторично, для него были исполнены смертельной серьезности.

О. Мандельштам говорит о смерти художника как о «телеологической причине», высшем акте его творчества, как о последнем, заключительном звене в цепи его творческих достижений. Не знаю, ко всем ли можно отнести эти слова, но я вспоминаю их, когда думаю о судьбе и творчестве Габая.

Как немыслим был для него разрыв, зазор между стихами и жизнью, так не оказалось его между стихами и смертью.

В марте 1971 года он писал мне из Кемеровского лагеря о своих стихах: «Я недавно многие из них перечел (мысленно) и подивился одному обстоятельству: многое все-таки было предугадано. Интересно, интуиция ли это или как-то малозаметно подгоняешь жизнь под стихи, которые все-таки при всех обстоятельствах — определенная квинтэссенция помыслов».

Стихи всегда о главном для него, а по сути, единственном: о трагическом самоощущении человека, обнаженная душа которого воспринимает как свои все боли времени, о страстных поисках достойной позиции в разорванном, невоссоединимом мире.

> Значит, должен я выискать место
> В этом крошеве местей и свар?
> По какому наитью? Родства?
> Но, сударыня, что за родство
> С задохнувшейся речью пророка
> У ублюдка, не пасшего стад?
> Значит, должен я выискать место?
> По какому наитию? Чести?
> Но откуда ж мне ведома честь
> Государственных тяжб и воительств?

Однако именно потому, что стихи всегда о главном и единственном, Габай как личность не сполна выражается и, уж во всяком случае, не исчерпывается в них. Стихи для него могли быть лишь этапом душевного поиска, событием, и возникали редко. Его складу предельно чужд был принцип «ни дня без строчки», чужда фиксация впечатлений, мыслей и состояний. Дневников он никогда не вел, хотя на моей памяти несколько раз, казалось, загорался этой идеей.

И все же в стихах, в прозаических отрывках читаются не только события внутренней жизни, но и пунктир внешних обстоятельств, отзвуки биографии: сиротское детство, армия, студенческая пора, казахстанская целина, учительство в алтайской деревне, тюрьма, лагерь — судьба.

2

Как мы сокрушаемся, вникая в судьбы живших прежде нас, о потерянных бумагах, о незаписанных свидетельствах, как мы досадуем на тогдашних современников. На их месте мы бы знали цену каждой мелочи и штриху, мы бы впитывали, запечатлевали все жадно, без лени, постарались бы вникнуть, понять...

Как бы не так! О давно ушедших мы знаем часто больше и полней, чем о тех, кто жил и живет рядом. Часто ли выпадает открыто рассказать о себе другому и так ли просто задать вопрос? Умышленное исследование живой жизни вообще в чем-то сомнительно и невозможно, как вивисекция по живому. О документах не говорю: в каких сейфах хранятся сейчас анкеты и автобиографии Ильи Габая, записи, бумаги, стихи, изъятые при обысках? Времена, когда вести дневники небезопасно, да и непозволительно по отношению к ближним, когда письма пишутся с расчетом на лагерную или иную цензуру, неблагоприятны для историка. Я не историк, я пишу об Илье Габае, каким он был для меня, и я благодарен сейчас отчасти легкомысленной, отчасти педантичной, въевшейся в кровь привычке вести записи. Перечитывая их, обнаруживаешь, как много не сохраняет, а иной раз и подделывает память, всегда склонная подгонять прошедшее под что-то более желанное, удобное, не ранящее, под более позднее умонастроение и понимание. Главная ее слабость — не в способности отказать, а в этой сомнительной услужливости, без которой жизнь, возможно, была бы мучительной. Память — слишком в большой мере инструмент самосохранения, чтобы быть безупречно строгой; это творческая, благотворная сила, чем-то родственная искусству, и пишущие историю — творят ее. Но дать ей такую волю — значит лишить достоверности жизнь. Записи разоблачают ее ухищрения, дарят, как новыми встречами, казалось бы, канувшими в небытие разговорами, событиями, подробностями.

В самом начале нашего знакомства, году в 1957-м, я по умонастроению Габая сразу решил, что он из семьи репрессированных. В ту пору у многих моих приятелей обнаружилась эта скрываемая прежде тайна. Возможно, поступить с предосудительной анкетой в педагогический институт было проще, нежели в университет или технический вуз*, возможно, знакомства складывались по неосознаваемому отбору — меня поразило, сколько их оказалось.

Когда я спросил об этом Илью, он смутился, точно ему не по праву приписали заслугу. Нет, родители его просто давно умерли; одним из смутных воспоминаний было, как на похоронах отца он засмеялся непонятному еврейскому речитативу кантора.

От бакинских родственников Габая я услышал потом, что отец его был бухгалтером, удивлявшим

---

* Институт был и пристанищем некоторых педагогов, в другие места не допущенных. Наш знаменитый философ и специалист по античности А. Ф. Лосев, например, вел в группах занятия по латыни.

своими математическими способностями: без всякого образования он решал сложные алгебраические задачи. Сын этих способностей явно не унаследовал, он был скорей в деда, непрактичного мудреца и знатока Талмуда.

Я впервые увидел его родственников в январе 1974 года, когда мы, двое друзей, вместе с вдовой и сыном Габая приехали в Баку хоронить урну с его прахом — через два с лишним месяца после тягостной панихиды в крематории. Что-то жутковато-непозволительное было в повторении обряда: человека надо хоронить только один раз. Но такова была его воля: он сам назначил это место.

Случайно ли перед смертью человека тянет на родину, даже если, казалось, давно оторвался от нее и от родственных связей? В своей последней, лагерной поэме «Выбранные места» (1971) он с небывалой прежде остротой вспоминал

> Про город зноя, роз и алычи
> И очень копперфильдовского детства.

И в день выхода из заключения, как о первом желании, сказал мне, что хочет съездить в Баку. В том же, 1972, году он осуществил эту поездку и впервые за много лет посетил могилу родителей, в ограде которой мы полтора года спустя хоронили его.

Я бродил среди безглазых, обезображенных снаружи сосудами газовых труб домишек, образующих улочки Старого города. Здесь иногда снимают фильмы о жизни дореволюционных или зарубежных восточных окраин, нищих азиатских кварталов. (Впрочем, говорили мне, если войти в дверь, которая, как положено, ведет не в дом, а во внутренний дворик, откроется порой обстановка далеко не нищенская.) Здесь он жил до пятнадцати лет. Здесь бродил когда-то Марат, герой его прозаических фрагментов, и сквозь зимний, напоминавший московскую осень день высвечивался передо мной «крикливый южный город с запахами гниющих фруктов», «море, семицветное от пронизанного солнцем мазута». Вот в этот дом Марат был приглашен на «большой байрам» по случаю обрезания хозяйского сына. Здесь разыгрывались скандалы с криками и бранью на высоких нотах, вынимались ножи, бегали без штанов и дрались вот такие же, как сейчас, горластые пацаны. И, может быть, автобиографичен эпизод, когда герой Габая однажды попытался разнять дерущихся ребятишек: «Приподнял одного из них за пояс и перенес на тротуар, и вдруг малый стал орать истошным голосом, рвать на себе майку, и сразу с какими-то криками (в переводе, видимо, наших бьют) толпа окружила Марата и стала избивать его».

Родственники рассказывали некоторые эпизоды этого сиротского детства: как Илья ходил получать по карточкам хлеб и не всякий раз доносил его домой в целости — раздавал по пути нищим и попрошайкам; как сестра, с которой он жил, однажды утром, проснувшись, не смогла поднять голову с подушки: волосы примерзли к стене... Я долго не знал одного обстоятельства: на какой-то срок он был отдан родственниками в детский дом, хотя, по его словам, они в состоянии были прокормить его.

> Как рассказать о родичах моих
> За давностью бестрепетно и просто?..
> Куда больней привычного сиротства
> Я ощутил немудрость их сердец.

Милые, добродушные, гостеприимные люди, встречавшие нас в Баку, — наверное, речь шла не о них, о ком-то старше; да и в том ли дело? Речь шла о ранних болевых ощущениях, запечатлевшихся на всю жизнь, оттиснувшихся на личности и характере.

> О, как хвастливой был вконец задразнен
> Я добротой, унизившей меня!

Повзрослев, он больше всего не позволял унижать себя ни добротой, ни чем бы то ни было. При его постоянном безденежье не всем и не всегда просто было всучить ему трешку или хотя бы угостить обедом. Он убедительно отнекивался, уверял, что недавно ел. Потом, бывало, выйдешь с ним на улицу, а он заторопит: «Скорей куда-нибудь пожрать. Подыхаю от голода».

С этим переплетено было многое, прежде всего обостренное чувство независимости и достоинства. То не было вольное и легкое чувство аристократического равенства со всеми, для этого слишком оно было напряженным — скорей, плебейская, разночинная гордость, родственная комплексу неполноценности. С годами самосознание это уточнялось, формируя четкий и строгий кодекс чести. Дворянство наше, что говорить, не потомственное. Но это свойство порождало особую чувствительность не только к своему, а и к чужому достоинству, унижению, беззащитности. Я не встречал человека, который воспринимал бы это так остро, как Габай.

Порой мне казалась даже чрезмерной его реакция на эпизоды, которые можно было бы воспринять скорей как забавные. Однажды на квартире, где мы собрались встречать Новый год, две наши девушки поболтали у порога с почтальоном, принесшим поздравительную телеграмму, пригласили приходить — так, между прочим, среди формул любезности, которые не воспринимаешь всерьез:

кто ждет, что на вопрос «как поживаете?» вам в самом деле начнут рассказывать! А почтальон возьми да и приди под самую полночь. Сидел за столом, красноносенький, бледный, напряженный, неизвестно кто и откуда взявшийся, в лоснящемся галстуке и с перхотным воротником. Это можно было еще обернуть занятным и даже веселым недоразумением, но Илья был вне себя.

— Что за барство! — выговаривал он в коридоре виновницам. — Пригласить человека, чтобы он чувствовал себя неловко. А он молодец. Молодец. Я на его месте нарочно бы так сделал. Пригласили — так вот и буду сидеть.

Потом напряжение немного спало. Илья отошел. По радио уже начиналось новогоднее поздравление.

— Ну, тише вы, — шумел Габай. — Я опять ничего не расслышал. «Слава советскому»... кому советскому? Ничего не слышно. Вперед к победе... чего? На самом интересном месте вы начинаете кричать. Я так и не пойму, к победе чего?..

Начинался новый, 1964 год.

3

В соседней с институтом столовой работал гардеробщик, щуплый, с гладеньким и каким-то приторным зализом; столь же приторной и в то же время неумолимой была навязчивость, с какой он помогал надевать пальто. Отказаться было почти невозможно. Он не обижался, если ему не давали потом на чай, но не давать при такой услужливости было трудно, и некоторые студенты из-за него избегали этой столовой.

Илья давал всегда и ему, и другим. Он буквально выворачивал карманы перед встречным — не нищим даже, пьянчугой-попрошайкой. Собственное безденежье в ту пору его, казалось, не угнетало. Получив свои двести сорок рублей стипендии, он раздавал долги, на оставшиеся деньги покупал книги, бутылку-другую вина и снова оставался без копейки. Иногда мне случалось принести ему деньжат, на которые, по тогдашним ценам, можно было бы прокормиться несколько дней; он в тот же вечер как-то незаметно спускал их на общую выпивку, виновато хмыкал:

— Ладно, не жалей свои рубли...

На столе общежитской комнаты толпятся бутылки «Саперави» или еще более дешевого «Вин де масэ», лежит нарезанная на серой магазинной бумаге колбаса, ломти хлеба — бессмертный натюрморт студенческой вечеринки. Воздух вокруг голой лампочки светится от табачного дыма. Открывается дверь — сосед пришел к Илье просить на вечер брюки. Из карманов вместе с табачным крошевом вытряхивается на пол медаль «За освоение целинных и залежных земель» — Габай никогда не носил ее и, полагаю, не упоминал в анкетной графе о правительственных наградах. И, отдав брюки, он продолжает застольный разговор о том, что наступает эпоха сытости. У него к этой теме было сложное отношение...

Мы одно время наведывались в мастерскую замечательного, еще не оцененного до сих пор художника Бориса Петровича Чернышева. Это был удивительно красивый старик, мало, казалось, тяготившийся внешними обстоятельствами жизни. В своем трепаном пальтишке, ободранной ушанке, с неотмываемо-черными, красневшимися без рукавиц на морозе пальцами он напоминал бы деревенского нищего — если бы не одухотворенное, исполненное значительности лицо с невыцветшей голубизной глаз. Я написал о нем в другом месте; встречи с ним вызывали у меня, среди прочего, мысль, что все-таки есть на свете высшая справедливость, и по какому-то закону, не в пример обрюзгшей, бесплодной старости официальных знаменитостей, этот человек с годами становился лишь просветленней, до последних месяцев наращивая творческую силу. Во всяком случае, мне казалось, что старик достоин скорей восхищения, чем жалости — чувства, которое прежде всего пронзило Илью при встрече с ним.

— Это не жалость, а горечь, как ты не понимаешь, — с горячностью возражал он. — Меня просто резануло вот тут, у горла, когда мы принесли колбасу, а он сказал: очень кстати, я сегодня с утра ничего не ел. А был уже вечер. Это величайшая несправедливость, когда такой старичок весь день ничего не ест, а в мастерской у него сокровища на сотни тысяч. Это социальная несправедливость. То, что ты говоришь, — абстрактные, ницшеанские штучки. Прости меня, но ты в этом отношении всегда был немного толстокож. А я знаю, что значит целый день не есть... Да пусть даже и жалость, это самое естественное чувство. Что за глупые горьковские штучки: не унижать человека жалостью. Когда я вижу этого старика, который тоненькими ручками ворочает такие тяжести и целый день ничего не ест, мне стыдно за себя, за то, что я после шашлычной отрыжки пишу стихи о правдоискательстве. Поэтому я и не пишу последнее время. Не только поэтому, но и поэтому тоже. Нужно моральное право писать некоторые вещи.

Разговор происходил в марте 1964 года — какая там могла быть «шашлычная отрыжка»! Случайно оказались при деньгах, хорошо пообедали. Да и Борис Петрович не голодал в прямом смысле, просто не выходил, наверное, в тот день из мастерской. Несколько месяцев спустя я услышал отголосок этого разговора в строках из поэмы Ильи «Книга Иова»:

> Так ль слово «жалость» — скверный тон?
> Так ль уж постыдно слово «милость»?
> Вы их превыше, ваша милость,
> Я — ниже! И стою на том!

«Стою на том» означало осознанную и подтвержденную позицию; но основой всех его душевных движений и поступков было непосредственное чувство, порыв, начинавшийся до осмысления и доводов. Это чувство заставляло его пригревать за пазухой случайно встреченную кошку и долго бродить с ней по улицам (домой он ее принести не мог — не было у него тогда еще своего дома). Оно заставляло его днями дежурить у постели попавшей в катастрофу, не особенно даже знакомой женщины...

Была ли толика сентиментальности в этой сердечной незащищенности и доброте? Он сам признавал за собой такую слабость. «Я, конечно же, не чужд, как тебе известно, некоторых сентиментальных черт» (письмо от 12.10.1970). Может, точней было бы здесь русское слово «чувствительность» — способность ощущать ком в горле от жалости и сострадания. Этим свойством был наделен глубоко чтимый им Радищев — с душой, уязвленной «страданием человечества».

> Но я хотел бы, чтобы боль чужая
> Жила во мне щемящей сердце болью, —

писал он в юношеском стихотворении «Чужое горе» (1957); и в этих строках — нравственная ос-

нова всей его дальнейшей жизни, всей общественной его активности. Здесь словно заклинание от
душевной глухоты и слепоты. Для него незажива-
ющим укором совести была память о том, что совершалось рядом с ним и на что у него открылись
глаза непозволительно, не по возрасту запоздало:

> Своей беды нам ворон не накличет,
> Беда других — ничтожна и мала...
> Наверно, от такого безразличья
> И повелись преступные дела.

В нашей действительности, в общем-то, можно
устроиться обособленно, находя достоинство в позиции неучастия, уклонения, даже гордясь способностью поступиться известными выгодами; не всем,
но некоторым, «счастливцам праздным», доступно
даже свести до минимума столкновение с подлыми
сторонами жизни, ограничить общение избранным
кругом и не слишком жаловаться на свой опыт.

«Ваши права когда-нибудь нарушались?» —
уличал меня как-то следователь в Лефортове, изо-
бражая возмущение моей подписью под текстом,
где говорилось о нарушении гражданских прав; и,
представьте, в первый момент мысль заработала в
подсказанном направлении, я с неловкостью стал
припоминать: вроде бы нет... зачем же я так?

Да хоть бы и нарушались! Мало ли приходится
переносить самых разных обид и невзгод! Ты можешь относиться к жизни стоически и философ-
ски, принять неизбежность всех противоречивых
ее элементов, горечь, поражение, боль, смерть, признать разумность действительного и найти опору в
самом трудном и даже трагическом знании.

Но вот страдаешь не ты, а некто близкий тебе,
не всегда склонный и способный к возвышенному

философствованию; он страдает и хочет вырваться из своей боли. Ты скажешь ему, что заранее уверен в своем бессилии помочь? что сам страдаешь от своего бессилия? что этим возвысишься?..

Как много складных этических систем рушится, когда нужно перенести добытое знание с себя на другого. Чужие жизни и судьбы зависят от нас больше и иначе, чем нам хотелось бы знать. Быть может, самое трудное в самопожертвовании — сознание, каким горем это обернется для твоих близких.

Габай всегда настаивал, что каждый вправе рисковать только собой; на всех допросах его первым правилом было говорить только о себе, но других имен не касаться. Как непросто это было в реальности, как часто сказанное о себе было уже сказанным о других! Профессиональные ловцы душ знали это по роду службы. Слишком все переплетено. Даже в самых, казалось бы, обыденных житейских обстоятельствах не все определялось твоими добрыми намерениями. Забота о страдающих дальних, увы, бывала за счет ближних, семьи например — уж в этой сфере отношений куда как много тупиковых закоулков...

Сам Габай был слишком сложен и неоднозначен, чтобы укладываться даже в собственные свои представления. Он слишком навидался изнанки жизни, чтобы быть благостным: в колонии для несовершеннолетних, где работал воспитателем, в армии, в глухой деревне, на целине; о позднем тюремном и лагерном опыте не говорю. Он не был домашним сентиментальным мечтателем. Это был сильный человек; я бы не назвал его и физически слабым, хотя он был начисто чужд спортивных добродетелей.

Многие его стихи вдохновлены Библией, но не Евангелиями, а Ветхим Заветом, где мало кротости и смирения, где все в гари, смуте и душевной скорби, в величественном порыве, где чтится более дух воинственный.

> Нищего жалеют не за рвань:
> За то, что он не борется, а просит, —

писал он в «Еврейских мелодиях». То-то и оно, жалость — чувство непростое. Порой бывает трудно возлюбить тех, кого жалеешь; не всегда хватает духа евангельского.

В юношеском (1959 года) стихотворении «Баржи и яхты» Габай противопоставлял романтическому «Рожденный ползать летать не может» мир низких и трудных будней:

> А вы все славу курите
> Летающим над пропастью!
> Летают даже курицы,
> Попробуйте — поползайте!

И эта искренняя юношеская программа отнюдь не отменяла способности восхищаться полетом, «яхтами» — чем был бы мир одних «барж»?! Развитый вкус не мог не знать цену сильного, величественного — даже если на нем лежал отсвет нравственной сомнительности. И последовательный нравственный выбор Габая — не благонравие певца прописных истин, а испытанное искусами убеждение человека незаурядного, сознающего свою незаурядность.

В феврале 1971 года он писал из лагеря, отвечая на какое-то мое размышление о теме «маленьких людей»: «Быть может, во всей мешанине современных литературных перипетий это самая надежная, если не единственная пристань гуманизма — при скомпрометированности героической симфонии...

Все-таки возвращаются на круги своя болевые ощущения XIX века. Рад, что мы с тобой оказались в конце концов при одном истоке. Ежели это даже и разбитое корыто — ну и пусть; стало быть, все прочие дары государыни-рыбки следует почтительно вернуть людям с иной кожей: не про нас».

4

Летом 1964 года Габай рассказывал мне, как ввязался в спор с Эренбургом на каком-то вечере в ЦДЛ. Его разозлили пренебрежительные рассуждения Эренбурга об инфантилизме современной литературной молодежи по сравнению с прежней.

Я усмехался. Сам-то я, конечно, казался себе достаточно зрелым. Еще два года, год назад — неловко вспомнить, каким был дураком, но сейчас, в каждый данный момент — отнюдь. Пока не взбирался на следующую ступеньку.

Давние записи выдают меня с головой мне же самому. По многим статьям уровень наш бывал постыдным для не столь уж невинного возраста. Да вот вопрос: не скажу ли я чего-нибудь сходного через год-другой и об этих вот, нынешних своих откровениях? По опыту не станешь зарекаться. Всякое понимание, знание с годами углубляется — должно углубляться; в каком-то смысле зрелость, может, вообще недостижима. Но это знание и незнание, зрелость и незрелость вместе образуют некоторую целостность, существуют внутри нее, мы чувствуем ее всегда; отсюда в каждом возрасте оправданное ощущение полноты бытия. Юность вообще можно воспринять как недоразвитость — но какая тут правда? Мне бы хотелось саму незрелость нашу увидеть внутри этой целостности.

Что — уровень! Откуда ему было взяться у школьников зябкой, с приморозками, поры? Школьная теплица сквозь пыльные стекла пропускала свет убогий; стоит удивляться скорей, что все-таки росли — с задержками, с искажениями, но и с какими-то свойствами, не предусмотренными селекционерами. Бывало по-разному, и стоит, наверное, ограничить это «мы» тем общим, что сближало внутри поколения нас, мальчиков из семей интеллигентных настолько, чтобы заложить в детях понятия, дающие прививку от хамства (не всегда ее хватает на всю жизнь — всякая прививка нуждается в подкреплении), чтобы подчас нелегкой ценой позаботиться об их образовании, передав в наследство собственные, чаще всего неосуществленные мечты — но редко присовокупляя к этому наследству не то что библиотеку — книжный шкаф. Я уже писал: наши первые этажерки заполняли мы сами в меру своих возможностей и разумения, постепенно и не без вреда для здоровья учась отплевывать шелуху от зерен, но сперва заглатывая все: благородную классику вместе с наползавшим чтивом, газетами, радиопередачами, ждановскими докладами, внутри которых только и существовала для нас, например, Ахматова. А скольких не существовало!

И все же абстрактные, общие основы, формировавшиеся в нас неравноценной и неполноценной духовной пищей, содержали в себе зерно благородное и доброкачественное. Проблема состояла в том, как соотнести эти основы со все более открывавшейся нам реальностью.

— Я помню, — рассказывал однажды Илья, — когда мне было семнадцать лет, я шел по улице и думал: как хорошо, что я живу в Советском Союзе, а не в Америке, где линчуют, что я могу в этом году поступить в институт, если захочу. Вообще было чувство такой уверенности. А ведь прошло уже «дело врачей», и семнадцать лет, что ни говори, возраст.

«Это мы потом подросли и научились стыдиться жеребячьих глупостей своей юности. Черт-те что, болтать о всяких там Кантах и Эйнштейнах» и не замечать рядом трудных, исковерканных судеб — вот чем казнится герой одного из ранних рассказов Габая. Персонажи этих рассказов — алкоголик, бывший инженер, побывавший в немецком плену; беспутный парнишка, угодивший в тюрьму; ненароком забеременевшая девица. Как-то у метро нам встретилась женщина, которую Илья потом назвал одной из своих героинь. Едва поздоровавшись и удивившись нечаянной встрече, она вынула из авоськи пачку халвы, сунула ему: «Возьми, возьми, вон ты какой худой».

Такие вещи формируют душу не меньше отвлеченных формул; да и чтение «кантов и эйнштейнов» (если человек их, конечно, читал) откладывалось вовсе не во вред. Несовпадение внушенных абстракций с реальностью могло порождать, конечно, и лицемерие, и цинизм; бывало по-разному. Наверное, тут можно говорить о некой предрасположенности: она определяется, среди прочего, душевной организацией, той самой совестливой чувствительностью, болевой обнаженностью и не в последнюю очередь — глубиной, требовательностью ума, не склонного удовлетвориться полуправдой, подделкой. Эта глубина неотделима от честности (как и мужество); она ее мера. Основу жизненной цельности дает способность к душевному поиску; потребность же в нем для нас особенно была задана временем.

Обозначенная 1956 годом ломка была ломкой не столько понятий, сколько понимания, сменой ориентиров, но не критериев. Сколько представлений сдвигалось, сколько репутаций переворачивалось, сколько рушилось кумиров, сколько имен всплывало из небытия! Эпоха наделяла нас новым сознанием вместе с чувством соучастия в ужасах, о которых былые века не слыхивали. Для поколения тогдашних 16—22-летних это особенно много определило в будущей жизни. Более старшие успели сформироваться другим опытом, более младшие не знали столь крутой ломки. Во всем есть своя сила и слабость; блажен обеспеченный наследством от рождения; но есть свое достоинство и в том, что добыто с духовным напряжением — прежде всего, повторяю, само это напряжение.

Жизнь Габая представляется мне историей некоего сквозного поиска, запечатленного в стихах, и суть этого поиска важней, чем любой обособленный промежуточный вывод. Я не случайно ставлю даты, цитируя его высказывания и стихи. Мысли, которые сейчас кажутся нам привычными, естественными, даже тривиальными, далеко не всегда были такими; надо воздать должное тем, кто пробивал ступеньки.

Когда, не видевшись несколько месяцев, мы, бывало, встречались и заводили долгие разговоры, удивительно было ощущение, как параллельно развивались наши мысли. Параллельность не означала, конечно, совпадения: иные его фразы, мне казалось, не обязательно дослушивать до конца, я уже понимал с полуслова и мог бы закончить за него. Но он продолжал, и конец фразы оказывался не совсем таким, как я предполагал. Ощущение сходства, может, возникало отчасти от не дослушанных до конца фраз. И все-таки в существенном сходство было. Наша близость порождалась не только личными свойствами — слишком много в характерах, в проблемах, в направлении умов было задано временем. Мы не всегда отдаем себе отчет, насколько мы участники потока — как не чувствуем, что несемся вместе с Землей сквозь Вселенную.

Общность порождалась в чтении одновременно доходивших книг, в обсуждениях и спорах, от которых Габай никогда не уклонялся, ввязывался горячо, всерьез, часто один против многих — они ему непросто давались. Иногда потом, уже поздней ночью, он отправлялся бродить один по улицам, чтобы прийти в себя. Эти встречи, обсуждения и споры вспоминаются как первая примета той поры...

Потом мы выходим вместе на улицу, мокрую от дождя. Немного навеселе, запеваем «Гренадеров». Впереди, приплясывая с гитарой, Юлик Ким. Заглянули к кому-то еще, соблазненные возможностью выпить, читаем стихи, и я, помнится, как-то подумал, что нас вот таких можно заснять для фильма о современной молодежи... Да, мы как раз зашли к артисту, исполнявшему заглавную роль в фильме «Застава Ильича». Примерно то же почувствовал, видимо, Ким:

— Ну что, похожи мы сейчас на современную молодежь, которую показывают у вас в кино? — спросил он.

Фильма мы тогда еще не видели.

Но, как уже говорилось, время определяло далеко не все, и речь о «нашем» поколении следует, видно, ограничить сравнительно небольшим кругом близких по типу людей. Слишком далеко расходились пути моих сверстников. Дожив до некоторого возраста, успеваешь увидеть разные метаморфозы.

Для притчевой наглядности упомяну, как на одном из позднейших допросов собеседником Габая оказался его бывший сосед по студенческому общежитию. Из облюбовавших эту стезю я знал не его одного. Два бывших однокашника по разные стороны следовательского стола — картинка, впрочем, не новая для нашей истории. Тут можно бы подробней порассуждать о внешних обстоятельствах и внутренних причинах, которые определяли пути; но и эти рассуждения вряд ли будут новы. Скажу лишь об одном: на многих жизненных поворотах меня поддерживала и остерегала близость с Ильей, всегдашняя оглядка на него в работе, мыслях, решениях: «Что бы он сказал об этом?» Я думаю так и сейчас, когда пишу эти страницы.

5

> ...А время каменеет, и у фраз
> Нет свойства передать из дальней дали,
> Что люди жили, мучились, страдали,
> А не свершали действа напоказ.

Недавно я в очередной раз услышал знакомое застольное рассуждение о том, что политикой надо заниматься профессионально. Когда художники ввязываются в политику, это выходит непрофессионально.

А можно ли жить профессионально? Политикой ли занимался Габай?

> Но откуда мне ведома честь
> Государственных тяжб и воительств?

Он мыслил не политически — для этого слишком мало в его действиях было заботы о победном результате.

— Мы чистоплюи, — усмехнулся он как-то в разговоре, — мы не согласимся ни на какой политический пост — чтобы не пачкать рук.

И в своем последнем слове на суде в 1970 году, ярком, страстном, умном слове, которое, надеюсь, когда-нибудь войдет в хрестоматии по истории нашей общественной мысли, по праву мог заявить: «Мне, я думаю, не свойственно общественное честолюбие».

Исходным мотивом его действий, как уже говорилось, всегда был непосредственный нравственный импульс:

> Ах, слава богу, мы не Робеспьеры,
> Но почему должны терпеть мы стыд?
>
> (1968)

Как-то осенью 1963 года в кругу друзей зашел разговор о слабости любой положительной программы.

— Это вредная теория, — вспылил Габай. — Из нее следует, что ничего не нужно делать, что если мы сволочи, то не потому, что мы сволочи, а потому что мир такой. Какая положительная программа была у Радищева?.. Можно и нужно бороться не только за что-то, но и против чего-то. Если мы чего-то не делаем, то потому, что мы трусы. И ты трус, и я трус. Потому что мы больше всего заботимся, как бы не потерять стул из-под задницы. Из всех вас я, пожалуй, наиболее способен наделать глупостей. Вся беда в том, что мы слишком себя любим, слишком себя уважаем. Мы боимся даже показаться смешными...

Он действительно способен был натворить глупостей, мальчишеских, не по возрасту нелепых. Например, швырнуть камень в окно дома на Лубянке. Потребность действия не находила еще адекватного выхода, и если что останавливало, удерживало от многих небезобидных выходок, которые могли плохо кончиться, так это та самая боязнь оказаться смешным — существенный элемент его мироощущения.

Любимым героем Габая всю жизнь был Дон Кихот. Он говорил мне об этом в первый год нашего знакомства и верность «священному донкихотству» сохранил до конца.

— Чем больше перечитываю эту книгу, тем лучше вижу ее слабости как романа и тем сильней чувствую величие образа.

Помнится, в ходе одного из споров о смысле и бессмысленности отчаянного порыва, единственным результатом которого может быть тюрьма, Илья воскликнул с искренней тоской:

— Да поймите, нам, может, очень надо за что-нибудь посидеть в тюрьме.

— Ты не знаешь, что это такое, — усмехнулся в ответ Петр Якир. — Тюрьма ломает. Мне-то ничего, я привычный. Я попаду в тюрьму, возьму свою пайку и песни стану петь (запись 20.10.1963).

(Увы, он ошибся лишь отчасти.)

> Сделай меня смелым,
> Чтоб не бояться смеха,
> Смелости дай, Всевышний,
> Смелости быть нищим! —

писал Габай в отрывке, впоследствии исключенном из «Книги Иова».

Его тяготило чувство неполноценно текущего времени. «И что самое обидное, с ума от такого образа жизни отнюдь не сойдешь», — писал он мне с Алтая 7.11.1962, посылая стихи, где предъявлялся горький счет самому себе — «за то, что так бесславно жил, что жил — не рвал, не знал сожженья». Он тосковал о подлинности, вспоминая в «Книге Иова» очередной ушедший год —

> Год не невзгод — когда б невзгод!
> год ощущенья: загостился...
> Он даже шел на срыв, на слом,
> но это было той же ложью,
> как смелость тени — под подошвой,
> как стойкость радуг — под веслом.

Прекрасный образ иллюзорной жизни, мнимой смелости. Не умышленный поиск невзгод, а требование неподдельной судьбы.

В 1963 году мы затеяли сочинять с ним совместный роман; каждый в рамках общего сюжета должен был вести свою «партию», своих героев. В этом незаконченном, а верней сказать, ненаписанном романе есть «малоназидательная сказочка», принадлежащая перу Габая.

«Человек некий вообразил себя богоборцем, предстал он перед светлыя очи и сказал: "Бог, тебя нет, и я тебя знать не знаю". — "Недосуг мне, — сказал Господь, — некогда мне с тобой валандаться, и вообще, время у нас сейчас такое, умеренное. Валяй, богоборствуй". И пошел Человек, и стал кричать: "Бога нет, он мне сам об этом сказал"... Так витийствовал он некоторое время и с платы за собрания построил себе рай не рай, но уютную таки жизнь. И очень эта уютная жизнь тяготила Человека... Чем пуще он гневил Бога, тем лучше ему жилось на земле. И взмолился он: "Накажи меня, покарай, а то люди на меня пальцами показывают, что я со своего богоборчества, со своей богоненависти себе жизнь хорошую устроил". — "Вот уж это — хрен тебе, — так сказал Бог, — этого уж

ты у меня не проси. Я вас, блудных, хорошо знаю...
Все вы блудите с твердым расчетом на тельца, всем
вам, блудным, для успокоения совести вашей, су-
етной и тщеславной, страдания нужны и испытания, в рубище походить хочется... А ты у меня не
страданием, а жиром помучаешься, не жертвой,
а жратвой будешь обставлять свои исступления...
Шиш тебя в конце ожидает вот такой, и, кроме
шиша, нечего тебе будет вспомнить"»...

Нет, он не принадлежал к прирожденным, уме-
лым бойцам, уверенно, хоть и с риском нацелен-
ным на победу; у них своя честь. И своя — у тех,
кто предчувствует, что в столкновении с властью
людей, не претендующих на власть, нет победы,
кроме моральной. Возможно, что это не более трагично, чем жить, заведомо предвидя смерть. Но
рождаться нам или нет, мы не выбираем. Впрочем,
может, и нравственный императив, а с ним и жизненный выбор определен человеческим устройством больше, чем мы думаем — когда человек
чувствует, что просто не может иначе:

> Но ты отмечен свыше: ты помечен
> Обязанностью к действиям вотще.

Чем были бы мы без таких людей?

«Я не верю в любовь к мятежам», — писал Габай
в лагерной поэме и продолжал:

> так создается зло,
> и не верю в право уклоняться от мятежа: так допускается зло,
> я не верю в возможность ответить на вопросы души
>   и в право души не задавать их.

Это — как бы отрицательный синтез темы: речь
о непозволительном, о невозможности однознач-

ного решения. Есть ли синтез положительный? Во что верит автор? «На что я надеюсь?» — спрашивает себя Габай — и отвечает:

> ...что на кручах,
> Узнав хоть краем боль,
> Я обрету не роль,
> А участь, друг мой. Участь.

6

Я пишу о личности и судьбе Ильи Габая, следуя за его стихами, и чувствую, как поневоле складывается образ человека, жившего в силовом поле одной думы, одного комплекса проблем. В его поэзии нет гармонической широты, но есть напряженность и глубина страсти. Вдохновение всегда выше поэта, но и человек не укладывается весь в свои создания. Я уже говорил, что по многим причинам к Габаю это относится особенно.

Возможно ли по стихам составить представление о его остроумии, живости, обаянии? Разве что единственная шутливая поэма, сочиненная как-то на скучной лекции, позволяет судить о той атмосфере искрометной, блистательной хохмы, которую он создавал вокруг себя: на школьных уроках, где мог устроить соревнование «лжецов» (дети его любили, и многие бывшие ученики приходили к нему спустя годы); в славном нашем застолье и импровизированных «капустниках». У меня хранятся магнитофонные пленки с мелодрамами, детективами, трагедиями и водевилями, которые мы сочиняли иногда экспромтом, передавая микрофон по кругу. Как-то, играя в буриме, мы создали новую авангардистскую поэтессу Нету Некрасер; сборник ее заковыристых стихов был изъят во время одного из обысков, и среди всех тревог мы забавлялись мыслью о задачке, которую задали следователям. Ранние, алтайские письма Габая бывали чудо как смешны. Вдруг он обращался ко мне, как к даме, которую ревнует: «Как вы, Марка, в сущности, неглупая женщина, могли прельститься показным лоском этого хлыща и не заметить, что под грубым сукном моего учительского кителя бьется трепетное и любящее сердце?» То начинал просить совета для своего приятеля, который «влюбился сразу в четырех девушек. В двух потому, что они ленинградки, в одну — потому, что ее дед был знаком с отчимом Володина, и еще в одну — потому что у нее очень талантливые уроки по народной песне "Не шуми ты, мати зеленая дубравушка" в 6-м классе». То письмо вообще писалось, как пьеса:

«Марк (*один*). Что-то Илья не пишет. Зазнался, наверное, с тех пор как получил возможность проверять по 120 тетрадей.

> Входит Илья. Он, как всегда, чисто выбрит
> и отутюжен.

Илья. Здравствуй, Марк.

Марк (*сурово*). Почему ты до сих пор не писал мне?

Илья. Я не писал до сих пор потому, что не знал, где я буду находиться.

Марк. Что ты можешь сообщить мне во первых строках своего письма?»

Дальше таким же манером следовали подробные ответы на вопросы о жизни и здоровье совершенно неизвестных мне Виктора Ефимовича, Марьи Ефимовны, Михаила Степановича и Марьи Прокофьевны, а попутно сообщалось и о существенных новостях: «Какое у тебя настроение, Илья?» — «Правду сказать, несколько вшивее, чем мне хотелось бы».

Он умел посмеяться над своим «вшивым настроением», и эта способность воспринимать невзгоды в юмористическом свете, как бы со стороны, помогала превозмочь их. Почему же почти не найти следов этого вольного юмора в его стихах и прозе?

Нельзя сказать, чтобы он вовсе не проявлялся — можно вспомнить и либерально-поэтическое «современное кафе», «где нету правых стен — все четыре, как искусство, левы», и остроумную игру слов вроде «ползет элита» в «Выбранных местах». Но это всегда скорей язвительный, напряженный сарказм, чем та исполненная превосходства, объективная ирония, с высоты всепонимания взирающая на жизненную драму. Наверное, тут и ответ на вопрос. Поэзия его не знает эпической дистанции — почти полная слитность автора с тем, что он пишет; даже когда возникают на первый взгляд эпические образы: Юдифь, дочь губернатора, волхвы — это всегда либо рупор авторских мыслей, либо повод высказать их. Он мог критически оценивать эти мысли — но изнутри собственной противоречивости, не отстраняясь ни на шаг, и это лишь прибавляло напряженности, но не снимало ее.

В последние годы, особенно после лагеря, веселость все больше оставляла его. Он способен был, как прежде, шутить и дурачиться — но именно как прежде; была в этом инерция, воспоминание, отголосок, уже чуть дребезжащий, словно лопнул на струне волосок или сама струна ослабла. Легкие минуты, литературные разговоры становились все менее обязательными — мысль и душа его схвачены были другим.

Точно так же почти нет в его стихах любовной темы, не найти даже отголосков его многочисленных увлеченностей и романов, один из которых кончился женитьбой, во многом вынужденной. Это деликатная тема, но совсем ее не обойти, ибо с ней связано немало в жизни и судьбе Габая. От этого он убегал из Москвы на Алтай, не закончив институтского курса, и рвался потом еще куда-нибудь, возвращался, жил по чужим квартирам, восхищался при встречах сыном, строил фантастические проекты его воспитания, собирался даже взять его к себе у жены на год-другой — и та готова была уступить даже этому безумному плану: она ждала его с терпением и настойчивостью, какие даются, видимо, истинной любовью. В те годы я видел ее лишь изредка: Илья звал меня на неизбежные семейные встречи (в день рождения сына, например), где ему не хотелось быть одному. Что-то начало меняться лишь после первого его ареста в 1967 году. Тогда его жена впервые стала появляться среди друзей на признанных правах: собирала передачи, хлопотала об адвокате, обсуждала новости — возбужденная, похорошевшая, в каком-то вдохновении: жена арестованного мужа. Из следственной тюрьмы Илья впервые вернулся к себе домой, в полученную тем временем кооперативную квартиру. Ко многим чувствам, связывавшим его с женой, прибавилась теперь и благодарность, и эта благодарность крепла с годами их трудной жизни, принесшей столько испытаний и горя самоотверженной и незаурядно стойкой женщине. До второго ареста Илья жил в своем доме мало, по-прежнему то и дело куда-нибудь исчезал: уезжал рабочим в археологическую экспедицию, учителем в деревушку под Кинешмой — и побеги эти были вынуждены не только необходимостью найти работу. После нового заключения он прожил дома около полутора лет — до своего последнего побега.

Да, все это называлось его жизнью и смертью, но почти никак не было связано с его поэзией. Особняком стоит сказать о теме природы. Пейзажной лирики, вообще пейзажа в строгом смысле его поэзия тоже не знает. Немногие, чаще всего небрежные, почти условные описания появляются в стихах всегда как будто именно ради того, чтобы заметить, как все это, по сути, несущественно для автора или его лирического героя: «Я отчужден от этих взаправду красивых буколик».

Был ли он действительно невосприимчив к природе? Если бы так просто! Порой казалось, что он не позволяет себе этого чувства — оно прорывалось лишь изредка.

— Чего в тюрьме не хватает, так это зелени, — рассказывал он в мае 1967 года, освободившись после первого четырехмесячного ареста. — Я не любитель природы, но зелени явно не хватало. Если б разрешили в передаче передавать цветы, было бы намного легче...

Он снял очки, чтобы протереть; взгляд его незащищенных близоруких глаз с припухлыми веками был по-детски беспомощен. Я вспомнил, как мы купались в Енисее и он, совсем ослепленный светящейся на солнце водой, не заметил, что на него наплывает кошель сплавного леса; наружная цепь связанных между собой бревен подмяла его, он вынырнул уже внутри кошеля, среди вольно плывущих стволов, еще не совсем понимая от слепоты, что произошло, а течение стремительно уносило его. Он выбрался на берег километром ниже (неплохо плавал) и так же, щурясь, с безоружной улыбкой возвращался вдоль воды к месту, где оставил одежду и очки...

В тоне его, в этой знакомой оговорке «я не любитель природы» сквозило нечто вроде смущения, он словно признавался в слабости, не совсем позволительной. Та же извиняющаяся оговорка звучит в стихах, посвященных тому красноярскому лету:

Так много солнца — честно забываешь,
Что где-то есть дурак и фарисей...

И опять мне слышатся отголоски наших тогдашних споров. Я не мог принять этой неизменной оговорки, вносящей привкус сомнительности, недозволенности едва ли не во всякую радость, в само наслаждение жизнью. В детском туберкулезном санатории, где я когда-то лечился, был, помнится, шутник, любивший приговаривать среди общего веселья: «В Корее война идет, а вы смеетесь» — чем забавлял нас еще больше. Возможно ли было все время думать о несчастьях Кореи? Да и когда думали — так ли уж проникались? Какой-то высший инстинкт жизни, видимо, не позволяет держать в душе постоянно, «что где-то есть дурак и фарисей» (формула не бог весть какая удачная, но каждому нетрудно додумать и переиначить ее). И если цель всех поисков, борьбы, испытаний — какая-то будущая, вряд ли сбыточная гармония — разве не Божий дар все, что способно напомнить об этой гармонии, об этом смысле сейчас?

Старый вопрос. Еще Достоевский обсуждал право писать пейзажные стихи посреди страшного землетрясения. В том-то и дело, что Габай чувствовал себя живущим в потрясенном мире. Поступиться памятью об этом казалось ему изменой чему-то; в своей противоречивости он был целен, не переставал, старался не перестать быть самим собой.

В одном из стихотворений эта тема развивается как бы в ответ строкам популярной студенческой песни «Мой друг рисует горы». Не помню, что я писал ему по этому поводу в лагерь; он отвечал мне 9.12.1970: «В мире все-таки существуют и утраты, и невежество, и победное шествие хамства и зла, и наше недостойное поведение. Здесь может быть безусловное, органичное явление Фета в "Дневниках" Достоевского перед лицом лиссабонского землетрясения — кто же вправе упрекнуть человека за то, что он живет в своем мире. "Горы" — это все-таки не свой внутренний мир, а равнодушное, хотя и искусное, особенно на неискушенный взгляд, проектирование его. Это прекрасная почва для пилатства. Один мой знакомый, который в основном занимался хождением в гости, говаривал, что его удерживают от поступков интересы нации, которой будет трудно без него... "Фаустус", которого я тогда еще не прочитал, ответил на этот вопрос, по-моему: полный крах гения именно из-за невозможности любви, детской привязанности и пр.».

В «скверне и Содоме» лагеря эта тема приобретает особое звучание; щемяще-яркими становятся воспоминания о красоте и радости мира, оставшегося по ту сторону колючей проволоки. «Я сейчас иногда удивляюсь, — писал он мне 2.09.1970, — что можно было в то красноярское лето не чувствовать себя счастливым». В сновидениях поэмы «Выбранные места» возникают образы прекрасной природы.

> И как я только мог, тупец и бездарь,
> Лишь (так сказать) почти у края бездны,
> Почти у рубежей небытия
> Понять, что бор — не робость. И не бегство.
> Но жизнь. Но жизнь: сакральный смысл ея.

Это словно извиняющееся за высокий слог «так сказать» не снимает выстраданной серьезности сказанного — особенно когда о «крае бездны» читаешь сейчас. Но следом за этими строками тотчас наплывает иное воспоминание — о «неправе и разбое»; мысль и чувство вновь мечутся в неразрешимом противоречии — «с надеждой уточнить, с надеждой опровергнуть»:

> Какие лес и дача? — не взыщите:
> Какая благость? — Скверна и Содом.
> И нету сил! (И где мой утешитель!)
> И худо мне! (И чем утешит он!)
> Утешусь ль тем, что сложен человек?
> Что много в нем намешано от века?
> Что мы — когда Аврелий! И Сенека!
> Когда поэт! Философ! Имярек!
> ....
> А если это вчуже и не впрок?

7

Стихи Габая — вечное самоопровержение, за и против, вечное «ясно — не ясно», словно две половинки собственного существа не в ладах одна с другой. Случалось, я запоминал иные его понравившиеся мне суждения и время спустя повторял их в разговоре. Габай почти всегда опровергал их, забыв, что опровергает собственную недавнюю мысль.

Он был слишком глубок, чтобы всякий раз не видеть другой стороны истины, слишком честен, чтобы удовлетвориться компромиссом. Ни одна мысль или тезис не становятся у него окончательными, не выражают сполна того, что он хочет сказать. Отсюда всегдашнее тяготение к большим поэмам с бесконечным, открытым варьированием мотивов; в кратком стихе не всегда удавалось быть цельным. В ноябре 1970 года он впервые писал мне из лагеря о замысле «Выбранных мест» — опять, по его словам, «попытки углубления вечных (для меня) тем, спора с самим собой, но боюсь, что каждый раз и теза, и антитеза будет слишком категорична — и потому схематична» (29.11.1970). Некоторые главки поэмы он присылал в письмах — и следом жалел об этом, боялся, что фрагмент будет неверно понят: «без контекста, без оспаривания и опровержения чего-то высказанного (так у меня построено) буду понят неполно и превратно» (25.01.1971).

Это относится ко всему, что он писал. Как бы выразительны, порой афористичны ни были отдельные его строки, как бы содержательны и интересны ни были отдельные его мысли — цитированные отдельно, вне контекста всего его творчества, его жизни и смерти, они могут создать неточное, иной раз даже превратное представление о его целостной сути. В какой-то мере это верно для всех, но для Габая с его противоречивым и напряженным миром — особо. Я никогда не мог воспринимать его стихи отдельно от всего, что знал о нем, что неразрывно связано не только с его, но и с моей жизнью. Мне бы хотелось, чтобы так же перечли их и другие.

Стихи его — своего рода свод противоречивых раздумий, вопросов, которые на разные лады задает себе в наше время и в наших условиях душа совестливого и мыслящего человека. Но ответа они не дают. Меньше всего его поэзия способна дать уверенность и основу для самоутверждения. И все же она служит уверенности, показывая читателю, что он не один в своих сомнениях и поисках. Она расшатывает самодовольство, половинчатую мудрость.

Счет его к самому себе труден — соразмерял ли он посильность своей ноши?

Я сам свой Бог. Но слабый, вздорный Бог,
Издерганный, юродивый, убогий.
Не дай вам Бог — любить такого бога.
И быть, как он, — не приведи вас Бог...

Но Божьего величия — карать
Не пожелаю ближнему: не смею
Желать ему таких шахсей-вахсеев.
Не дай вам Бог — как Бог себя карать.

Чтобы быть нетрагичным в трагической действительности, надо либо обладать известной степенью толстокожести и поверхностности, либо возвыситься до некоего надличного представления о мире как о вечном и неизбежном круговороте жизни и смерти, радости и страданий — представления, не знающего ни страха перед миром, ни отрицания, ни оправдания его. Крушение отдельной человеческой судьбы выглядит тогда частной дисгармонией внутри гармонического целого; ценность ее относительна, все происходящее имеет свой смысл, и даже предательство Иуды служит вящей славе Христа. Такая мудрая примиренность с судьбой тоже не дается без потерь. Страсть, любовь порождены напряжением, которое говорит об утрате целостности; не всякому дано прорваться к гармонии через напряжение и разрыв, можно считать целостностью и отсутствие страсти, неспособность к истовому жизненному поиску. Возможно самодовольство, самолюбование в трагизме; искусство нередко служит зеркалом такого самолюбования. Это мироощущение заведомо отказывается от поисков выхода, считая его иллюзорным, зато находит нравственно сомнительное утешение в чувстве превосходства над другими, не способными к столь героической позиции. Этот аристократический эстетизм высокомерен и лишен любви; он знает лишь о своем страдании.

У Габая нет примирения с жизненным трагизмом, приятия его, столь близкого равнодушию. Терпя в своем поиске поражение за поражением, он не отказывается от него — он не верит в право души не искать выхода из противоречий:

> Свести — но воедино как свести?
> Ищи рубеж — но где его найти?..

Он так и не сумел свести воедино своего трагически-разорванного мира. Тот, кто считает, что ему это удалось, пусть спросит себя: какой ценой?

8

Габай был поэт по душевной организации своей. Стихами он жил, стихи были для него естественной формой самовыражения. Писал он редко, но сразу — ему было ведомо вдохновение.

> Меня мелодия завертит,
> Как ветер — горсточку золы.
> Я буду в этой песне ветра
> Песчинкой, поднятой с земли.
> Лечу! И значит: вон из кожи,
> Вон из себя, из пустяков,
> Из давних, на стихи похожих,
> И все же якобы стихов.

К написанному он почти не возвращался, хотя все время говорил, что надо бы еще поработать, пошлифовать. Отчасти это объяснялось тем, что он быстро вырастал из давних строк и не мог вызвать в себе прежнего интереса к ним. Нередко причиной бывали обстоятельства.

«Думаю, что на шлифовку ее (поэмы) не хватит никаких сил и времени, — писал он мне из лагеря, — для того, чтобы сейчас ее писать, я и так должен был поступиться кое-какими удобствами, пойти на некоторые, невозможные долго, вещи» (15.01.1971). Наверное, лишь побывавшие в лагере, и в лагере общем, уголовном, смогут оценить, что кроется за словечком об «удобствах». «И это жаль: мне сейчас как-то ясны неудовлетворительные для меня места... Можно бы и переделать или написать заново — но где уж сейчас!» (20.04.1971).

И все же бывала досадна небрежность в его обращении со словом, которой при его технике нетрудно бы избежать; стих его часто звучал слишком невразумительно, темно, почти зашифрованно. Но именно такой, как есть, он и составляет неслучайное, противоречивое явление, сила и слабости которого одинаково много могут сказать о человеке.

Сам Габай не только не отклонял упреки в косноязычии, но не без вызова утверждал его как некий поэтический принцип:

> Я пишу, как с вами спорю,
> Косноязычно, на авось.

Косноязычие это было иного рода, чем знаменитое пастернаковское, возникавшее от переизбытка, напора всего, что просилось в стих, когда вспыхнувшие в озарении слова мгновенно застывают в немыслимом соседстве друг с другом, одним своим соприкосновением порождая превосходящий грамматику смысл. Но оно и не происходило от версификаторской слабости. Порой казалось, что ему, с ранних лет живущему в мире созвучий и ритмов, проще изъясняться стихами, нежели прозой — так легки были его экспромты. Он отдал свою дань формальным находкам, звукописи («О, зовы Азова!» и пр.), но в зрелых стихах уходит от этого сознательно — словно боясь «променять на живость слов живую боль и душу живу».

Тут было не пренебрежение художественным совершенством, но чувство, что человек, которому надо выкрикнуть что-то жизненно важное, меньше всего станет заботиться о выверенной интонации или удачном решении:

> Язык псалмов, пророчеств, притчей,
> Язык мессий, язык заик,
> В радищевском косноязычье
> Ты захлебнулся, мой язык.

Мне в самом деле казалось, что такое отношение к поэзии связано с определенной духовной традицией — традицией пророков, людей, которые не занимались «литературным трудом», а жили неотделимо от своих слов, и слова эти были самовыражением, но не самореализацией профессионалов:

> Не светлые и робкие стихи,
> А боговдохновенные призывы.

Они жгли сердца — разжигая от своего собственного. Они размышляли, предостерегали, звали, обличали, скорбели, переливая душу в дымящиеся строки:

> Потому что смысла в слове нет,
> А правда только в стоне, крике, кличе.

Такую душевную слитность со своим словом-стоном нельзя долго вынести безболезненно. Профессиональное самосохранение требует некоторой отчужденности от материала; искусство всегда немного игра, полагающаяся на мастерство и технику — не может же актер умирать вместе со своим героем. Речь пророка была не игра и не работа с поэтическим материалом, а смертельно серьезная жизнь человека великой страсти.

Осенью 1971 года я писал ему в лагерь о некоторых мыслях на эту тему, вызванных одной появившейся в ту пору статьей С. Аверинцева. Мне казалось применимым к стихам Габая проведенное этим филологом последовательное сопоставление «литературы» в классически-греческом понимании и ближневосточной, прежде всего библейской, традиции. Литература, «связанная с жизнью», самим этим сочетанием противопоставлялась жизни как самозаконная и самоценная форма человеческой деятельности. Она допускала и требовала рефлексии над своими специфическими результатами в виде поэтики, теории литературы, критики. Библейская поэзия была чужда профессиональной самооценке. Она пребывала внутри жизни и создавалась людьми, которые по своему общественному самоопределению не были литераторами и не заботились сознательно о создании литературного шедевра, о том, чтобы запечатлеть мир и себя со стороны, объективно, для будущего. Здесь нет дистанции между «я» и «не я», стихия боли захватывает и автора, и читателя, превращая их не в слушателей или зрителей, но в соучастников, и самому Богу свойственно не просто эпическое милосердие, но «чревная» материнская жалость.

В противопоставлении этом нет оценки: что выше, что ниже; условность термина «литература» применительно именно к греческой традиции вовсе не отлучает традицию иную от литературы в более широком понимании. Мне казалось даже, что это близко подходу самого Габая к своим стихам. Не помню, в каких выражениях я высказал все это в тогдашнем письме; вероятно, неточность слов или разная настроенность мысли вызвали непонимание — в письмах, где нет возможности, как в разговоре, тотчас уточнить сказанное, это случалось нередко; но я был изрядно озадачен суровой отповедью, которую получил в ответ. Видимо, сопоставление мое задело его за живое больше и иначе, нежели я мог предполагать. «Вы только отчасти правы, услышав в моем письме голос рассерженного человека» (3.10.1971), — полушутливой цитатой смягчал он впоследствии свои слова; но в первый момент ему все-таки почудилась в моих (по Аверинцеву) размышлениях попытка объявить «не литературой» кровно близкое ему.

«В самом деле, почему речи Демосфена или Цицерона — литература, а речи Исайи или Иеремии — нет? Потому что Исайя не набирал камней в рот?.. Наиболее убедительное место у Аверинцева — о дилетантах, пропускающих у Гомера описательную часть. Я, конечно, меньше чем дилетант; может быть, в оригинале это действительно перлы поэзии, но мне кажется описание щита или хозяйства малолитературным: так, метафорическим, окололитературным источником по истории материальной культуры. И наоборот, событийный ряд, об интересе к которому Аверинцев отзывается пренебрежительно, глубоко интересен, так как он содержит исконный намек на "почву и судьбу" и на характеры. Гекуба, Пенелопа, Гектор, Парис, Аякс — это все-таки, вопреки умному и парадоксальному утверждению Аверинцева, и есть главное (для дилетантов, конечно, для дилетантов; но мы все, действительно, в гимназиях не учились и в древнегреческом не сильны). Как и Юдифь, Самсон с Далилой, Иосиф, Моисей и Аарон и пр. <...> Обращенность к духовному, внутренняя ассоциативность Библии куда современнее (и "литературнее") гомеровских поэм». Греческая традиция, утверждал он дальше, оказала больше влияния на живопись, скульптуру, архитектуру, чем на литературу. «Исключение — драматургия, самая сильная сторона греческой литературы», где звучит «исконное ощущение человеком своего трагического, потерянного существования. У иудеев не было поэтики; может, это их сила: известно, чем могут стать каноны Аристотеля — Буало — эстетических отношений к действительности... Словом, по-моему, ты неправильно понял "нелитературность" библейской традиции; я уверен, что, вопреки изученному в школе, она куда сильнее, чем хрестоматийная греческая традиция: не случайно же Достоевского неплохо читать параллельно с Библией... Если... иудейскую "нелитературность" ты распространяешь на все, мною написанное, то это очень грустно — для моих стихов, разумеется» (15.09.1971).

Как будто он говорит совсем об ином, чем я. Перечитывая теперь письма Ильи и свои давние записи, я по-новому понимаю истоки и подтекст этого несогласия. Я заметил, в частности, нечто, что склонен был забыть: он все же болезненно тяготился непрофессиональным существованием, положением непечатающегося поэта. Он не делал ничего, чтобы печататься, но услышанным быть хотел. Он не старался сделать свои стихи доступней, но непонимание его задевало. При всем том он внутренне отталкивался от «литераторства», в том числе от литературного (или окололитературного) заработка. Наше время меньше, чем когда-либо, благосклонно к таким людям.

> Я в это лето перечел страницы
> пророческих косноязычных книг.
> Они открыли мне, как духовидцу:
> пророков нет, и ты давно погиб, —

повторил он еще раз в стихах 1968 года.

9

Я пишу об Илье Габае, каким он был для меня. Был, остается, становится, ибо в памяти моей он продолжает расти, новым смыслом наполняются его слова и строки, я продолжаю, порой даже во сне, свой давний разговор, свой спор с ним, и в споре этом он отнюдь не безответен — он далеко не все еще мне сказал, я еще не все услышал.

Другой наверняка напишет о нем иначе — иное, потому что неизбежно будет говорить не только о нем, но и о себе, как не станет отталкиваться от неуместной в таком разговоре исповеди или самоутверждения. В зависимости от собственного склада, от характера отношений с ним каждый видит своего Габая, и тут без некоторых примечаний не обойтись.

Пятнадцать лет, со студенческих времен и до его смерти, он был для меня самым близким из друзей. Долгие годы и он выделял меня среди других*; я был горд и счастлив этим, тем более что порой сам сомневался: что я могу значить для него?

Он-то для меня значил много. Я уже писал, что долго развивался как бы под его знаком, с огляд-

---

* «Для меня представляет особую драгоценность не расторжимая ни суетой, ни превратностями судьбы связь с тобой», — писал он мне из Кемерово (12.10.1970).

кой на его личность и мнение; я развивался в сопоставлении и спорах с ним, ибо по складу мы были все-таки очень несхожи, и это сказывалось чем дальше, тем заметнее.

Видимо, и для него не были пустяком наши отношения; его грела искренняя моя любовь, поддержка, просто житейское тепло — в своей вечной неприкаянности он особенно был к этому восприимчив. «Славно все-таки, что помимо всего прочего связывает нас с тобой в сей юдоли и общая земная теплота», — писал он 20.12.1970.

Не так уж много настоящего дарит нам судьба; дары эти не вовсе случайны, как не случайна способность распознавать их, и сколько горечи в мысли, что полную цену всего постигаешь запоздало.

С середины 60-х годов в его жизнь стало входить множество все новых и новых людей. Наш некогда узкий дружеский круг разрастался до утраты четких очертаний. Об этом речь еще впереди. Порой просто физически не случалось времени и возможности уединиться, поговорить, как бывало. «Очень жаль, — писал он из Молдавии летом 1968 года, — что за всеми событиями как-то мало нам приходилось общаться. Надеюсь, что в будущем нам удастся потрепаться и обговорить тысячу вещей».

Увы, это удавалось все больше лишь урывками; начиналась пора его долгих отсутствий, переписки, которая по подбору слов была более обязательной, но и более скованной и неполной, чем живое общение. «Теперь подождем старости, — шутил он. — Дети вырастут, внуки пойдут — ну, мы и наговоримся всласть» (11.11.1970). Правда, письма можно было перечитывать, все ближе проникаясь их искренностью и глубиной, постигая их грусть и безысходность; я понимал его, казалось бы, лучше, чем прежде — но прежнего было не вернуть, и очень его не хватало. А по опыту предчувствовал, что, когда он вернется в Москву, я не всегда буду способен ощутить это так ярко, и многое снова затмит суета. Он тоже отдавал себе в этом отчет и в последнем своем лагерном письме от 21.02.1972 говорил об этом: «Я ощущаю, что неизбежны большие куски отчуждения — так много прожито всеми вами без моего хотя бы отдаленного присутствия».

То действительно были годы, когда я, вдали от него, все больше утверждался в своем, отличном от его, пути. Увы, и он вернулся из лагеря слишком не прежним; несовпадение тогдашнего душевного настроя помешало мне различить его потрясенность. Облегчает ли мою совесть знание, что не я один повинен в этой глухоте? Сомнительной оказалась действенная полноценность дружбы — не оправдаться. Я без особого успеха пробовал помочь ему в каких-то житейских делах, не понимая его действительной нужды и покинутости — в непонимании этом покидая его, хотя мы по-прежнему встречались, говорили — жили мы уже в разных мирах, и он только со слабой улыбкой переносил мое присутствие — в предсмертной примиренности и прощении.

10

> Друзья, молитесь за меня!
> *«Выбранные места»*

Живший в сиротстве, по сути без родных и дома, Илья всю теплоту свою обращал на друзей. Это было для него одной из главных ценностей. Он был всегда верен небольшой компании, сложившейся у нас году к 1960-му; состав ее видоизменялся, отстаивался, но сохранившиеся связи были особенно дороги.

Мы, помнится, любили шутя заглядывать в будущее: что станет с нами, с нашими детьми, которых тогда мало кто имел. Так же шутя обсуждали проект поселиться всем в одном доме, вести общее хозяйство, самим учить детей — среди нас нашлись бы педагоги всех специальностей.

— А раз в год, — увлекался Илья, — мы бы освобождали одного из нас месяца на три работать, писать. Потом он бы отчитывался перед всеми, что сделал. Каждую неделю мы бы обсуждали друг друга. А посторонних бы никого не пускали.

Но доходило до житейских подробностей, и, пофантазировав, мы признавались, что долго совместной жизни не выдержим. И так намечалась уже какая-то ущербность в этой атмосфере знакомых шуток, намеков, с полуслова понятных лишь посвященным. Общение в слишком замкнутом и узком кругу всегда грозит выродиться, как вырождается потомство от повторяющихся близких браков. Были и иные причины выявлявшихся трещин.

Среди прочих легкомысленных острот на темы будущего Илья однажды изобразил, как нас вскоре посадят в одну камеру и мы будем раз в три года избирать старосту. Шутка, может, не бог весть какая, но в духе времени, и потом не раз был повод ее вспомнить.

— Если хочешь, ищи себе другую компанию, где тебя не арестуют, — при мне обрушился он как-то на одного нашего давнего знакомого. И потом говорил мне: — Он хочет жить двойной жизнью: между светским раутом и нами. У нас он будет над всем этим иронизировать, потом опять возвращаться туда.

Он был терпим, но пристрастен в своих отношениях и глубоко переживал охлаждение, наметившиеся уже разрывы. Зимой 1963 года он писал мне в санаторий из Москвы, куда приехал в мое отсутствие, что чувствует «совершенную неясность... в том числе и относительно прочности и искренности товарищеских уз. Последнее — это то, что меня весьма держит на земле и что очень и очень может свалить меня с ног». И в другом письме: «Хорошо бы нам всем не потеряться, но так, поди, не бывает. Я же за тебя держусь — и крепко держусь».

Как-то еще в одном письме с Алтая проскользнула фраза: «Не очень приятельствуй там, Марик. Меня, признаться, немного ревность пробирает».

Я понимал его. Я сам ревновал его ко многим людям, которых все больше стало входить в его жизнь. Впрочем, не только в его — в нашу. Начинались времена, когда небольшие, разбросанные по Москве компании вроде нашей какой-то неясной еще тягой находили друг друга, соприкасались, перемешивались — как ртутные пылинки и капли сливаются во что-то готовое растечься.

Тогда это еще не называлось демократическим или правозащитным движением, вообще никак не называлось. Встречались, знакомились, собирались люди самого разного опыта, возраста, специальности, судьбы, достоинств, даже взглядов — хотя взглядам еще лишь предстояло во многом оформиться и уточниться, и все эти знакомства, обсуждения, споры немало тому способствовали. Объединяла этот переливчатый конгломерат людей разве что неудовлетворенность общественным состоянием, потребность прояснить его, что-то, может, изменить — это смутное поначалу брожение тоже со временем уплотнялось в различные формы протеста против замалчивания и искажения прошлого, против новых несправедливостей, о которых узнавалось теперь друг от друга, в терминологию заявлений о гражданских правах, в демонстрации и письма. Без этого незрелого движения не было бы многого позднейшего. Далеко не все тут были правдоискатели по натуре: могли же терпеть притеснения по службе, житейские несправедливости, обыденную ложь — и помалкивали, даже не чувствовали себя несвободными; а тут, где лично многих из них как будто еще не кололо, молчать и терпеть казалось вдруг постыдно и невыносимо. Ведь здесь-то явен был риск, еще непривычный, здесь требовалась самоотверженность, пусть даже относительная, и хотя у многих ее не хватало всерьез и надолго, свойство это тоже можно назвать единящим признаком группы; оно делало этим людям честь — впрочем, отнюдь не даря безусловного патента на благородство.

Взаимное сближение здесь было потребностью не только ради выработки мнений; оглядка друг на друга давала поддержку на все более рискованном пути. Эта близость делала конкретными и более сильными чувства: одно дело говорить о несправедливостях, арестах, обысках вообще, или в прошлом, или где-то в неизвестных краях, другое — переживать за человека, которого успел узнать воочию, оценить, полюбить, в достоинстве и благородстве которого убедился. Как же можно его? И уже по-новому видел других, своих сверстников и людей постарше, и юных совсем ребятишек, с которыми это происходило вот сейчас, пока мы в многолюдной прокуренной комнате по очереди читаем, беря друг у друга листки, о новых несправедливостях, арестах и обысках, а потом за разговором узнаем еще о многом, о чем пока не дошло книг и писем: цепная ли пошла реакция или просто росла осведомленность и понимание — мир вокруг был полон боли, исковерканных судеб, лжи, несвободы, и казалось невозможным жить совестно чем-то другим...

Потом ты выходил на улицу, в электрическую зелень сквера, после дождя пахло весенними почками, мимо шли спокойные и даже веселые люди, для которых не существовало всего, что ты знал и чувствовал, им это было до фени — а неужели иначе? — и по странному закону психологического восприятия, когда от перестройки взгляда зависит, увидишь ты на рисунке выпуклый куб или полый ящик, — можно было утверждать, что каждый взгляд имеет свое обоснование...

Илья Габай был в этом кругу явлением незаурядным; он неизбежно должен был стать одним из центров притяжения. К нему льнули. При всей неполноценности отношений, когда люди сцеплены все же не главными своими отросточками, для многих здесь была основная жизнь; она поневоле требовала самоотдачи — во всяком случае, большей, чем профессия, заниматься которой многие лишались возможности. А иногда складывалась и полновесная долгая дружба. Дни рождения Габая, всегда бывшие праздником для друзей, превратились в столпотворения: маленькую его квартиру наполняли сорок, пятьдесят человек — впрочем, кто их считал? Дверь попросту не закрывалась, люди выходили, входили новые; иных он сам не знал — пожимал плечами, когда я спрашивал: кто это?

Мне, по правде сказать, бывало неуютно в таком расплывшемся многолюдье, невозможен был разговор, общение — банный шум в ушах. Не скажу, чтоб и его не тяготила стихийность этих не всегда управляемых отношений — была некоторая несвобода в такой зависимости от людей, дел, требований, часто случайных для него. Свобода — странная вещь; мы ищем ее вовне, опутанные сами тысячью внутренних зависимостей. Дано ли кому-нибудь освободиться полностью — и благом ли была бы такая несвязанность, неземное парение в пустоте?

— Не могу же я их прогнать, — разводил руками Илья. Как и все в его жизни, эти отношения были противоречивыми — но как много они для него значили!

В первую его лагерную осень я написал ему, как много людей в его отсутствие пришло к нему на день рождения — едва ли не больше, чем при нем. Он отвечал: «То, что ты пишешь об отношении ко мне людей, греет меня чрезвычайно и кстати. Тем ощутимее незаслуженность этого, которую не исчерпать жизнью» (12.10.1979).

Мысли о друзьях поддерживали его в лагере; в «Выбранных местах» он с нежностью и гордостью обращался «к товарищам по перьям и пирам»:

> Я б навсегда укрылся, если б смог,
> (Как в старину сказали бы: под сенью)
> В такую малость, в сущности, в письмо
> От друга, — кроме — в чем мое спасенье?
> Там, под пятой воинственных систем,
> В проверке человечности и мужеств
> Вы — человеки, сколько вас ни мучай:
> Вы дружества не предали. Ничем.

Как об исполнении самых счастливых желаний он мечтал о воссоединении с друзьями:

> Нам встретиться нужно. За нашим столом.
> И вот мы собрались. Никто не увечен.
> Никто не напуган, и Нечто увенчит
> Шутливая дружба за нашим столом.

Что значило это невнятное Нечто? Долгожданную перемену в общей жизни?.. Ко времени выхода Габая из лагеря многое действительно переменилось в близком ему кругу, но перемены эти были нерадостны; то была пора кризиса и переоценок.

II

Среди близких Габаю людей, особенно много значивших в его жизни, нельзя не выделить Петра Якира. Писать о нем сложно, сам человек этот непрост, и за десяток с лишним лет, что я его знал, он не оставался одинаков. Всего, что могло бы дать о нем относительно полное, а значит, приближающееся к истине представление, здесь не скажешь, да и не мне писать — есть люди, знающие его больше. Но в разговоре о судьбе Габая совсем его не обойти.

Я познакомился с Якиром весной 1963 года, на несколько месяцев раньше Ильи, писал ему на Алтай об этом действительно ярком и незаурядном — во всем — человеке, и он несколько ревновал к моему увлечению. Когда он сам приехал в Москву и близко сошелся с Петром, пришел черед ревновать мне.

У Ильи было предубеждение против «именитых», это относилось и к наследственной именитости. Якир понравился ему не то что независимо от нее, а, скорее, вопреки ей. Открытый, приветливый, много испытавший и повидавший человек, любитель выпить и поесть (Илья находил в нем что-то фламандское), живо заинтересованный в людях, осведомленный и способный историк, наверстывавший в институте, а потом в аспирантуре незавершенность школьного образования, обладавший той особой лагерной эрудицией, которую дает человеку с цепкой памятью разнообразие встреч, — он и вправду многих к себе привлекал. Но больше всего отозвалась в Илье судьба человека, четырнадцатилетним мальчиком попавшего в тюрьму, прошедшего через страшные лагеря, ссылку, испытания, через ту «непридуманную беду», к которой он был так восприимчив. Якиру посвящена глава в его «Книге Иова»:

> У непридуманной беды
> Есть все права — до слова злого,
> До права учинять суды.
> Прости — не мне судить Иова.

Он знает многое, что можно было бы сказать иным из этих Иовов, жертвам-соучастникам, претерпевшим вовсе не за бунт против неправды, и сейчас, после всего, вновь готовым к смирению. Но —

> Ты вправе ль, зависть затая,
> Искать улики для прошедших
> Сквозь муки и покой обретших,
> Вернувшись на круги своя?
> Есть точность фактов бытия.
> Есть факт беды. Факт крика. Крови.
> А что да как — судить Иову,
> И я Иову не судья.

Стихи о «покой обретших» не относятся прямо к тогдашнему Якиру, хотя можно было уловить понятную жажду столько испытавшего человека пожить наконец в свое удовольствие. Под спудом многих позднейших наслоений забылось, насколько сдержан и осторожен по сравнению с другими, не хлебнувшими лиха, был в ту пору этот сорокалетний, с обаятельно-плутовскими глазами, человек. Его общественная активность, составившая ему тогда имя, не выходила за рамки разоблачений Сталина, лояльных духу партийных съездов. Неудовлетворенность Габая «либеральными» разговорами, потребность и готовность «выйти на площадь» были ему чужды; он охолаживал его. Он был против резких действий и выступлений, убеждал делать свое неприметное, но порядочное дело и в подтверждение рассказывал истории своих бунтарских побегов из разных исправительных учреждений, которые заканчивались лишь жестокими побоями; после этого он понял, что так ничего не добьешься, только себя погубишь, и стал искать других путей; например, попав на должность хлебореза в лагере, он принес гораздо больше пользы, имея возможность помочь многим людям.

Я говорю об этом потому, что мне поздней приходилось слышать, будто Якир оказал решающее влияние на Габая. Влияние было скорей обратным. Во всяком случае, поведение и взгляды Якира менялись заметнее. Впрочем, на обоих влияло менявшееся время. События влекли Якира не совсем по его воле. Он, думаю, лучше других знал свои слабости и в душе опасался начинавшегося развития. Но он обладал качествами, чтобы в подъеме общественной активности не без основания оказаться на первых ролях, и это было ему по нраву. Габая, я помню, злили казенные упреки в честолюбии, в стремлении попасть на страницы западной прессы и стать мировой знаменитостью: хорошенькое честолюбие, за которое расплачиваешься тюрьмой, а то и жизнью. Но все же было тут и тщеславие, и моральная неразборчивость, и много чего еще; взвинченная напряженная жизнь выявляла то, что в нормальных условиях осталось бы приглушенной житейской слабостью.

Самые худшие и кризисные три года были годами отсутствия Габая; мне казалось, что это не просто совпадение, что, будь Илья в Москве, что-то пошло бы иначе; его моральный авторитет и заинтересованность удержали бы Якира от многого. Я писал ему об этом в лагерь, по необходимости в окольных выражениях, он плохо понимал, что происходит, тревожился; это настроение выразилось в строках поэмы:

> Я не судья вам — мне б один удел:
> Строжайшей и пристрастнейшей охраной
> Вас удержать от ссор и перебранок! —
> Да вот беда: далек я и в узде.

Он призывал не спешить с суждениями; совсем по другому поводу, в ответ на замечание об одном из наших общих знакомых, он писал: «Система прямого и косвенного мучительства столь разветвлена, что может уловить и самых стойких и проницательных. Как будто бы человек приуготовляет себя для западни, для всегда готовности к правильным словам и даже поступкам» (25.01.1971).

Я уже упоминал, что к году возвращения его из лагеря в близком ему кругу все сложилось тягостней, чем можно было предполагать, и становилось чем дальше, тем хуже. Мне приходилось слышать мнение, что история с Якиром доконала Габая. Не думаю, что она сыграла главную роль. Но свою роль сыграла.

12

> Свободы сеятель пустынный,
> Я вышел рано, до звезды;
> Рукою чистой и безвинной
> В порабощенные бразды
> Бросал живительное семя —
> Но потерял я только время,
> Благие мысли и труды...

Эти пушкинские строки Габай поставил эпиграфом к статье о суде над участниками отчаянной августовской демонстрации 1968 года. Стихи говорили ему не только о друзьях...

Прошли времена, когда потребность в действии не получала выхода. Пятилетие 1965–1969 годов, как вехами, отмечено активными выступлениями.

Впервые Габая задержали в КГБ «для беседы» в связи с намечавшейся демонстрацией 1966 года. Идея почтить в тот день память жертв сталинского террора обсуждалась у меня дома; записи сохранили неуверенные из-за новизны дела, нервные разговоры: «это не принесет никакой пользы, только вред», «распылит силы мыслящих людей, которых пока и так немного», «хорошо бы привлечь кого-нибудь именитого» — и т. п. Илья не спорил и никого ни в чем не убеждал; для него вопроса не было — он шел.

«Если рисковать — то можно только собой, — сказал он. — Никого не звать, не приглашать именитых. Разве что написать петицию, собрать подписи, а потом их огласить. Но подвергать опасности каждый имеет право только себя, потому что все может обернуться неудачей, фарсом — чем угодно».

Когда органы госбезопасности, узнавшие о замысле и изрядно встревоженные, позаботились демонстрацию предотвратить, Габай пошел на Красную площадь один.

Во время беседы с ним сотрудники КГБ впервые узнали, что он уже участвовал в другой демонстрации — 5 декабря 1965 года на Пушкинской площади; до сих пор он просто не был в сфере их внимания. Случайно задали вопрос — и он сам об этом сказал. Еще не было опыта поведения на таких допросах и «беседах», правила вырабатывались на ходу, и Илья пытался объяснить, что оказался на площади ненароком, по пути в кино. Его легко поймали вопросом, какое в тот день шло кино. Потом уже утвердилось понимание, что, выступив открыто, странно прятаться. Но взгляды свои уже и тогда Габай умел утверждать с достоинством. Впрочем, разговор был пока сравнительно мирный, увещевательный.

В марте 1966 года Илья написал письмо в «Правду» об опасности возрождения сталинизма. Не знаю, сохранилось ли оно у кого-нибудь; я помню главный его смысл: «Мне, как учителю, было бы стыдно смотреть в глаза детям, если бы произошло возрождение сталинизма». Недели через две из «Правды» пришел ответ, где ему предлагали следить за материалами газеты и предстоящего съезда партии — там все узнаете. Наверху еще что-то не было до конца решено.

В январе следующего года он принял участие в еще одной демонстрации на Пушкинской площади против очередных арестов и введения новой статьи Уголовного кодекса (наказание «за распространение клеветнических сведений» и т. д. — той самой, по которой его потом и осудили). После демонстрации его арестовали, потом на время отпустили, и он успел рассказать подробности состоявшегося разговора.

— А, старый знакомый! — встретил его генерал С., беседовавший с ним год назад. — Ну, долго вы будете выступать против советской власти?

— А долго вы будете выступать против советской власти? — сказал Илья.

— То есть как?! — немного опешил генерал.

— А так. Долго вы будете издавать и поддерживать законы, противоречащие Конституции, отменяющие свободу совести, слова, собраний?

— Этот закон принят Верховным Советом. Верховный Совет — это советская власть? Значит, выступая против закона, принятого Верховным Советом, вы выступаете против советской власти, — логично отпарировал тот.

— Тогда скажите: если бы в 1946 году я выступил против закона, по которому выселяли чеченцев и ингушей, я тоже был бы против советской власти?

— В 1946 году — да, — ответил генерал.

Им бы жить в разных мирах или измерениях, каждому по своей логике и совести, не соприкасаясь! Нет, столкновение было неизбежно.

Через три дня, после обыска на квартире, где он тогда жил, его арестовали вновь. Трое суток мы ждали, что все и на этот раз обойдется. Сбывалось почти неизбежное, и толкотню мыслей, укоров совести, тревог о дальнейшем окрашивала горечь, лишенная уверенности, что так надо. Истекли 72 часа, допустимые для заключения предварительного, случившееся стало фактом — впервые захлопнулось так близко.

Следствие длилось меньше месяца: вызовы знакомых для дачи показаний, составление писем в защиту, поиски адвоката. От адвоката Илья отказался — не хотел обременять близких расходами, да и считал ненужным. Оказалось — действительно не нужен. 17 февраля Габая привезли на суд вместе с В. Хаустовым, но в самом начале заседания прокурор возбудил ходатайство: в связи с тем, что в деле Габая фигурируют более тяжкие преступления, совершенные ранее, передать его на доследование. Илья, державшийся до того бодро, улыбнулся сидевшим в зале друзьям немного вымученно и заметно сник.

Хаустова в тот же день осудили на три года заключения; Илья просидел под следствием до самого мая. Трудно сказать, какие умонастроения сменялись в инстанциях, причастных к его делу; по некоторым смутным, не предназначавшимся для уточнения намекам я мог судить о каких-то влиятельных ходатайствах. В середине мая возник слух, что Габай будет освобожден.

Его выпустили поздно вечером 22-го. Худой, нестриженый, смеется, притоптывая, как ребенок, вытворивший занятную проделку: ловко, мол, я! — но чувствовалось за этим смущение. На следующий день квартира его, в которую он впервые вселился, была полна народу: пол-Москвы. Илья рассказывал о своих соседях по камере: валютчике и колымчанине, попавшемся на продаже золота, о том, как они не могли взять в толк, ради каких наслаждений и выгод он-то рисковал свободой; о молоденьких, после десятилетки, надзирателях, еще красневших на своей работе и охотно исполнявших просьбы; о том, какой отрадой бывало услышать музыку из радиоприемника машины, остановившейся под окнами...

Выпустили его под расписку; он продолжал числиться под следствием, но было ясно, что дело спускается на тормозах. 27 июля 1967 года его вызвали к следователю, дали прочесть последнюю страницу дела — только последнюю, остальное предупредили не читать. Суть этой страницы состояла в том, что Илья Габай действительно принимал участие в том-то и том-то, подтвердил то-то и то-то, но (тут начинался второй пункт), поскольку он не был при этом организатором и активным участником, дело решено прекратить.

Этот странный и, кажется, беспрецедентный тогда поворот внес, пожалуй, некоторую двусмысленность в его самоощущение. Вроде бы самое трудное решение было уже позади — но нет, вышвырнуло на прежнюю позицию, обдав холодком, обратив поступок в репетицию, которая бросала на все отсвет сомнительности: теперь он знал, чем все пахнет, чего стоит, должен был заново думать об оправданности, цене и результатах:

Совет покуртуазничать — и баста?
Совет покрасоваться — и уйти?

В августе, получив эту вольную — или отсрочку — он уезжал в археологическую экспедицию; на ближайшие два месяца это давало возможность не заботиться об устройстве и заработке.

«Как-то смешно все получилось, — сказал он, прощаясь. — Но я все равно сяду. Уж больно мы с советской властью не сходимся».

В январе 1968 года появилось ставшее скоро широко известным его совместное с Кимом и Якиром обращение к интеллигенции. Основа, насколько я знаю, была написана Габаем — его стиль угадывается. Некоторым, обсуждавшим текст до распространения, показалась излишней резкость отдельных выражений: например, «барабанные шкуры» — о тех, кто аплодировал приговорам на недавнем процессе Галанскова и других. Илья разволновался:

— Именно: барабанные шкуры. Надо бы еще резче. Надо называть их подлецами, мерзавцами. Когда откормленные рожи, получающие свои 250 или 180 рублей за то, что они сидят в зале суда и почитывают книжки, просыпаются лишь для того, чтобы крикнуть: «Мало!» — Лашковой, девочке, которая, говорят, так исхудала, что стала почти прозрачной, — когда эти сытые мерзавцы кричат ей в спину: «Мало!» — я бы их расстреливал из пулемета.

Была памятная пора, когда впервые под письмами тревоги и протеста собиралось так много подписей — и каких подписей! — когда прояснялись позиции и что-то обещающее зрело в Чехословакии: казалось, еще немного последовательности, и что-то могло сдвинуться. Нет, социальные чудеса не таким усилием даются; сдвинуться должно было что-то прежде в нас — накапливаясь, требуя цены посерьезней.

В августовские дни 1968 года Габай был в Молдавии, и я, что скрывать, чувствовал облегчение. Будь он в Москве, он наверняка стоял бы с другими на Лобном месте. (Потом не раз думалось, как все могло сложиться по-другому, если бы он прошел по этому сравнительно мягкому процессу.) Но речь могла идти лишь о еще одной отсрочке — путь его был предопределен.

«Я и впотьмах сыскал, как видно, тропку», — напишет он потом в поэме.

Философы утверждают, что ситуация, в которой оказывается человек, не совсем для него случайна: она знак его личности, и судьба, может быть, заложена в душевной структуре, как в генетическом коде.

Я ощутил до богооткровенья,
Что я погиб. Что лето не спасенье,
Что воробьи и солнце не спасут, —

это написано в ту самую молдавскую передышку. Он вернулся в Москву в начале сентября — вырвался, не дожидаясь конца экспедиции. Изменившийся, с отросшей рыжеватой бородой, перебинтованным торсом (у него было сломано ребро).

— А я-то думал: хорошо, что тебя нет, — усмехнулся я при встрече.

— Но ты, надеюсь, понимаешь, что я не мог не приехать, — ответил он без улыбки.

Это я понимал. Но, слабый человек, надеялся, что обойдет его жребий. А уже были пролистаны «страницы пророческих косноязычных книг», он уже сказал в знакомых мне стихах,

что возвращенье к полубедам
заведомо таит в себе побег.
Что не сбежать. Что нет тебе побега.
Что просто ты нелепый человек.

Потом был суд над участниками демонстрации — об этом он рассказал сам в известном очерке («У закрытых дверей открытого суда»). Я перемолвился с ним несколькими словами у здания суда; он был угнетен, сказал мне: «Скверное настроение от того, что мы играем не в свою игру».

В октябре он уехал в Ивановскую область, ему была обещана там работа в деревенской школе; в Москве он уже не мог устроиться. Но долго там не выдержал, кажется, уже зимой вернулся, с головой ушел в нараставшую правозащитную деятельность. Печатались с его участием «Хроники», составлялись письма и обращения, приезжали из Средней Азии и останавливались у него крымские татары, он занимался их делами.

19 мая 1969 года его арестовали последний раз, в январе 1970 года осудили на три года и отправили в Кемеровский лагерь общего режима.

13

Лагерь обернулся для Габая испытанием страшней, чем для многих других. «Общий режим», считаясь легче особого, вынуждал жить не среди политических, где были возможны хоть какие-то отношения, солидарность, чувство общности, а среди уголовников, блатных; можно только представить, что это могло значить для еврея, не сильного физически, с обнаженными нервами — только вообразить в этих условиях органическую его бескорыстность, полнейшее нежелание и неспособность выгадывать житейские блага, простую невозможность для него хотя бы припрятать от жадных глаз доставшийся в передаче кусок — да много чего еще... Он признавался в лагерной поэме,

> Что испытанье пагубой и порчей,
> Проверка униженьем и стыдом
> Не для моей отнюдь тщедушной почвы.

Не так давно я читал созданную в заключении книгу талантливого писателя, где лагерь будто и не пропущен сквозь душу, воспринят со стороны, как фольклор. С первых умных, наблюдательных, расположенных хронологически записей и до последних страниц не чувствуешь, что пять лет «мертвого дома» хоть в чем-то изменили автора, как меняют человека пять лет и менее напряженной жизни. Он пришел сюда зрелым, со сложившимся духовным миром, и, толкая тачку, продолжал «думать о птице Сирин» — есть в этом свое достоинство. «Писателю и умирать полезно», — записывает автор афоризм одного из своих солагерников, знающего, видно, толк в накоплении писательского «жизненного опыта».

Этот афоризм мог бы служить основой для различения двух типов не только художнического отношения к жизни: жизни-сюжета, с коллекционированием, накоплением ощущений и замет — и жизни-сживания себя, где все невозвратимо и отдается болью.

В письмах из лагеря Илья был поразительно сдержан, и объяснялось это не просто всегдашней оглядкой на цензуру. Это была душевная собранность, не допускающая жалоб, перекладывания на других своих тягот. Лишь изредка, намеком прорывалось: «Есть, дорогой мой, и некоторые поводы для житейских огорчений, но в предвидении нового, високосного года это все побоку» (20.12.1971). «Я в последнее время в совершенной подавленности. На это есть причины юмористические, когда все это станет воспоминанием о прошлом, но очень существенное, совершенно выбивающее из колеи — меня с моими нервишками особенно» (25.01.1971).

Да и вернувшись потом, рассказывал о пережитом предельно сдержанно, и лишь намеками проступали иногда страшные эпизоды блатных расправ, лагерного ужаса и унижений. Все главное с полной обнаженностью выплеснулось в стихах:

Я не сумею вам раскрыть воочью
В такой ночи — такое чувство ночи
Кромешной: это чувство нелюдей.
Что делать мне? Какая даль иль близь
В каком краю предстанут мне защитой?
Так нету сил! (И где мой утешитель?)
Так худо мне! (И чем же мне спастись?)

Отвечая на мои пожелания ко дню рождения, он писал: «Я желаю себе одного: морально сохраниться, то бишь не стать хуже. Постараюсь» (12.10.1970). Пожалуй, даже он не представлял вполне, каких трудов и испытаний это будет стоить. Написанная в лагере поэма дает лишь некоторое представление о совершавшейся в те годы душевной работе*.

Первые отрывки, как уже упоминалось, он присылал в письмах мне. Это были стихи о «предвестии последнего ухода», о «внушенных надеждах»:

Какой же ветер кружит нас и мечет
И гонит нас — и некогда душе?

«А вот о чем я не жалею, но и не горжусь особенно, — приписал он, — так это что закружился и докружился до нынешнего своего местожительства: такой уж листочек своего времени, круга, житейских побуждений. Жалею только, что действительно в этом кружении упустил многие ценности, но и наоборот было бы, поди, тоже не без потерь. Еще

---

* Ему долго удавалось держать это непозволительное занятие в тайне от надзирательских глаз и передать на волю прежде, чем поэма была обнаружена. Сложность этих стихов, недоступность интеллекту охранных служителей, наверное, послужили тому, что они остались без последствий. Впрочем, кто знает, не были ли они пересланы в Москву и не сыграли ли своей роли в дальнейших событиях. Сомнения, противоречия, открывшиеся в них, могли дать следователям психологическую подсказку, ключик в попытке сломить автора.

и то, что в этом кружении как-то не хватало иногда места для подлинной сердечности или хотя бы для удержания старых привязанностей» (25.01.1971).

Так он видел себя теперь новым, умудренным испытаниями взглядом: листочек своего времени. Не в утверждении правоты своих мыслей и поступков для него главное, не в сожалении и не в гордости:

> Куда там, не до сути и не до правд: горю!
> Но жизнь благодарю за сопричастность судьбам.

Он искал новой высоты, оглядываясь на события, закончившиеся последним словом на суде и приговором:

> Тогда казалось: должно уберечь,
> Как юношам из очерков — мозоли,
> Победный знак еврея и масона:
> Последнюю, возвышенную речь.

Теперь не доводы, не результат, не достигнутая или недостигнутая цель занимают его душу; он судит себя иной мерой:

> пред лицом Содома,
> В который каждый втянут, — пред судом мы
> Куда тяжеле.

И возникает тема иного, последнего, предчувствующего нечто невыразимо важное, трагически возвышенного слова:

> этот слом
> Подвиг меня на истинное слово
> Последнее — и пусть оно не ново:
> ВИНОВЕН В ЧЕМ-ТО — ВИНОВАТ ВО ВСЕМ.

Несколько раз мне казалось, что я готов ухватить смысл этих действительно не новых строк, но каждый раз чувствовал, что могу предложить лишь свое, произвольное толкование — и даже не такое уж свое; ощущение изначальной вины звучит и у христианских философов, и у Кафки. Габай не был религиозен в церковном смысле; в его стихах мне слышался новый уровень восприятия жизни, высота, с которой прежние счеты виделись несущественными, чувство, что, расплачиваясь за ужасы и беды времени, никто не вправе считать себя совсем неповинным в них — расплачиваются немногие за многих...

Однако ощущение это возникло позже; а тогда, читая строки, записанные, наконец, во время свидания с женой на вырванных из книг титульных листах (другой бумаги с чистым пространством для письма не оставалось), я еще не слышал всей страшной серьезности подчеркнутых, разбросанных по разным местам поэмы упоминаний о конце — «предвестиях последнего ухода», «почти у края бездны, почти у рубежей небытия»:

Я в сомкнутом, я в сдавленном кольце.
Мне остается пробавляться ныне
Запавшей по случайности латынью:
Memento mori. Помни о конце.

Тягостное состояние усиливалось к концу срока. «Ослабел я маленько, брат, — писал он, — поверишь, дошел до того, что пару ночей назад взял подшивку прошлогодних "Огоньков" и стал решать кроссворд за кроссвордом» (31.01.1972). В следующем письме он спешит извиниться за сорвавшееся сетование: «Судя по тому, как ты меня постоянно успокаиваешь, я написал тебе, очевидно, неврастеническое и мизантропное письмо. Прости, дружище; что-то, стало быть, не ладилось с самоконтролем» (29.02.1972). В последнем письме, пришедшем из лагеря, все же вырвалось: «Я сильно устал, душевно особенно... Но это состояние привычное и, подозреваю, малопонятное» (21.02.1972). Примерно в те же дни, в конце февраля, состоялось его последнее свидание с женой. Он был нервен, не мог есть привезенных яств, боялся, не случится ли чего за неполных три месяца, оставшихся до конца срока, — можно только вообразить, как он при тогдашних нервах считал эти дни и что значило для него, когда за два месяца до конца, в марте, его перевели в Москву для дачи показаний по новому делу.

Это был рассчитанный ход изощренных тюремных психологов.

14

Похоже на дурную притчу: во время одного из переездов — на следствие или со следствия — Габай услышал разговор крымского татарина, своего подельника, о том, что вообще-то русских и евреев надо бить, что мир спасет ислам и что арабам надо скорей покончить с Израилем... Илья потом рассказывал про это с усмешкой, спокойно — он мог предполагать нечто подобное.

А знали же, знали, что преданность наша без прока,
Что мы предавались стихами, главой и крестом
Не очень-то нашей, но прожитой нами эпохе.

Новое, высокое понимание, созревшее за мучительные годы лагеря, не отменяло прежнего. Он пробивался к нему, сохраняя противоречивую цельность, с постоянной оглядкой: не означает ли это понимание «предательства вчерашнему себе», от которого он остерегал себя еще в «Книге Иова».

Собственные стихи стояли на страже: стихи-обет, стихи-напоминание, стихи-укор; из строк глядел на него требовательный, полный последней надежды взгляд самого Бога, обращающего свою горестную мольбу к Иову:

> Я так хотел бы обмануться
> В цене бесстыдных льстивых слов.
> Не предавай меня, Иов!
> Мне страшно знать изнанку слов.
> Мне невозможно не взмолиться:
> Не предавай меня, Иов!

Эти стихи, на мой взгляд, одни из самых сильных у Габая. Они всегда вызывали у меня в памяти знаменитое двустишие Ангелуса Силезиуса:

> Ich weiss, dass ohne mich Gott nicht ein Nu kann leben,
> Werde ich zunicht, er muss von Not den Geist aufgeben.
> (Я знаю, Богу не прожить без меня и мгновения,
> Сгинь я — и он неизбежно испустит дух).

Этот уязвимый Бог предъявляет свои требования к чести; само существование его возможно лишь благодаря человеческой истовости в поисках — здесь звучит подлинно библейское ощущение взаимозависимости с могучей духовной силой, создавшей тебя и созданной тобою, когда твоя гибель или отступничество приводят к краху целый мир ценностей, живущих в тебе и благодаря тебе:

> Я обессилел от чудес.
> В минуту слабости всесильной
> Я, обессилев от чудес,
> Готов идти дорогой пыльной,
> Готов принять земную плоть
> И на юдоль земного люда
> Сменить бессмертие небес...

Но Бог и раб бесстрастных слов,
И я не вправе измениться;
Мне остается лишь молиться:
«Не предавай меня, Иов!»

Не эти ли давние свои стихи вспоминал он, когда писал в «Выбранных местах»: «Как объяснить, что понимание не означает измены своим поступкам, ни даже что мы откажемся повторить эти поступки, хотя знаем теперь и знали прежде их подоплеку?»

В этом новом понимании была новая сила, но и новая слабость — «ибо во многой мудрости много печали, и, умножая познания, умножаешь скорбь».

15

За два месяца до конца срока для Ильи Габая начался новый тур допросов, изощренного давления и угроз. От него требовали теперь новых показаний; угрозы касались теперь не только его, но его близких и друзей; ему заявили, что многие из них уже арестованы. С особым нажимом указывали на несоответствия и неточные утверждения в документах и «Хрониках», написанных при его участии или без него (бог весть какими путями и от кого попадали иной раз сведения в этих искаженных условиях; наверное, допрашивавшим Габая порой это было лучше знать). Честность заставляла Габая признать ошибку или неточность формулировки. Стоит ли говорить, какой оттенок приобретала эта честность в сопряжении с их нечестностью. Не из такого материала делаются политики.

От него, ослабленного нервным ожиданием, отсутствием известий о судьбе близких, угрозами, собственными раздумьями, ждали, видно, формального раскаяния и отречения; для этого сделано было, казалось, все. Добиться удалось гораздо меньшего: обязательства воздерживаться впредь от общественной активности. С тем его пока и выпустили.

19 мая 1972 года мы с женой Ильи и Ю. Кимом всю ночь дежурили у Лефортовской тюрьмы: вдруг выпустили бы его сразу после полуночи, с началом новых суток. Милицейский патруль несколько раз прошел мимо, подозрительно поглядывая на наш букет; наконец проверил документы. Нелепо мы, должно быть, выглядели в такое время с цветами возле тюрьмы.

В половине четвертого рассвело, запели птицы. Через два часа из главной проходной вышел надзиратель, оглядел нас. В шесть часов в тюрьме подъем, теперь ожидание становилось реальным...

Мы ждали почти до полудня в нарастающей нервности: неужели не выпустят? Один из присоединившихся к нам за это время друзей узнал проходившего следователя Ш., который когда-то занимался делом Габая, подбежал к нему с вопросом. Тот, видимо, сам еще ничего не знал, но на всякий случай прочел угрожающую лекцию о том, что выпустят Габая или нет, положение его очень серьезно. Мне запомнилась в пересказе фраза: «Государство играет всерьез». Механизм клещей, челюстей и прессов был уже запрограммирован, чтобы с хрустом перемолоть чью-то жизнь, чей-то мир, не приноровленный к правилам этой игры; человек, обслуживающий механизм, готов был отнестись к жертве с интересом и даже уважением, но игра есть игра...

Оказалось, Илья в это время уже был дома. Его выпустили в восемь утра через дверь следственного корпуса. Может, умышленно постарались предотвратить встречу. Пришлось ему самому тащить домой тяжеленный рюкзак с книгами, которые накопились к концу лагерного срока. До нашего приезда он успел принять ванну, переодеться и встретил нас на удивление неизменившимся — даже волосы отросли за время следствия; разве что более худой, чем обычно, какой-то миниатюрно тонкий — но и это стало привычным через полчаса. А речь, шутки, интонации — до иллюзии те же, как будто вчера лишь расстались. В дверь звонили, намерение уберечь Илью в этот день от утомительных встреч сразу пошло насмарку — он сам был, казалось, в прекрасной форме, только ощущения немного притуплены, все воспринималось словно сквозь легкое головокружение.

«Мне кажется, что я вижу сон, — сказал он. — Я думал, что половины из вас уже не встречу. Так угрожающе со мной говорили».

И только на фотографии, прикрепленной к документу об освобождении, он был совсем на себя не похож (так неузнаваем потом был он в гробу). Возможно, фотообъектив выявил то, чего в первый момент не разглядели мы: это был уже потрясенный человек.

16

Потянулись месяцы неустроенности, поисков работы, безденежья, домашних трудностей и допросов. Удалось устроить ему путевку в дом отдыха на Каспийском море; тогда-то он впервые за много лет побывал в Баку и навестил могилы родителей. Жить приходилось на зарплату жены, кое-что подкидывали друзья; иногда удавалось достать работу, чаще оформленную на чужое имя. Положение было нервным, неопределенным. Уже начинала поторапливать с трудоустройством милиция. Нигде его не брали. Сотрудники КГБ, одно время обещавшие ему помочь, разводили руками, удивляясь трусости отделов кадров (как им было не удивляться!); наконец подыскали место корректора в газетной редакции. Утомительное механическое чтение мелкого шрифта при его зрении и нервах сказывалось болезненно, он приходил с работы разбитый, и это вплеталось в общую подавленность и бесперспективность.

То, что было прежде жизненной опорой, поколебалось и утратило былую прочность; новая еще не окрепла. Сразу же в день освобождения, в первые же часы встречи с друзьями он подчеркнуто без недомолвок сообщил о подписанном перед выходом обязательстве. Не было и речи о том, чтобы его упрекнуть, но самоутверждения, что и говорить, ему это не прибавляло. Летом, после ареста Якира, я был свидетелем его разговора с В. Г. Красиным. Речь шла о письме в защиту арестованного. Илья, связанный обязательством, под коллективной петицией не подписался, но отослал свое, личное, письмо. Красин прочел свой текст; он не понравился мне преувеличенным пафосом некролога, расписывающего заслуги покойника. Илье не понравилось другое: перечень этих заслуг звучал как непрошеные показания для КГБ. Красин усмехнулся такой опасливости:

— Это и есть тот самый стронций в костях.

— Я не понимаю, о каком стронции ты говоришь, — ответил Илья спокойно; на самом деле, не сомневаюсь, он понял намек: только что речь шла о стронции страха, засевшего в подсознании, определявшем независимо от воли поступки.

Тем же летом он рассказал мне, какую резкую отповедь получил от В. Г., которому написал в психиатрическую больницу, советуя не отказываться от допустимого компромисса, если это поможет выйти на свободу. «Психушка не тюрьма, тут можно оставаться бессрочно». Судить о таких вещах вольно по-разному, но надо услышать в этом письме тревогу не за себя...

Могу предположить, что немало сходных эпизодов остались мне неизвестными. Он знал то, что знал, но удары и уколы накапливались, и попадали они уже в больного, измученного человека.

Он пожаловался на странную болезнь уже на другой день после освобождения: ноги словно отнялись, он не мог ходить. Это была явно нервная реакция — скоро отошло. Но были испытания посерьезней. Он обрадовался, встретив людей, которых уже не чаял встретить на воле; однако обстановка на этой воле быстро открылась ему своими неприглядднейшими сторонами. Уже через день после освобождения, оказавшись свидетелем очередной пьяной выходки Якира, он признался мне, что был близок к мысли о самоубийстве.

«Такая взяла тоска — было совершенно серьезное желание выброситься из окна. Еще так раз-другой, и я не удержусь...»

Конечно же, я был встревожен, но не услышал в этом первого звонка, как не услышал еще в стихах — не предвестия, а случившейся уже трагедии.

В июне арестовали Якира, вскоре за ним — Красина; где-то осенью мы услышали об их показаниях. Илья узнал про это одним из первых, но не говорил другим, за что потом его упрекали: надо было многих предупредить об опасности.

— Я просто подумал, как сразу станут плясать на их костях разные чистоплюи, — объяснил он.

— Да это они пляшут на костях... твою мать! — взорвался Тоша Якобсон, и, увы, он был прав.

И снова вызовы, допросы. Илье предъявляли новые показания, требовали новых показаний и от него. Как всегда, он подтверждал лишь то, что связано с ним лично, отказываясь говорить о других.

— Вы ведете себя неумно, — сказали ему. (В другой раз выразились: неискренне.) — Мы и так все знаем, от вас нам нужно только формальное подтверждение. — (Классическая полицейская уловка на сей раз была, увы, близка к истине.) — Вы только делаете себе хуже. Одно дело сесть за убеждения, другое — за дачу ложных показаний.

— Что ж вы хотите, — отвечал он, — если они показывают на меня, я должен отвечать тем же? У меня свои понятия о чести.

Мне кажется, для него не было абсолютной неожиданностью поведение Якира; еще летом, сразу после его ареста, он намекал мне на такую возможность. Но он был заметно уязвлен безоглядностью, с какой тот сыпал показаниями именно на него.

«Неужели я для Петра настолько безразличный человек?» — вырвалось у него однажды...

Зимой Габай был уже тяжело болен; грипп вызвал серьезные нервные осложнения. Бессонница, депрессия, усталость, порой резкие приступы того, что называют ипохондрией: когда подозреваешь у себя несуществующие болезни. Уже потом я узнал, что в январе он пытался вскрыть себе вены — этого звонка тоже не услышали всерьез. Знакомый врач объяснял впоследствии, что надо было сразу поместить его в стационар; но кто бы нашел в себе уверенность заговорить о психиатрической больнице? Пока он глотал таблетки, прописанные другим знакомым. Вроде бы помогало; все могло бы еще поправиться, дай ему хоть немного покоя.

Между тем его дожимали. Вызовы и допросы становились все чаще, все суровее и жестче: требовали фамилий, полной «откровенности» в показаниях, формального раскаяния по уже опробованному образцу.

Однажды спросили:

— Вы не собираетесь уехать за границу?

Он ответил:

— Мне бы не хотелось. Но здесь я не вижу никаких возможностей.

— Держать вас не будем, — намекнули ему.

У него давно уже лежал вызов от мнимых израильских родственников, он продлевал срок его действия, но пользоваться им не хотел.

Этот некровожадный способ избавляться от неудобных людей был опробован и по-настоящему пущен в ход, когда Илья был еще в лагере. Я писал ему о нашем общем знакомом, который одним из первых использовал этот путь. Илья отвечал: «Трудно поверить, чтобы он мог когда-нибудь кровно воспринимать сионские боли. Я тоже, наверно, не смог бы — а без этого как же жить там?» (16.II.1971).

В том-то и дело. Уехав, можно было скорей избавиться от здешних проблем, чем проникнуться тамошними, скорей обрести безмятежность, чем подлинность, — для такого, как Габай, это означало зависнуть в пустоте.

Он не хотел уезжать, но, казалось, не было другого выхода. В августе 1973 года мы провожали Толю Якобсона.

— Может, и меня скоро придется провожать, — сказал вдруг Илья.

— Ты что, все-таки об этом думаешь?

— Маричек, ну нельзя же так жить, — тихо и горько проговорил он.

За день до смерти он сказал жене, что все-таки решился уехать. Порой мне кажется, что отъезд оказался бы вариантом отсрочки. Он метался, он был болен и слаб, воля его была подточена. Летом у него родилась дочь; казалось, и это событие он воспринял сквозь туманную пелену. Прибавилось забот, усилилось сознание вины перед семьей; детский плач по ночам усугублял бессонницу. Таблетки не помогали. Как-то он пожаловался мне на кошмары и галлюцинации.

Между тем в доме его по-прежнему не закрывались двери, постоянно кто-то приходил к нему со своими заботами, сидел вечерами на кухне, ночевал. К нему тянулись по-прежнему, хотя он уже не был прежним, порой не удерживался от резкости. Разговоры продолжались скорей по инерции, он чаще молчал — казалось, вынашивает что-то.

Однажды обрадовал меня, сказав, что пробует писать, конспектирует библейскую «Книгу Иова» для продолжения своей поэмы. Потом я видел эти выписки; жаль, что сейчас ими не располагаю — их характер мог бы многое сказать о тогдашнем его умонастроении. О, теперь-то, после пережитого — как мог бы он написать Иова! Если бы дело было только за душевным опытом! Дальше выписок дело не пошло. В последний день августа 1973 года я провожал его от себя, спросил, пишется ли ему. Он усмехнулся: «Я, может, скорей напишу последнее письмо».

И я все еще не слышал? Слышал, как же нет! «Боюсь, это плохо кончится», — записано осенью. Мы говорили об этом с друзьями, гадали, что бы придумать, — и не могли придумать больше, чем помочь деньгами, поискать работу; надеялись на таблетки, на то, что обойдется, а он уже падал, падал со смертельной высоты, медленно, как в страшном сне, — и, как во сне, мы не умели шевельнуться, чтобы удержать его...

Последние месяцы его вызывали на допросы еженедельно, по четвергам — надо было его дожать. Раскаяние Якира и Красина не дало рассчитанного эффекта; требовался успех более впечатляющий. Возвращаясь, он неизменно рассказывал об этих беседах; дело касалось многих людей, и им надо было об этом знать. Но есть основания думать, что, щадя близких, он кое-что утаивал; угрозы наверняка относились не только к нему, но прежде всего к его жене — опасность была вполне реальной. Рождение дочери заставило их выждать срок — но время у них было. Они нашли уязвимое место.

В последний перед смертью четверг его не вызывали: можно предположить, что ему был дан срок на какое-то неведомое нам решение. Они все же перестарались; есть свидетельства о том, как они были всполошены его самоубийством — боялись, что нагорит за брак в работе? Робот в запрограммированной игре не соразмерил хватки с уязвимостью живого человека.

Незадолго перед тем окончательно решилось дело Якира и Красина. Илья смотрел их покаянную пресс-конференцию по телевидению. Кто-то сказал: может, мы не знаем, какими средствами от них этого добились?

— Какие средства! — усмехнулся Илья. — Был чистый торг: вы нам, мы вам.

Он эту механику испытал. За день до смерти он порывался поехать к Якиру в Рязань, куда тот как раз прибыл. Жена не позволила ему этого сделать.

— Лежачего не бьют, — пробовал объяснить он. — Я не чувствую к нему ненависти.

Потом уступил, решил ограничиться письмом, но, кажется, не сделал и этого. Вдруг сказал жене, что решился уехать.

Слишком много узлов требовалось ему разрубить в своей слабости. Судьба его свершалась — он уже падал, падал.

17

В предсмертной записке он просил друзей и близких простить все его вины: «У меня не осталось ни сил, ни надежды». Сам почерк записки и то, как он позаботился положить рядом с ней очки, подтверждает, что все совершалось в ясном разумении.

Заупокойную службу по нему, неверующему, служили в православной церкви (что возле Преображенского кладбища), в иерусалимской синагоге и в мусульманской мечети: крымские татары убедили муллу забыть о недозволенности отпевать самоубийцу.

Он погиб тридцати восьми лет, и праздное дело гадать, чем могла бы еще стать эта жизнь; она имеет свою завершенную цену. Он трагически доказал подлинность своей человеческой и поэтической последовательности. Возможно ли на таком напряжении спроса к себе не надорвать силы жить? Не знаю. Жизнь заботится о самосохранении, и в этом есть своя мудрость.

Иногда я вижу его во сне и объясняю ему в этом сне, как еще все хорошо устроится, и он со мной соглашается — такой милый, такой добрый, что я испытываю облегчение. И там же, во сне, я просыпаюсь и вспоминаю, что его больше нет, — и во сне это меня так потрясает, что я заливаюсь слезами. Потом просыпаюсь по-настоящему, и глаза мои сухи.

Через два года после его смерти я сравнялся с ним возрастом и теперь становлюсь старше. Я лишь начинаю постигать требования, которые предъявляет ко мне эта смерть, память о нем, его стихи — «строжайшая и пристрастнейшая охрана», остерегающая от поверхностности, самодовольства, подделки под жизнь.

А время каменеет, и у фраз
Нет свойства передать из дальней дали,
Что люди жили, мучились, страдали,
А не свершали действа напоказ.

Когда-нибудь, при яркой вспышке дня
Грядущее мое осветит кредо:
Я в человеках тож: я вас не предал
Ничем.
Друзья, молитесь за меня!

Я счастлив, что на кручах,
Узнав хоть краем боль,
Я обрету не роль,
А участь, друг мой. Участь.

Январь–март 1976

ЗАЛОЖНИК ВЕЧНОСТИ

I. «СОВРЕМЕННОЕ СОСТОЯНИЕ»

В марте 1974 года мы с женой пришли в мастерскую Вадима Сидура поговорить, не возьмется ли он сделать памятник нашему погибшему другу поэту Илье Габаю. Галя была хорошо знакома с ним лет 15 назад, с тех пор не виделась, я примерно столько же лет был о нем наслышан, но оказался в его Подвале (буду вслед за ним писать это слово с большой буквы) впервые. Хорошо помню первое ощущение: ощущение мощного, своеобразного художественного мира и в чем-то очень близкого человека. Первое понятно, хотя в отдельные скульптуры я по-настоящему вгляделся лишь потом — и продолжал вглядываться, уясняя их смысл, многие годы; но откуда это мгновенно вспыхнувшее чувство близости? Сам повод нашего прихода, разговор об обстоятельствах самоубийства Габая располагал к откровенности, не было сомнения, что мы говорим с человеком своим, и Сидур действительно с готовностью взялся сделать эскиз памятника...

Лишь сейчас, после Диминой смерти, я — с ощущением некоторого шока — узнал из его записей той поры, что он заподозрил в нас людей «из шкатулки», то есть подосланных с определенной целью. Этот штришок стоит многого, он характеризует не столько нас или его, сколько время, искажавшее нормальные человеческие отношения, когда именно естественный разговор казался неестественным и вызывал подозрения. «Бойтесь новых знакомств! Не пишите дневников! Будьте бдительны!» — записывает Сидур — в столбик — требования, навязываемые этим временем (записывает, заметим, в дневнике). «Наша подозрительность слишком часто не лишена оснований».

И то сказать, было чего опасаться. В феврале выслали Солженицына, обстановка становилась все более зловещей, вокруг самого Сидура сгущались неясные тучи. Только что в «Советской России» появилась хамская статья, где его имя поминалось в угрожающем соседстве с именами Л. Копелева, Л. Чуковской «и др.» — по нашему опыту было известно, что это могло предвещать. Начинался процесс его исключения из партии, реальной казалась угроза изгнания из Союза художников, а значит, утраты прав на мастерскую. Использовав звучавшее тогда словцо, Сидур назвал этот процесс «началом импичмента». Было немало свидетельств и признаков специфического интереса к его персоне.

Парадокс заключался в том, что Сидур не давал для этого интереса, казалось бы, никаких внешних поводов. В отличие от «и др.», он абсолютно не проявлял общественной активности, не делал и не подписывал никаких заявлений — это было ему в принципе чуждо. Он не рвался за границу и даже на выставки, официальные или «нонконформистские», не жаловался на судьбу, на условия, не требовал возможности заработка — хотел лишь спокойно работать в своем Подвале, довольствуясь минимальными, более или менее случайными средствами. Разве что принимал, в числе других посетителей, иностранцев — международная слава его уже разрасталась.

Но то-то и оно, для неприязни вовсе не обязательна была рациональная причина, достаточно было чувства очевидной чужеродности, несовместимости его с тем, что считалось общепринятым и дозволенным. Столкновения со временем не приходилось искать, но и спрятаться от него такому художнику, как Сидур, вряд ли было возможно. Осмысливая темы вечные, общечеловеческие: любовь, материнство, насилие, страдание, смерть, он был сыном своей страны и своей эпохи.

«Ты вечности заложник у времени в плену», так определил Пастернак двуединую суть всякого подлинного художника; первую часть этой формулы я поставил здесь как заглавие, вторая могла бы служить подзаголовком — или наоборот. Искусство возникает на пересечении вечных тем и нового, всегда небывалого времени, в котором мы живем, которое формирует нашу судьбу и налагает отпечаток на наш духовный мир.

Сидур выражал это ощущение другими словами. Как-то он сказал мне, что пишет нечто в прозе под названием «Миф» с подзаголовком «Памятник современному состоянию» (так названа одна из его скульптур). Такое же двойное название он дал фильму, в котором попытался раскрыть свое художественное и философское видение мира средствами кино.

Я хочу рассказать здесь об этом мире и об этом человеке, много для меня значившем, какими они увиделись мне за годы нашего знакомства. Мы встречались с Сидуром довольно часто почти до самой его смерти в 1986 году. Некоторые разговоры я тогда же, по свежей памяти, записал. Прочитав недавно страницы, написанные в те же годы Сидуром, я обнаружил немало совпадений: зародившееся сразу же чувство близости все-таки не обмануло.

2. Иов

Что-то неслучайное было в том, что наше знакомство оказалось связано с памятью Ильи Габая. Сидур, как я мог понять, был с ним знаком лишь бегло. Известие о его гибели он отметил в своем «Мифе». Перед началом работы над памятником я дал ему почитать подборку стихов Габая. Особенное впечатление на него, видимо, произвела поэма об Иове — вариация на библейскую тему. Взятый из Библии эпиграф к поэме Сидур воспроизводит в своих записях неоднократно: «Был человек в земле Уц, имя его было Иов».

«Эскиз получился красивым, — записывает он 15.04.1974, через две недели после начала работы над памятником. — И мне бы очень хотелось его сделать. Когда-то этот Иов поразил меня, тогда он был еще очень молод, но этот мальчик напомнил мне моего отца».

Он называет Иовом самого Габая, сознательно прошедшего через многие мучения (в другом месте называет его «святой Илья»), и еще через неделю подтверждает это отождествление: «Красивый должен получиться памятник несчастному Иову». (23.04.1974)*.

---

* Памятник остался только в модели: чтобы воплотить его в материале, у друзей не хватило средств; пришлось ограничиться другим вариантом — барельефом, установленным на кладбище в Баку.

А несколько месяцев спустя, 25.08.1974, переводит это отождествление на самого себя, используя странное совпадение аббревиатуры:

«Жил ИОВ на земле Русь, и имя его было Вадим Сидур.
ИОВ — Инвалид Отечественной Войны.
Сидур — по древнеевр. — молитвенник».

Это была, в сущности, его тема: бесконечные, безмерные страдания человека — от библейских времен до наших дней. Сидур полной чашей хлебнул испытаний, выпавших на долю его поколения: воевал и был тяжело ранен, «раскачивался между жизнью и смертью в госпиталях... среди людей без челюстей и дрожащих мелкой дрожью, искромсанных желтых животов», пережил гибель многих родных и близких, долго и мучительно болел. Вот откуда его пожизненное внимание к темам войны, насилия, смерти, бесчеловечной жестокости — «не интерес и даже не долг, а жизненная необходимость», — как выразился он в одном интервью. Этим определены трагические мотивы его творчества. «Меня постоянно угнетало и угнетает физическое ощущение бремени ответственности перед теми, кто погиб вчера, погибает сегодня и неизбежно погибнет завтра». Корнем всякого зла он считал насилие. «Сотни, тысячи, миллионы людей погибли от насилия, проявленного по отношению к ним другими людьми в самых чудовищных и даже фантастических формах». Едва ли не каждый день он фиксирует в своих записях сведения о все новых убийствах, террористических актах, взрывах, жертвах, пытках.

С годами он все более скептично относился к способности людей разумно разрешить свои проблемы; это чувство приобретало порой острые формы.

«Недавно я ощутил приступ совершенно необъяснимой угрозы, тревоги», — сказал он мне однажды.

Может, эти приступы были связаны с ухудшившимся состоянием сердца? Или с тем, что он называл «современным состоянием», памятник которому символизирует драматическую напряженность, трагический излом, раздвоенность и метания?

3. Атмосфера

Семидесятые — середина восьмидесятых годов — мертвенный, мертвящий период нашей истории, вязкая, удушливая пора, исковеркавшая немало судеб, для культуры пагубная. Трагические катастрофы: революция, война — все-таки высвобождали какую-то духовную энергию. Здесь же царило именно чувство вязкости, как в дурном сне. Я не говорю сейчас об экономике и политике, только о состоянии духовном. Творческие силы вытеснены в щели, изгнаны, какая-то муть поднимается со дна, в умах разброд, все перемешано: националистические комплексы, религиозные идеи, ценности массовой культуры и понятия общества потребления (при отсутствии потребления). Фантастические гротески пьянства и воровства, очереди за золотом и лужи мочи в телефонных будках, словоблудие и травля самостоятельной мысли: фальшь, тоска, порча, жестокость, абсурд. «Идиотизм, переходящий в овацию», — читаю я теперь в сидуровских записях 1974 года. «Страна движется НЕ ТУДОЮ». И почти в те же дни — у меня: «Жутко думать иногда, что мы живем на каком-то почти неуправляемом корабле. Правителям только кажется, что они указывают курс. На самом деле они лишь стараются удержать равновесие, заперев остальных по закутам, лишив их свободы действий, вместо того, чтобы призвать всех участвовать в спасении. А материал между тем подгнивает, и то ли разобьемся вот-вот сослепу о какой-нибудь встречный камень, то ли все так развалится». «Может быть, счастье людей в том, — записывал я какое-то время спустя, — что они могут существовать где-то в своем измерении, независимо от государственных и политических ирреальностей... Если читать наши газеты, слушать казенные речи, покажется, что настоящая жизнь просто не может удержаться в этой атмосфере лжи, подмен, несуществующих понятий. Во всяком случае, не может существовать ни литературы, ни искусства. Но тем не менее они существуют — на той же глубине, где сохраняются любовь, семья, дружеские отношения, книги, музыка, природа и, больше того, порой достигают удивительных высот». «Идиотизм нашей жизни рождает произведения искусства, кстати, не только нашей», — записывает Сидур 23.06.1974 и несколько раз повторяет простейшую заповедь нашей этики: «Сидя в дерьме, не будь дерьмом».

Перебираю снова свои записи. «Чтобы в такое время не сломаться, не покончить с собой, нужна либо стойкость и сила, либо известная степень нечувствительности». «Блок писал, что Пушкина убила не пуля Дантеса, а отсутствие воздуха. Сам Блок знал, что значит задыхаться. А мы не задыхаемся, как будто у нас воздуха больше, чем у Блока и Пушкина. Или мы приспособились к жизни в нем благодаря каким-то мутациям — как приспособились за несколько лет насекомые к дусту? А может, дело просто в резкости перепада: они еще помнили другой воздух, а мы другого от рождения не знали?» «Мы даже не вполне осознаем противоестественность своей жизни. Мерки прошлого тут, пожалуй, неприменимы».

Вот атмосфера и тон интеллигентских московских разговоров в те годы. Вокруг этих тем неизменно крутились и наши с Димой беседы. И приходили всегда к тому же. «Все равно надо работать», — говорил Сидур.

4. Внутреннее и внешнее

Дима принял очень близко к сердцу написанную мной работу об Илье Габае; он наговорил мне много высоких слов и сказал между прочим: «Это надо бы прочесть многим, и именно сейчас, в пору разброда».

Увы, в те времена публикация такой книги возможна была только за границей, у меня были причины от этого воздерживаться. А когда появится возможность ее напечатать, те же слова прозвучат, глядишь, иначе — сказанным вовремя, им другая цена. Кому в наших условиях не приходилось упираться в эту проблему! Годами работать, не рассчитывая на зрителя и читателя — кроме небольшого близкого круга, а значит, на общественный отклик, влияние или успех. С этим было связано чувство внутренней свободы, но оно давалось непросто, не исключало сомнений и даже отчаяния, требовало постоянной корректировки самоощущения (с проблемами материального существования каждый справлялся как мог). Дружеские разговоры в этом смысле бывали немалой поддержкой.

— Ты работай безнадежно, — не раз повторял Сидур. — То есть не думая о возможности напечататься ни здесь, ни там, потому что там это тоже непросто. Тогда будет настоящее.

Что он имел в виду? Прежде всего, что и «там», то есть на Западе, творческая свобода отнюдь не обеспечивается сама собой — на художника давят, например, требования и вкусы рынка, мода, в том числе политическая, соблазняя или заставляя приспосабливаться.

Как-то он показал мне серию новых акварелей «Девушки»: розово-зеленые, нежные, обнаженные.

— Вот в чем я свободен, — сказал он, когда я отметил неожиданную для него новую манеру. — И западные люди мне в этом завидуют. Мне надоело заниматься скульптурой — я стал для души делать акварели. И не думаю, как к этому кто-то отнесется, того ли требует от меня репутация, рынок. Они так не могут, им надо подтверждать свою репутацию, чтобы покупали.

«Я уверен, — записывает он 13.09.1974, — что любой заказ, не только социальный, а просто денежный, всегда губителен для художника и писателя. Только для себя, тогда получится для других».

Не бог весть какая новая мысль, что говорить; сразу вспоминаются оговорки: что многие величайшие творения создавались именно по заказу (и разве у самого Сидура нет превосходных заказных работ?), что такие принципы проще провозглашать, чем следовать им реально. Противоречия подстерегают на каждом шагу. Абсолютная свобода, услышал я от одного философа, предполагает абсолютное неучастие в делах мира. Но живой человек, художник в том числе, живет не в абсолютном пространстве, он вступает в повседневные и духовные отношения с другими, что-то дает и что-то получает, нуждается не только во внутренней, но и во внешней опоре существования, в отклике, который отнюдь не сводится к успеху, а является элементом обратной связи, необходимой искусству, как нормальное кровообращение.

Когда-то можно было сформулировать эту проблематику вопросом: что мы значим перед людьми и что перед Господом? У наших библейских предков все совпадало: обласканный Богом был благословен перед людьми — причем при жизни. И даже многострадальный Иов, привлекший специфическое внимание сил, споривших за его душу, был к финалу вознагражден за свою стойкость: стадами, долголетием, новыми детьми взамен погибших. Позднейшее христианство внесло поправку, перенеся все вознаграждение на небеса, а светская мысль вместо рая предложила посмертную людскую память — суррогат бессмертия.

Наше время отчасти ужесточило условия, отчасти внесло в них какую-то зловещую изощренность: чтобы говорить с современниками и даже чтобы получить шанс остаться в чьей-то памяти, так называемому творцу духовных ценностей надо зачастую поступаться столь многим, что сами эти ценности становятся уже сомнительными.

Выбор дан был далеко не всегда, и давался он не просто, но без потерь в любом случае не обходилось. Помню, как сокрушался Сидур, прочитав возвратившийся к нам, казалось, из небытия роман Василия Гроссмана «Жизнь и судьба»: «Если б эта книга увидела свет в свое время, вся история нашей литературы выглядела бы иначе». Конечно, произведение, выдержавшее испытание временем, тем весомее подтверждало свою цену, но мы-то, прожившие десятилетия без него, разве не оказались бедней? Не говорю уже о человеческой трагедии автора, умершего без уверенности, что созданное им не только увидит когда-нибудь свет и будет воспринято, но вообще сохранится.

Все так, и по словам самого же Сидура видно, что он понимал это не хуже других. Нежелание ориентировать свою работу на публикацию или заказ было для него равноценно нежеланию внутренне ориентироваться на чей бы то ни было художественный вкус, моду или политические представления. Это, видимо, определяло и его отношение к самиздату как к явлению скорей текущей общественной жизни, чем искусства. «Мне кажется, что самиздат почти ничего не дал литературе с точки зрения высот искусства... — записано у Сидура 25.06.1974. — Четко различаю писание в стол и самиздат».

Нет смысла обсуждать здесь справедливость такой оценки. При нормальных условиях самой проблемы, как и противопоставления, не могло бы возникнуть. Наш выбор вынужден был искаженными обстоятельствами жизни, и мы склонны бывали нужду возводить в добродетель. Речь не о правоте, а о выборе, который при одних и тех же обстоятельствах оказывается у людей разным. Ибо сами по себе обстоятельства еще не определяют судьбы, во многом она есть производное от нашей внутренней сути. Речь о человеческих особенностях Сидура, который по природе своей склонен был как бы уклониться от всего внешнего — в том числе и от успеха.

«Некоторых художников... вдохновляют зрители, — записывает он разговор с женой (речь шла о нежелании участвовать в какой-то выставке). — Они могут даже из творческого акта устроить зрелище. Это их стимулирует и подогревает... Я же могу работать только скрытно... Даже в так называемых человеческих условиях мне было бы стыдно конкурировать и бороться за место под солнцем... Скорее всего, поэтому я люблю показывать в Подвале. И то, когда зритель не мой, зритель на другой волне воспоминаний, мои вещи сразу увядают, как девушки на балу, которых не приглашают молодые люди.

— Хороши девушки — железные Пророки с огромными железными фаллосами... Ты хотел бы персональную выставку?

— Не знаю... Скорее всего, я хотел бы быть рантье... и спокойно работать для себя, не думая ни о чем».

Я переписываю эти строки осенью 1987 года, когда персональную, пусть пока и небольшую выставку Сидура посетили уже тысячи людей разного возраста, разных культурных слоев; приезжают из разных городов, приходят с детьми. Люди, далекие от искусства, возвращаются сюда по пять и по шесть раз, подолгу всматриваются в работы, без всяких объяснений понимают и принимают близко к сердцу юмор «Праздника» или «Драки», нежность акварелей, но главное — боль, жалость, доброту, сочувствие к страдающим, искалеченным, погибшим. В этом неожиданном, поистине народном восприятии сам художник с его трудной судьбой обретает черты подвижника и страстотерпца; книга отзывов полна взволнованных, благодарных, высоких слов; вокруг его имени складывается нечто вроде посмертного мифа. Бесконечно грустно, что Сидур до этого не дожил.

Помню, как уже к концу жизни он без особой охоты отдал несколько своих работ для выставки на Малой Грузинской — но то были «коллективные мероприятия», их он вообще недолюбливал. Персональным выставкам, которые с некоторого времени стали устраиваться в ФРГ, он радовался, с нетерпением ждал каталогов, ловил отзывы в прессе и по радио. Как-то при мне он больше часа пытался сквозь глушение записать на пленку передачу о себе «Голоса Америки». «Вот, записать, и можно поставить пленку в архив, — сказал он немного смущенно. — Конечно, все это суета, но в наше время, когда остаются только фотографии»... Он не договорил, но было в его словах как бы признание в слабости. «Суета сует увлекает нас в нетворчество», — записывает он 15.10.1974, когда вот так же ловил известия об установке в Касселе «Памятника жертвам насилия». И несколькими днями позже, 21.10: «Не о славе своей суечусь, слух напрягая, из эфира услышать жажду о "Памятнике погибшим от насилия", только помянуть погибших стремлюсь, — сказал Иов Господу. — Не лукавь, — сказал Господь».

Уже при жизни его работы стояли в нескольких городах ФРГ. «Я человек сделанный», — выразился он однажды. Это значило, что имя его уже утвердилось, остальные заботы второстепенны. Когда получено было известие о решении установить в Западном Берлине «Треблинку», он сказал мне: «Больше мне и не надо. Я всегда мечтал поставить именно две вещи: "Памятник жертвам насилия" и "Треблинку". Да еще стоит "Женщина и сталь", и "Эйнштейн" в Америке. И ведь что интересно: я ничего для этого не предпринимал, сижу тихо, никуда не рвусь, ни на выставки, ни за границу».

Заграница была ипостасью все той же темы. Несколько раз он получал официальные приглашения в ФРГ, страну, где его больше всего знали и ценили. Начальство из Союза художников предлагало взамен другие кандидатуры; в ходе переговоров приходили к компромиссу: вдобавок к Сидуру немцы соглашались пригласить еще девять функционеров; кончалось тем, что эти девять ехали, а Сидур оставался в Москве. Он рассказывал об этом с юмором: заграница в наших условиях была приманкой, подачкой, наградой за услуги подчас специфического свойства — способом закабаления. «Я свободный человек уже потому, что не рвусь за границу», — повторял Сидур.

— В ФРГ мне было бы, конечно, интересно, — добавил он однажды. — Посмотрел бы, как там стоят мои работы.

— Там и помимо твоих работ кое-что есть, — не без юмора заметил участвовавший в разговоре немец, и Дима засмеялся, как бы признавая, что малость перегнул.

Одно приглашение, от имени посла, помню, даже вызвало у него тревогу: только что в ФРГ вышел его каталог, и Дима опасался, не послужит ли это началом кампании против него; он предпочел бы не привлекать к себе внимания.

— Не хочется, — сказал, — чтобы меня поперли*.

_____

* По этому поводу стоит процитировать примечательную запись из «Мифа», характеризующую общественное самоощущение Сидура, по крайней мере, еще в 1974 году — со временем оно, как у всех, менялось: «Я, бывший комсомолец, еще неисключенный коммунист, вкалывавший в колхозе, работавший сутками на заводе, сраженный фашистской пулей на земле Украины, обильно поливший своим потом и кровью советскую землю, я — участвовавший в восстановлении, я — строитель, я — веривший в вождя и вождю, а потом речам... на XX съезде, я утверждаю, что я и есть тот, кто имеет право спокойно жить и трудиться на своей земле» (18.05.1974). В каком-то смысле он был человек более советский, чем враждебные ему чиновники, даже удивительно, как долго сохранялись в нем многие представления, впитанные с детства и юности. «Во рту слов разлагаются трупики, — пишет он 27.04.1974, прослушав по радио передачу с комсомольского съезда. — И, несмотря на это, я плакал... Я плакал на похоронах идеи, я плакал, потому что мне уже 50, что умерли мама и папа, что навсегда кончилась гармония, существовавшая между мной и государством».

В то время модной темой становилась эмиграция, добровольная или не очень. Многие удивлялись, почему при таком успехе он не уезжает.

— Но, во-первых, мне, честно говоря, плевать на этот успех, — говорил Сидур. — А во-вторых, я думаю: ну уехал бы, ну получил бы миллион, ну и что? Лучше бы мне было, чем сейчас?.. Для других хорошая жизнь — автомобиль и все такое прочее. А мне это не нужно. Я вот, например, люблю Москву, хотя многим она кажется уродливым городом. Люблю Алабино, с нетерпением жду возможности уехать туда.

Он не строил иллюзий относительно жизни на Западе, а, главное, сознавал, что счастье вовсе не так уж зависит от материальных условий. Среди его многочисленных западных знакомых счастливых людей было ничуть не больше, чем среди знакомых московских, и ничуть не меньше несчастных. Более того, многие говорили, что нашли у нас что-то, чего лишены были дома — и плакали, уезжая.

— Ко мне тут ходили с американского телевидения, — рассказал как-то Дима, — хотели снять обо мне фильм. Не пошло. Их не устроило то, что я говорил. Они стали спрашивать меня о свободе, я сказал, что тут, в Подвале, среди своих работ чувствую себя совершенно свободным и нигде свободней бы себя не чувствовал. Они явно ждали от меня другого. Рассказали, видно, о беседе со мной начальству. Им ведь тоже требуется утверждение, потому что это вещь довольно дорогостоящая: освещение, аппаратура. И, видно, не пошло. Ну что ж, останутся американские телезрители без лицезрения моей физиономии. Не буду же я приспосабливаться к ним, говорить, чтобы им понравиться...

Разговор происходил во время прогулки по заснеженным переулкам бывших Хамовников.

— Что такое счастье? — сказал Дима. — Вот я прогулялся с тобой по улицам, никому не сделал зла — и мне хорошо.

5. Работа

Как-то я упомянул, что вынужден был сделать в работе перерыв из-за нездоровья и испытываю по этому поводу терзания совести. Дима засмеялся:

— У нас одинаковые проблемы. Когда я занимаюсь рисунком, потому что на скульптуру сил не хватает, мне кажется, что я облегчаю себе жизнь, увиливаю от работы.

В другой раз он пересказал мне интервью знаменитого хирурга Илизарова, который признался, что много лет не ходил в кино, в театр, отдыхать не умеет. Как-то получил путевку в санаторий, но через шесть дней сбежал. «Когда я работаю, я живу, на остальное нет времени, — таков был смысл его слов. — Говорят, есть хорошая книга "Мастер и Маргарита". Я начал читать, но дальше пяти страниц не продвинулся — некогда». Диме это было знакомо и близко. Он, конечно, и читал, и музыку слушал, и в кино ходил, и на театральные премьеры (друзья из театрального мира не обделяли вниманием), и на приемах у иностранцев с некоторых пор стал бывать, сам принимал гостей беспрерывно, может, даже больше, чем хотелось бы, — но от всего этого, как к главному, рвался к работе. Услышав по радио, что для китайского сознания непонятно, что такое отпуск и отдых, он записывает в своем «Мифе»: «Я китаец!»

Вечное нездоровье не умеряло этого порыва к работе, наоборот. «Вынужден работать сверх меры, потому что чувствую себя отвратительно, — читаю я у него, — сил нет, а успеть надо!» (27.02.1974).

Не будем забывать, что работа скульптора, помимо всего тяжкий физический труд, надо ворочать и обрабатывать камень, металл, гипс, глину. Глядя на многотонные массы, загромождающие Подвал, попробуем представить себе, как все это в буквальном смысле проходило — и не один раз — через руки серьезно больного человека! Но прежде всего надо говорить о повседневном творческом напряжении, об интенсивности духовной жизни, которая подчиняет все помыслы и требует неустанной энергии. На какой-то стадии таким пожизненным трудом достигается видимая легкость, система как бы готовых знаков или, скажем, наработанная линия. Мне приходилось видеть, как Сидур делал дивные свои рисунки тушью — как-то при мне он за час нарисовал три оригинальные композиции, почти не прерывая разговора. Такие рисунки он мог дарить или продавать. В другой раз он также за разговором со мной начал и завершил акварель — конечно, уже в уме существовавшую, заранее решенную. Для него самого это как бы заполняло промежутки между другой, настоящей работой, которая делалась в сосредоточенном уединении, в трудных поисках, не по заказу и не для заработка... А для чего?

«Какая сила ежедневно за шиворот меня к столу тащит, работать заставляет? В мастерскую гонит? Отдыхать не дает? Скульптуру делать, рисовать, МИФ писать? В житейском смысле могилу себе копать?» — спрашивает себя Сидур.

Эта сила определяла не только собственную жизнь, но во многом и отношения с близкими. «Меня ужасно злит, — записывает он, — когда окружающие меня люди... простужаются, ночью читают или играют в карты. В этих случаях днем у них меньше сил для дела» (2.09.1974). Имелась в виду прежде всего жена — многолетний, главный, а то и единственный помощник в многотрудной работе. Но Сидур с необычайной энергией и настойчивостью старался привлечь себе в помощь также друзей, знакомых. И если уж кто соглашался — должен был вкалывать: маэстро не давал поблажки, подгонял, настаивал, сердился, требовал, не считаясь с обидами, проявлял неожиданную властность: дело было важней всего. Он, думаю, не был легким в общежитии человеком.

6. Одиночество

Я уже упоминал о нелюбви Сидура к «коллективным мероприятиям» — будь то литературный альманах или групповые выставки художников; то же относилось ко всяким объединениям, направлениям и т. п.

— Художник должен быть одинок, — сказал он мне как-то. Странно теперь вспоминать, что начинал он именно в коллективе — в соавторстве со скульпторами В. Лемпортом и Н. Силисом. Это был теснейший творческий союз, они даже работу каждого подписывали общей подписью. Просуществовав несколько лет, союз распался в 1962 году.

Мне лично был понятней распад этого соавторства, чем его существование. (Может, был здесь отзвук каких-то коллективистских мечтаний времен нашей юности?) Для меня творчество — акт всегда глубоко индивидуальный. Если не говорить о коллективных по природе видах искусства, вроде театра и кино, соединение для постоянной работы трех разных личностей, характеров, темпераментов казалось мне чем-то противоестественным. Как-то мы заговорили об этом с Сидуром.

— Сейчас мне и самому так кажется, — сказал он. — Но тогда я переживал разрыв трагично.

Насколько я мог судить, он не слишком интересовался работами своих московских коллег. При отсутствии нормальной художественной жизни, когда держаться приходилось почти исключительно внутренним напряжением, самоконтролем, самооценкой, в этом отгораживании, даже отталкивании мне видится способ четче очертить круг *своего* — и в искусстве, и в жизни.

В разговорах и интервью Сидур не раз и подчеркнуто повторял, что свой художественный стиль, пластический язык сформировал и развил сам, без влияния мастеров современной скульптуры, которых до позднего возраста практически не знал по причине нашей долгой оторванности от мира. Какие впечатления могли на него повлиять? Он видел скифских идолов перед музеем в родном Днепропетровске, он изучал древнеегипетское, ассиро-вавилонское искусство, греческую архаику по слепкам в Музее изобразительных искусств, он мог видеть там же (тогда еще в запасниках) Майоля, Бурделя, Родена — было у кого учиться. «К стыду своему, должен признаться, — говорил он в одном интервью, — что в те времена я даже не знал, что существуют такие скульпторы, как Мур, Липшиц, Джакометти, Цадкин... До какой-то степени получилось по пословице: "Не было бы счастья, так несчастье помогло". Возможно, именно отсутствие информации заставило меня совершить многие формальные открытия в искусстве, которые таким образом стали моими кровными». Когда впоследствии, продолжал Сидур, стали доходить какие-то альбомы, книги, каталоги, он чувствовал себя уже сложившимся художником. «Ничто не потрясло основ и не изменило главного. Я все больше и больше убеждался, что истоки, из которых мы произрастаем, и у меня, и у моих старших великих современников — Мура, Липшица и других — одни и те же».

Это скорей всего верно, если говорить конкретно лишь о скульптуре и об отдельных ее мастерах; но какие-то косвенные или неосознанные влияния, думаю, прорывались все-таки через живопись, другие виды искусств, открывая общие черты художественного языка XX века. Многое стало доходить до нас уже со второй половины 1950-х годов, пусть спонтанно, не систематически. Достаточно вспомнить сенсационную выставку Пикассо 1956 года. Как раз на этом рубеже стиль Сидура начал обретать свои позднейшие черты (что хорошо можно проследить по «картотеке» его Бохумского каталога). Но при всем этом определяющей в формировании его как художника, без сомнения, была именно особенность нашей исторической судьбы, которую приходилось интенсивно осмысливать, причем искусство (включая литературу) оказывалось едва ли не единственной возможностью такого осмысления. (Разумеется, то искусство и та литература, за которые чаще всего не платили денег, которые не уходили дальше мастерской или письменного стола.) Это порождало порой поистине своеобразнейшие явления, подтверждая вновь и вновь, что интенсивность и глубина духовной жизни связаны с внешними условиями отнюдь не прямо и не однозначно. В самом деле, наверное, только у нас могли сложиться такие ни на кого не похожие гении, как Платонов или Филонов, независимо от европейских влияний, что называется, своим умом доходившие до удивительных открытий.

Здесь уместно заметить, что Сидур, пожалуй, не был связан ни с какой отдельно национальной традицией и ни с какой национальной идеологией. В этом отношении он был так же далек от поветрий, ставших у нас особенно модными в самые последние десятилетия. Сидур был еврей по отцу и русский по матери. В детстве он сказал о себе однажды: «Я русский евреец» — и с удовольствием повторял это позднее. Мне он как-то заметил: «Я убежденный космополит или, если хочешь, интернационалист». Язык его искусства, язык пластики, живописи и рисунка был по природе своей общечеловеческим, понятным без перевода в любой стране. Сложилось так, что раньше и лучше всех узнали и оценили его творчество в ФРГ; думаю, тут сыграли роль не только обстоятельства, более или менее случайные, но и известная общность исторических судеб двух народов, обусловленная трагическими потрясениями нашего века, схожим опытом тоталитарной диктатуры и войны.

Особенность внешних условий нашей жизни парадоксальным образом сказывалась не только на круге тем, но и на художественном языке, порождая даже формальные находки и открытия. Может быть, что-то определялось даже простым недостатком в средствах.

Традиционные для скульптуры материалы, камень и металлическое литье, не всегда оказывались по карману, приходилось использовать все, что попадалось под руку. Иногда это были известняковые блоки, оставшиеся после перестройки церковной ограды неподалеку от мастерской, — их форма подсказала решение нескольких скульптур; но чаще это оказывались канализационные трубы, оставшиеся после ремонта, разнообразные предметы со свалок металлолома, утюги, мятые ведра, гвозди, проволока — что угодно. Совпадения с художественными находками поп-арта были в значительной мере внешние — материал, как будто вынужденный, оказывался внутренне органичным для проблематики, которую разрабатывал Сидур. Впрочем, по поводу тех же канализационных труб и сочленений, которые определили пластическое решение «Железных пророков», он однажды сказал в интервью: «Если бы их не было, я заказал бы специальную их отливку». Как бы там ни было, решение и здесь вспыхнуло на пересечении внутреннего развития и внешних, навязанных судьбой обстоятельств.

По словам Сидура, «Железные пророки», наряду с «Гробами», особенно удивляли попадавших в мастерскую иностранцев: у нас, говорили они, художники исхищряются в поисках какой-нибудь новизны, не знают, как бы поразить или шокировать публику, а у вас это получается как бы нечаянно, само собой.

То-то и оно, видно, дело не решается формальными выдумками — попробуй имитировать опыт, питаемый непростой нашей жизнью, нашими тревогами и размышлениями — это так же невозможно, как невозможно имитировать духовный мир человека, связанный с этим опытом.

Осенью 1983 года Дима привез из деревни Алабино, где любил жить летом, несколько лопат, подобранных на местной свалке; надетые на них шляпы и кепки вдруг удивительным образом превратили эти лопаты в скульптурные портреты «Люди из толпы». Однако поразительней всего было, как эти стандартные, безликие, любому доступные железки обретали, одухотворяясь, черты неповторимой, именно сидуровской пластики. Одна из них стала его автопортретом — очень похожим.

В искусстве, как и в жизни, существенно лишь то, что пропущено сквозь душу, что стало душевным событием. За внешними впечатлениями Сидуру не надо было ездить за границу, творческих подсказок не приходилось искать ни в дальних путешествиях, ни в чужих работах, ни даже в книгах. В последние годы жизни он читал меньше обычного. Единственным временем для чтения, сказал он мне как-то, бывали двадцать минут перед сном, после приема снотворного, пока оно не начало действовать. Я заметил, что мне чтение необходимо — оно, не говоря обо всем прочем, дает импульсы для литературной работы.

— А у меня импульсы все время передо мной, — ответил Дима. — Я даже альбомы по живописи не смотрю. Была выставка Пикассо — я не пошел, про него я уже все знаю. Даже пересматривать свои старые папки с идеями — слишком большой труд. Иногда оказывается, что я в своей новой работе повторил идею, которую давно нашел... Не в этом дело. Есть жизнь. Смотри, думай, вникай.

Прогуливаясь по хамовническим переулкам, мы встретили беременную женщину.

— Я все никак не использую тему, которую она дает, — сказал Дима. — Видишь, у нее расстегнута на животе шубка, и из-под этой наружной формы выпирает другая. Очень красиво.

7. Мир

«Мир моего Подвала так разросся, что поглощает меня целиком», — сказал Сидур в одном интервью.

Чувство особого, мощного, ни на что не похожего мира сразу охватывает попадающего в мастерскую Сидура — а ведь далеко не каждого художника можно назвать создателем своего, небывалого доселе мира. Так мы говорим: мир Шагала, мир Генри Мура. (Пикассо сотворил галактику миров.) Это понятие включает в себя манеру и круг тем, систему образов, пластических знаков и символов, но не сводится ни к чему в частности и не исчерпывается лишь визуальным впечатлением. Подразумевается всегда нечто цельное, единое и взаимосвязанное.

— Все составляет целое: и моя мастерская, и «Миф», и стихи, которые я пишу, и кино, которое снял, — так перечислил однажды Сидур в разговоре со мной элементы этого мира.

Создаваемое художником — в каком-то смысле проекция, материализация его внутренней сути. Кажется, Швиттерс заявил, вызвав благородное возмущение многих, что даже плевок художника — произведение искусства. Между тем в этой эпатирующей формуле есть своя правда: сущность художника может проявляться во всяком его действии. При одном небольшом условии: если это действительно художник. Надо сначала им стать, надо пожизненно его в себе вырабатывать, не изменяя этому главному в себе ни в чем. И если твой «плевок» оказывается не очень похож на произведение искусства — значит, ты не художник. Перестал им быть или никогда не был.

В «Мифе» мне встретилось замечание Сидура о деятелях искусства, которые приняли участие в травле своих коллег, надеясь такой ценой купить себе лучшие условия для жизни и творчества. (Дима называл их «подписанцы со знаком минус», в отличие от «подписанцев»-диссидентов.) «Счастье в том, что искусство обмануть нельзя. Подписанцы со знаком минус и другие хитрецы не знают или забывают, что их рукой тут же начинает водить дьявол... И исправить ничего нельзя» (25.08.1974).

За этими словами чувствуется убежденность в неразделимости жизни и творчества: мир художника органичен и целен. Более того, он не во всем подвластен художнику и, будучи создаваем им, в каком-то смысле включает его самого. Недаром автор то и дело начинает ощущать как бы независимость собственных творений от своей воли.

Одно из простейших, умопостигаемых проявлений такой независимости — способность художественной идеи, художественной формы к саморазвитию, когда последующее решение рождается не столько новым усилием автора, сколько предшествующей идеей или формой. Так разветвляются, множась, вариации возникшей однажды темы, порождая в этом процессе дальнейшие решения и новые темы, так появляются циклы, которые занимают у Сидура столь важное место.

Здесь нет речи о произволе и нарочитости, все совершается как бы само собой, по своим законам, ты даже не всегда можешь объяснить происхождение иных вещей — что говорить о посторонних!

В каком отношении к своим созданиям находится вот этот, как будто знакомый нам человек — мягкий, очень добрый, обычно спокойный внешне? Вот он пьет чай с гостями, рассуждает об искусстве или политике, смеется, спрашивает о детях и семье. Ты что-то знаешь о его здоровье, пристрастиях, вкусах, житейских чертах, ты видел его снявшим зубной протез и сразу постаревшим на десяток лет, ты можешь представить его дома, с женой и сыном, ты можешь знать еще что угодно — но попробуй понять, как и почему возникают, выявляются в его руках эти сооружения из искореженного, исковерканного металла, наполняющие мастерскую словно обломки неведомой катастрофы? Откуда, из каких снов приходят к нему эти видения, эти мучительно восстающие фаллосы, эти оскаленные зубы, вопящие рты, четырехпалые руки и выпученные глаза, эти обрубки и кабельные сплетения, перерезанные, точно горло, и как совмещаются с ними нежные линии других его скульптур и рисунков, прекрасные женщины и умиротворенные старцы? Но может ли он это сказать сам? Биография, обстоятельства жизни, воспоминания детства и юности, военные, госпитальные, какие угодно впечатления способны объяснить далеко не все — что-то вырастает, рождается из недоступных нам глубин существа или глубин мироздания, что-то не поддающееся рациональному объяснению, вновь и вновь озадачивающее самого создателя.

«Чувство отстраненности от всего, что я сделал, — записывает Сидур 25.08.1974. — Даже некоторое удивление. Неужели все это сделал я?.. Как я? Почему я? Неужели я?»

Наверное, всякому художнику знаком этот момент удивления: откуда это взялось во мне? Ведь это больше меня — как я оказался на это способен? У людей былых эпох это вызывало представление о силах, для которых художник — лишь инструмент, средство выявления; художественный мир создается не столько им, сколько его посредством.

«Иногда, — пишет Сидур, — я чувствую себя непричастным к этому миру скульптур, который возник как бы сам собой, из ничего, и не имеет ко мне почти никакого отношения».

Нет, недаром так часто навещает автора чувство, будто творения его обретают способность к самостоятельному существованию, начинают жить неуправляемой, пугающей жизнью. В сценарных набросках к своему киномифу Сидур записывает кошмарную сцену бунта «Железных пророков»: лязгают зубы ртов-утюгов, шевелятся, тянутся металлические руки, вздымаются жуткие фаллосы. И о том же в стихах:

> На полу железные джунгли
> Разрастаются мои порожденья...
> Карабкаются по кресту
> Стальные твари
> Скоро меня достигнут...

8. Эротика

Где-то там, в глубинах и безднах подсознания, в области томительных снов и мучительных кошмаров зарождались и эротические образы Сидура, восхищающие и пугающие удивительной, неожиданной своей пластикой, нежные красавицы рисунков и акварелей, нагие старцы с лицами, похожими на древесные листы, изборожденные прожилками-морщинами.

> Слабеет тело
> Меркнет разум
> Голова понять не может
> Неугасимости вожделения
> Что с детства меня томило.

Но много ли дано понять нам в темной этой сфере, несмотря на все усилия высветить ее, особенно в нашем веке? Стихи Сидура, его автобиографические заметки помогают понять происхождение некоторых мотивов, сюжетов и образов. Мы узнаем в повторяющихся женских фигурах «Данаю, Ио и Леду» его лирики, «цветок в маленьком пенисе юного Онана» — мотив детского воспоминания, девочек, которые «качаются на качелях, переплетаясь всеми своими членами» — томление неизбывной нежности. Перед нами человек бесконечно нежный, постоянно влюбленный.

У Сидура есть работы поистине классического совершенства, есть удивительные решения, развивающие традиционные для изобразительного искусства темы — и темы неожиданные, способные в первый миг ошарашить своей новизной. В замечательном скульптурном цикле «Женское начало» такой темой становится у него пластика не только внешних форм, но и внутренних органов. («Я как будто ощупываю прекрасную скульптуру», — раскрывает он в записи происхождение одного из таких мотивов, напоминая об особом отношении скульптуры — как и эротики! — к осязанию.) И пожалуй, ни у кого не находила такого пластического решения и не обретала такой самостоятельности мужская, фаллическая тема.

Рожденные однажды, эти образы, как и все другие, — если не в еще большей степени — обретали самостоятельность, способность к трансформации, порой пугающей. Так произошло, например, в графических сериях «Мутации», «Олимпийские игры», «Идеологическая борьба», где в сексуальной символике нашла выражение тема насилия, жестокости, тупой, бесчеловечной агрессивности, грозящего человечеству вырождения, гибели, апокалипсических ужасов...

Не буду, впрочем, теоретизировать на темы этих рисунков; для таких рассуждений мне нужно несколько от них абстрагироваться; непосредственная же реакция при взгляде на них — невольное отталкивание. Здесь следует, наверное, сделать общее отступление. В современном искусстве (как и в литературе) есть явления, по природе не рассчитанные на непосредственное восприятие, к которому традиционно апеллировал художник. Классик своим описанием пейзажа стремился вызвать у нас эмоциональное сопереживание; описав вкусное блюдо, он был бы доволен, узнав, что у нас при чтении потекли слюнки. Нынешний автор, впечатляюще живописуя нечистоты или неаппетитные физиологические отправления, вряд ли ставит целью вызвать у нас физиологическую же тошноту — цель его, скорее, интеллектуальная (включая интеллектуальный шок). Здесь, если хотите, система образных знаков, ее всегда готовы разъяснить теоретики, которых желательно прочесть до непосредственного знакомства с произведением, чтобы не придавать слишком большого значения неподготовленному своему чувству. В самом деле, это «непосредственное» чувство не всегда годится в советчики, ведь оно (как и пресловутый «здравый смысл») склонно совсем уж невежественно требовать, например, «похожести», объяснимости, морали и т. п.

Оговорив все это, признаюсь, что не могу себя отнести к безусловным поклонникам названных серий; отвлечься от непосредственного чувства отталкивания не удается — потому ли, что слишком сильно действует на меня этот художник, или потому, что задуманное здесь претерпело нечто вроде мутаций, выйдя из авторской воли?* Сам же замысел кажется мне понятным и благородным — я не могу принять морализаторских упреков, которых Сидуру приходилось выслушать немало.

Морализаторством, кстати, не ограничивалось. Как-то в «Бильд-цайтунг» я прочел сообщение о скандале на одной из немецких выставок Сидура: некая дама-феминистка разбила скульптуру «Фаллос», оскорбленная в лучших чувствах этим символом «мужского господства»... Но это крайность уже анекдотическая. Моральные претензии к Сидуру предъявлял то издатель журнала, где охотно печатали фотографии голых красоток, то советский эмигрант-интеллектуал. «Мне как русскому и как еврею стыдно, что мы вносим вклад в дело разложения Запада», — примерно в таких словах выразил он свое отношение к присланному ему в подарок альбому Сидура (который с негодованием возвратил).

— Он говорит, как наш министр культуры, — усмехнулся Дима, передавая мне этот отзыв... — Они выступают там в странной роли защитников

---

* Впрочем, за последние годы, особенно после Чернобыля, многое стало казаться привычным и восприниматься иначе. (*Примеч. 1992 г.*)

Запада от разложения. Это книга не для детей, а взрослые сами поймут, что все это означает.

Он не без вызова настаивал, что ни от «Мутаций», ни от «Идеологической борьбы» не отказывается — на каком-то этапе они имели для него принципиальный смысл. Но четыре года спустя в разговоре со мной как-то обмолвился: «Если бы я сейчас заново отбирал свой альбом, я, может, не стал бы включать туда "Мутации" или "Идеологическую борьбу". Тогда мне казалось, что это нужно, а теперь я бы подумал».

Эротика у Сидура, как, пожалуй, мало у кого другого, напоминает, до какой степени в этой сфере переплетено прекрасное и жалкое, влекущее и гибельное, возвышающее и унижающее, нежность и наслаждение, восторг и страх, торжество и жестокость, счастье и боль, любовь и насилие... В «Мифе» он записывает рассказ о человеке, «у которого ЭТО произошло в момент смерти. Так мертвеца и вынесли из палаты». Не его ли видим мы в одном из сидуровских «Гробов»? «Это не сумасшествие, — подтверждает он нашу догадку, — это попытка найти способ изображения гроб-мира».

9. «ПРАВДА БЕЗОБРАЗНА И УЖАСНА»

«Правда безобразна и ужасна», — сказал мне однажды Сидур. За этой фразой стояло многое: мироощущение, философия, эстетика. Я вспоминал ее, когда Дима показывал мне модель неосуществленного памятника писателю Василию Гроссману. Об этом человеке он всегда говорил с особым почтением, книгу его «Жизнь и судьба» называл великой: «Это как Библия нашей жизни». Они встречались однажды, в 1960 году, когда Гроссман только что закончил свой роман, еще не подозревая его драматической судьбы. «Не могу объяснить, почему он произвел на меня впечатление очень значительного человека, самого значительного из всех, кого я видел. А я видел и Солженицына, и Неруду, и Бёлля... да кого только не видел. И при этом он был самый ненапыщенный из знаменитых людей... Мы провели в разговорах целый день...»

Так вот, о памятнике. На одной его стороне был барельеф: девочка закрывает руками глаза взрослому. Оказывается, был у Гроссмана такой сюжет: во время расстрела девочка закрыла рукой глаза своему старому учителю: «Не смотри, это очень страшно».

Поистине впечатляющий образ — один из символов нашего времени; для Сидура он заключал в себе нечто глубоко существенное.

Трудно, не отворачиваясь, взирать на все страдания и ужасы, которыми столь богат оказался наш век, — как бы говорит нам этот образ. Порой действительно надо прикрыть глаза, иначе просто не выдержать. И все ли нам, в самом деле, надо видеть, всю ли правду — о мире, о людях, в конце концов, о себе самих — обязательно знать, до всего ли надо доискиваться, докапываться, все ли покровы срывать? Человек не просто может — он имеет право чего-то не знать. Более того, он должен в своем поиске где-то остановиться, не доходить до бездн, ведь забота его — не просто истина, а счастье...

Сам Сидур говорил о разрушительном человеческом «любопытстве», которому просто необходимо бывает положить предел — например, в научных экспериментах и поисках, которые нередко оказываются антигуманными, потенциально губительными для самого рода человеческого: именно об этом буквально вопиют иные его скульптуры («После эксперимента») и рисунки («Мутации» и др.). И не только в науке. Может, стремление к познанию, ничем не ограниченному, к проникновению за всякий предел — в каком-то смысле соблазн, не сулящий удовлетворения, ибо сама сущность человеческая — конечна, и нашей жизни, как и нашим устремлениям, не зря положен предел? Может, истина сама по себе — забота и цель одиночек, а для сообщества людей важней устойчивость, равновесие, создаваемое среди прочего системой запретов, умолчаний (разве не на них строится вся культура?), а то и необходимой — да, да, необходимой — лжи? Ведь прикрываем же мы наготу одеждой — и разве в наготе больше истины? Разве и кожа не прикрывает чего-то: внутренностей, костей, жалкой, смертной, безобразной плоти, обреченной на тление? И если какие-то свои отправления мы совершаем уединенно, скрывая их от людей, — не означает же это лицемерия и желания утаить правду.

Вопросы отнюдь не риторические. В своем «Мифе», в сценарных заметках к одноименному фильму, в самом фильме Сидур с неслучайным упорством и последовательностью фиксирует не самые лестные для себя моменты. Он ловит себя на жестокой мысли по отношению к ребенку, который мешает ему спать, — всего лишь мысли, какие знакомы каждому и вряд ли характеризуют нас более справедливо, чем наши дела, — но и она записывается в счет. Он подробно описывает и демонстрирует с экрана процесс изъятия зубных протезов — его лицо, исполненное своеобразной красоты, при этом резко меняется — но больше ли в нем правды, чем до сих пор? Он показывает себя в позах самых неэстетичных, например ставящим себе клизму, посвящает строки стихов физиологическим отправлениям, о которых мы обычно не говорим — потому ли, что избегаем правды? Для него в этом, очевидно, есть смысл. Какой?

«Я буду рад, если успею дать свидетельские показания... — отмечает он в записи от 24.09.1974. — МИФ я расцениваю именно так, хотя эти показания будут, возможно, против меня».

«Истина страшна и безобразна» — эту фразу Сидур, варьируя, повторял не один раз. Понятно стремление человека отгородиться от ужасов жизни, набросить на них покровы — но недаром искусство в нашем веке, как никогда прежде, училось эти покровы снимать. Для чего-то людям нужна и служба бесстрашных одиночек, которые ни от чего не отводят взгляда и не щадят себя в поиске. Может быть, для того, чтобы не успокаивалась человеческая душа, ибо такое успокоение грозит загниванием и угасанием жизни.

Сидур чувствовал себя художником, осуществляющим не в последнюю очередь эту нелегкую миссию. Он детально описывает бойню, на которой работал в начале войны, инвалидов в челюстно-лицевом госпитале, подробности пережитой им мучительной операции. Раненые, калеки, человеческие обрубки, страдающая плоть и страдающая душа становятся темами его работ — и оказываются явлениями искусства. Искусство не знает безобразного в том смысле, в каком, по выражению Пастернака, «состав земли не знает грязи». Но это отнюдь не эстетизация безобразия, во взгляде Сидура на мир нет изощренности холодного наблюдателя, отнюдь! — иначе ему была бы другая цена. Он страдает вместе со страдающими — как с мукой вглядывался в лицо умиравшей матери: «Седые волосы стояли дыбом. Глаза были круглые и полные ужаса»... — в его ушах до сих пор ее крик: «Товарищи! Что вы делаете! Кончайте! Сколько это может продолжаться!..»

Тема предсмертных страданий занимает его всю жизнь, неотступно, он возвращается к ней во многих своих интервью: «Почему человек почти всегда расстается с жизнью в унизительных страданиях? Не подошло ли человечество к рубежу, на котором оно должно потребовать права на достойную смерть?»

«Я буду рад, если успею дать свидетельские показания». Это стремление сохраняется в нем до конца. Едва ли не в день смерти, на больничной койке, Сидур набрасывает стихи о себе — последние свои стихи:

Гражданином могу не быть
Но поэтом обязан
Я предсказывал Чернобыльский кошмар
Исколот
В ягодицы руку живот
Колют колют колют меня
Горю на костре без огня...

Отвернуться он себе не позволяет — и не всегда это дано. «Не тешьте себя, что вам сделают укол, — говорил Иов» (18.03.1974).

10. ТЕМА СМЕРТИ

Переломным в своем человеческом и художественном развитии сам Сидур называл 1961 год, когда ему случилось перенести инфаркт. Не впервые дохнуло на него холодком смерти, но теперь это отозвалось иначе, нежели в юности. «Результатом того, что я в 37 лет второй раз заглянул за пределы жизни, было четкое осознание... что третий раз может наступить каждую минуту и быть последним».

Это сознание отныне становится для него постоянным, окрашивая повседневную жизнь и определяя отношение к работе. «Каждый день чувствую, как смерть своей отвратительной лапой хватает меня за сердце». «Мне кажется, я наконец понял, в чем разница моего отношения к миру, и отношения к миру В., Н., Э. и т. д., — записывает он 25.06.74. — Я ежеминутно, ежедневно, ежечасно готовлюсь к смерти... а они готовятся к длительной жизни».

Он не раз заявлял, что своим творчеством хочет напомнить людям об их смертности: забвение этого, утверждал он, — первопричина зла на земле. Эта убежденность многое объясняет в творчестве Сидура, в частности происхождение «Гробарта» — целой серии скульптур, собранных из разнообразных частей и помещенных в деревянные ящики-гробы. «Гробы стоящие, сидящие, лежащие, — перечисляет он их мыслимые разновидности, — на колесах, летающие, гробики детские, гробы девичьи... гробы обнимающиеся, гробы совокупляющиеся... гробы, беременные гробами... гробы ненавидящие, завидующие... гробы поглощающие, гробы, извергающие еду... гробы распинающие, пытающие, пытаемые»... Перечень бесконечен, как бесконечно разнообразие людей, от рождения несущих в себе смерть, но предпочитающих не вспоминать об этом; жить с этой мыслью повседневно, пожалуй, нельзя. В стремлении напомнить об этом есть что-то религиозное, оно вполне отвечает мироощущению художника, призывающего не отворачиваться от безобразного и ужасного, — как и его взгляду на современность. «Воспеть величие эпохи, в которой убитые исчисляются миллионами, жизнерадостно и оптимистично, по силам только гроб-арту» (3.04.1974).

Тема смерти, в разнообразных ее проявлениях, преследует его постоянно — Сидур словно сам хочет, чтобы она «стучала в его сердце» почти буквально: он долго хранит в платяном шкафу урны с прахом матери и отца, возвращается к ним то и дело мыслью, вспоминает угнетающее бездушие модернизированного похоронного ритуала: «"Родственники, подходите прощаться", — приказала женщина в синем халате. В одной руке у женщины молоток, в другой гвозди». А время спустя воспроизводит почти ту же сцену, разрабатывая для своего киносценария эпизод похорон героя — своих собственных похорон: «Гроб. В гробу я... Гроб медленно опускается, темные шторки смыкаются над ним»... Как будто подсмотрел заранее — так оно все потом и было. Впрочем, особого провидения тут и не требовалось — ритуал остался стандартным.

Важно отметить другое: все то же предельное бесстрашие мысли, обращенной к теме смерти — в том числе (и прежде всего) своей собственной.

«Я не верю, что не все кончается земной жизнью. Я знаю, что умрут все и не воскреснет никто, и в этом вижу высшую демократичность истинно божественного начала».

Трагизм мироощущения не смягчен здесь никаким мнимым утешением, никаким псевдорелигиозным паллиативом. Тем выше цена реальной жизненной стойкости. «Может быть, самое трудное, — записывает Сидур 25.08.1974, — зная бессмысленность существования, продолжать жить и работать. А если ты веришь в НЕГО, то гораздо легче. ОН думает за нас. ОН наградит».

II. Религия

Один из персонажей Даниила Хармса назвал «неприличным и бестактным» вопрос «веруете ли вы в Бога?» Обоснование Хармса звучит юмористическим парадоксом, но затруднение, которое порой вызывает этот вопрос и у верующих, и у неверующих, заставляет ощутить в самой его постановке какую-то упрощенность, некорректность.

Сидур в одной из записей (18.03.1974) называет себя «атеистом, верующим в Христа — сына человеческого». Говоря о «религиозном начале» в своем творчестве, он в интервью пояснял, что имеет в виду прежде всего христианские заповеди, «ибо до сих пор люди не смогли сформулировать ничего более человечного». Распятие, голова Спасителя в колючем венце, библейские образы — постоянные мотивы его графики, живописи и скульптуры.

Но что общего у этого «религиозного начала» с какой-либо церковной верой? В конкретном исповедании Сидуру видится уступка, слабость, упрощение, в конечном счете идолопоклонство. «Если верят в ТЕБЯ, зачем в церковь ходят? — записывает он воображаемый разговор с Богом. — Идолопоклонством занимаются... Сам идолам поклонялся, — тут же, впрочем, признается он. — Не только на церковь, на светофоры молился». Речь идет о переживаниях в пору предсмертной болезни матери — знакомые, наверное, каждому мгновения отчаяния и слабости, когда готов взывать к кому угодно, цепляясь за любую надежду, даже если не веришь в нее... Сидур упоминает об этом именно как о слабости. «Единственным человеком в моей жизни, у которого не было никаких шашней с Богом, был мой отец. Самый честный, самый добрый, не противящийся злу насилием».

Можно у него встретить и запись другого рода. «А все-таки от веры и, стало быть, от церкви или, если хотите, наоборот, от церкви и, стало быть, от веры, во всяком случае, в нашей стране не уйти никуда!» (15.04.1974).

Как это толковать? Что значит «не уйти»? Относил ли это Сидур к себе?.. Думаю, то, что он называл у себя религиозным началом, имело все-таки мало общего с исповеданием слабых духом — тех, для кого вопросы кончаются там, где для души трагически взыскующей они лишь начинаются, тех, кто облегчает себе страх смерти надеждой на загробное продолжение и вместо выстраданных, пугающих, не всякому посильных истин предпочитает готовые, желательно утешительные. В этом противопоставлении нет оценки — людям, большинству их, такая вера действительно бывает нужна как повседневная опора и утешение.

Думаю, в случае Сидура следует говорить не о вере как исповедании, а об импульсе, который можно назвать религиозным, об отношении к бытию, которое предполагает изумленное благоговение перед непостижимой загадкой жизни, любви, разума, перед бесконечностью и вечностью, когда нас касается чувство, что мы не так уж сами распоряжаемся собой, что есть что-то большее нас — о мироощущении, предполагающем поиск, пусть безнадежный, но зачем-то кому-то нужный...

Сидуру были присущи элементы, я бы сказал, космического мироощущения. Как-то в разговоре зашла речь о разрушенных кладбищах — одна из болезненных тем нашей жизни. «Даже места вечного упокоения не вечны», — сказал я. И Дима вдруг заговорил о преходящести человека в мире.

— Меня с детства смущала громадность Вселенной. Человек в ней такой маленький, ничтожный.

— Зато ум все способен вместить, вот тоже чудо, — сказал я.

— А может, и зря ему дан такой ум. Может, животные, кошки, собаки — счастливее.

И стал говорить, какая радость увидеть среди природы кошку или собаку, какая в них грация.

Ход мысли в этом разговоре (как он оказался записан) лишь по видимости прихотлив: его объединяет чувство единства мира во всех его проявлениях, чувство, родственное тому, которое Альберт Швейцер называл «благоговением перед жизнью». Перед жизнью как таковой — не только человеческой.

«Я глубоко уверен, что животные и растения испытывают боль, ужас, а потому, скажем, коровы не должны быть съедены, деревья срублены и сожжены», — записывает Сидур 8.04.1974. Это чувство не предполагало практического вегетарианства, тем не менее не приходится сомневаться в его искренности — с ним просто приходится жить, хотя жизни оно отнюдь не упрощает. «Как трудно не убить! Копнешь землю лопатой и нарушишь жизнь тысяч живых существ» (8.09.1974).

Все это — тоже элементы мироощущения, которое можно назвать религиозным. Это мироощущение человека, не страшащегося истины ужасной и безобразной, но чувствующего, что тут лишь одна из ипостасей бытия, лишь часть какой-то более цельной правды, включающей красоту и добро, любовь и разум. Хотя бы потому, что без этого мироздание обратилось бы в хаос. Между тем мир как целое не саморазрушается — есть нечто, позволяющее ему существовать, поддерживающее его устойчивость и тепло, напряженную живую гармонию. Это мироощущение человека, знающего не только трагизм, но и счастье существования. Он в самом деле был по-настоящему счастливым человеком.

«Разум и добро — не выдумки, — записывает Сидур 25.08.1974, — а лучи, доходящие из абсолютного бытия. А другие верят только в бессмысленные столкновения частиц, а человек — порождение этой бессмысленности».

И в другом месте: «Где истина, где ложь? Как может установить человек, если нет Высшего начала» (25.08.1974).

Не правда ли, это приводит на память другой прозвучавший однажды вопрос: «Какая сила ежедневно за шиворот меня к столу тащит, работать заставляет?» Творческий импульс, пожалуй, столь же мало поддается рациональному объяснению, как и импульс религиозный, — может быть, именно потому, что в природе их нечто общее.

Опыт творчества, наверное, и впрямь близок опыту мистическому. Кто, как не художник, может понять Творца, переливающего себя в свое создание — чтобы продолжиться в нем и уже не страшиться собственного исчезновения? Кто, как не он, способен ощутить служение свое в том, чтобы своим трудом, метанием, любовью и мукой поддерживать непрерывную энергию творчества?

12. Смысл творчества

«Зачем мне это нужно? — повторяет Сидур все тот же вопрос в разговоре с женой. — Зачем я делаю скульптуру, рисую, пишу? Что заставляет меня приниматься за тяжелую долгую работу? Ты сама понимаешь, что скульптура, скорей всего, никогда не будет выставлена, рисунков никто не увидит, а "Миф" никто не прочтет. А что со всем этим станет, когда я умру, об этом лучше вообще не думать. Я даже не знаю, радости или муки больше испытываю, когда работаю. Я ничего не знаю».

Какое облегчение переписывать эти строки в пору, когда сохранность его работ, кажется, обеспечена, по крайней мере, на ближайшее будущее! Исторические перемены на сей раз подоспели вовремя; а как все повернулось бы, запоздай они года на два или умри он годом раньше? Кто знает, сколько творений наших современников исчезло бесследно вместе с их создателями — и мы даже не подозревали бы о существовании «Мастера и Маргариты» или стихов Мандельштама, если б не выжили те, кому дано было их сохранить? Ведь кто-то и не выжил.

Мысль о судьбе работ мучила Сидура неотступно. «Я все хожу и присматриваюсь к особнякам, — сказал он мне как-то во время прогулки. — Иметь бы особняк, чтобы расставить там свои работы — и больше мне ничего не надо. А то вот я задумал одну скульптуру, с тебя ростом, и не могу делать. Некуда ставить. Я стал чувствовать, что невозможность иметь собственность — очень плохая вещь. Нам ничего не принадлежит. Квартира — кооперативная, не моя. Дача? Какая она моя, земля мне не принадлежит. Мастерская — вообще даже не Союза, он ее арендует у жэка».

Я вспоминал этот разговор, когда после его смерти несколько месяцев тянулась неясность, продлит ли МОСХ наследникам срок аренды Подвала и, если нет, куда девать сотни тяжелых скульптур и как их сохранить? Сидур не переставал думать об этом до самой смерти.

> Не могу умереть спокойно
> Мучаюсь мыслью
> Что с детьми будет моими
> Когда я исчезну, —

писал он в стихах. Речь, конечно, шла о скульптурах — за живых детей он мог беспокоиться меньше.

> Нет сердцу моему покоя
> Как после смерти моей
> Жить будут мои покойники
> ГРОБ-МУЖЧИНА
> ГРОБ-ЖЕНЩИНА
> ГРОБ-ДИТЯ
> По миру пойдут
> Или по миру
> В прах превратятся
> Развалятся
> Вместе со мной умрут.

И уже перед самой смертью, в больнице:

> Я пропадаю
> Мне худо
> Вы томитесь в опустевшей квартире
> Белые девы
> Мои глупые дети
> Не в силах понять
> Куда я пропал
> А я пропадаю
> Боюсь вас покинуть
> Но верю в свидание
> Если увижу вас снова живыми

172

Тройняшки-близнята
Голеньких нежных
Друг друга ласкающих
Меня ожидающих
То снова воспряну
Вернусь с того света
Мы вместе над смертью одержим победу
Но это пока большой от всех секрет
Мы сделаем с вами
«Висящего Деда» —
Мой автопортрет.

Я видел этот автопортрет на поминках после похорон — вырезанный из бумаги, он висел под потолком, изгибаясь на деревянных жердочках и ниточках, воспроизводя одну из давних графических идей Сидура. Три голенькие белые девы смотрели на него с дивана — мягкие тряпичные куклы-скульптуры, последняя фантазия мастера, может быть, дань давнему воспоминанию о девочках, качавшихся перед окном на качелях. На стеллажах в квартире, сразу ставшей мемориальной, стояли модели скульптур — и все вместе было как подтверждение, что победа над смертью все-таки одержана, ибо в конечном счете именно этому служит искусство.

Зачем мы это делаем? «Завоевать и преобразить человечество, изменить понимание живого и мертвого — вот чего — не более, не менее — хочет добиться художник своим творчеством» (запись от 8.10.1974). «Мне смешно, когда говорят: мир спасет красота. Настолько неоднозначно понятие красоты. В этом случае правильнее говорить: искусство спасет мир» (15.04.1974).

Здесь чувствуется отголосок убеждения об истине безобразной и страшной — упрощенное понимание красоты как красивости к ней неприменимо; и все-таки служить ей, искать ее и выявлять как нечто оформленное — значит помогать замыслу Творца, самой жизни. Жизнь требует формы, ибо противоположность ей: бесформенность, хаос, распад — означает смерть. И в этом смысле форма все же связана с красотой, как бесформенность — с безобразием, в этом смысле творчество есть служение жизни...

Примерно об этом я писал четыре года назад в небольшом тексте к каталогу Бохумской выставки Сидура, отчасти повторяя давние свои мысли. Я перечитываю его — и словно обвожу еще раз прощальным взглядом удивительную мастерскую.

Существо человека вряд ли сильно изменилось с библейских времен. Многие наши идеи лишь кажутся нам новыми — нова разве что наша подпись. И это не так уж мало. Потому что каждый живет (и умирает) впервые, единственный и последний раз — в мире, которого не было прежде и уже никогда не будет...

Есть существа, которые погибают в любовном акте — акте продолжения жизни. Творец переходит в свое творение. Если наш мир был кем-то создан — то не такой ли ценой?

Мысль становится неожиданной в воздухе, напрягшемся вокруг этих работ... Мастерская скульптора завалена обломками катастрофы, исковерканным, сплющенным, растерзанным металлом. Будто наплывы магмы затвердевают, вырвавшись на поверхность. Напор стихийных сил оформляется мыслью трезвой, выверенной, жесткой. Это искусство не отворачивается от страшного и безобразного. Но соглашается ли оно принять трагизм и абсурд жизни, страдание и зло? Такое приятие может называться даже героическим — так Ницше призывал оценивать человека мерой страданий, которые он способен вынести. Отсюда недалеко до эстетического любования насилием, ужасом, гибелью. Этот трагизм не интересуется другими, слабейшими, он высокомерен и лишен любви.

В работах Сидура — боль, крик, предостережение, жалость, в них сострадание, нежность, любовь.

Бессмысленный хаос преображается, из безнадежно мертвого материала вновь и вновь выявляется форма, смысл, красота, начало женское и начало мужское, Адам, Ева, дитя. И вновь искусство представляется силой, призванной противиться энтропии, распаду, гибели. Ведь если человек был для чего-то создан, то не для того ли, чтобы теплом своей жизни, страсти, творчества поддерживать и обновлять энергию мироздания, обреченного без него?

1987

ПОСЛЕДНИЙ РАЗГОВОР

Памяти Герцена Копылова

В последний раз я говорил с Герой Копыловым незадолго до его смерти в дубнинской больнице: он слег после очередного сердечного приступа.

— Ты много работал? — спросил я.

— Дело не в том, что много, а в том, что успешно. Я заметил странную вещь. Работаешь, работаешь целыми днями, не можешь чего-то решить, и сердце спокойно, не утомляется, хоть бы что. И вдруг наконец поймал за хвост решение, решил. И на каком-то эмоциональном взлете сердце не выдерживает...

В нем было редкое свойство органичности: он жил всем существом, так что и стихи отнюдь не были для него необязательным досугом после основных занятий. Перечитывая их сейчас, не просто отдаешь должное профессиональной виртуозности, блеску остроумия, глубине мысли — за ними встает человек со своим миром, голосом, характером и судьбой.

В тот раз он среди прочего говорил, что хотел бы как-то пристроить свои рукописи, передать, скажем, мне.

— Может, удастся это как-нибудь напечатать. Умру, жаль, если совсем пропадет. Вдруг в них что-то есть?

Я отвечал, что с этим еще успеется — как всегда в таких случаях, искренне. Он на вид был не так уж плох, в больницу попадал не впервые и уже был записан к хирургу Князеву на операцию, о которой однажды услышал по телевизору: когда подшивается дополнительная артерия к сердцу, чтобы хоть на год-другой улучшить его кровоснабжение*. Эту операцию у нас только начинали делать, она считалась довольно рискованной, но Гера на любой риск был готов.

— Унизительно работать от приступа к приступу, все время чего-то бояться. Я понимаю, когда старик, общее угасание... это естественно. Но ведь у меня голова ясная, сил много, вот в чем беда.

Он говорил о смерти и готовности к ней, а еще — о том, что если будет дано время, он хотел бы отдать остаток сил той деятельности, которую тогда называли правозащитной — может быть, даже пожертвовав наукой...

Что я мог ему ответить? О его научном ранге я имел возможность судить лишь косвенно, дилетантски. Как-то он подарил мне оттиск своей статьи из немецкого научного журнала — «Физические эксперименты в симуляторе»: насколько я понял, новаторская по тем временам работа о моделировании физических процессов. Как-то рассказал мне, что открыл остроумный способ измерения ничтожно малых величин. В наших условиях его приоритет не всегда становился известен — он относился к этому с усмешкой. Знакомый физик сказал о нем: «Гера как ученый на два порядка выше меня» — признание, которое от коллеги не часто услышишь. Бросить дело, в котором

* Тогда мне еще был неизвестен термин «коронарное шунтирование». (*Примеч.* 2007 *г.*)

ты так многого достиг, которое дает тебе не только средства к существованию, но имя, положение, авторитет, а значит, в конце концов, и лучшую возможность быть услышанным даже в той самой общественной области, где вообще-то вряд ли можно рассчитывать на результаты реальные, где можно говорить скорей о самоотверженных, но обреченных усилиях?..

Он об этом достаточно думал и прекрасно писал сам:

> Кому и что я докажу?..
> Науку двигая свою,
> Я больше обществу даю — и т. д.

Но в том-то и дело, что для него здесь все решали не рассудочные доводы, тут, как и во всем, была потребность органичная, внутренний императив. Он не просто размышлял о проблемах и трагедиях нашей жизни — у него болело от этого сердце.

И такая ли на самом деле правда в словах об очевидной обреченности стольких самоотверженных усилий, гибельных порывов? Да, в сцеплении мировых шестеренок каждое слабое действие может изменить ничтожно мало и так опосредованно, не сразу, через систему зубцов такой кратности, что усилия эти кажутся, в сущности, пропавшими — шестерни уже перемололи человеческую жизнь, не ощутив сбоя. Но только представить себе, что в жизни, которая была нашей жизнью, не прозвучало этих голосов — лишь репродукторная мертвечина. Была бы другая, более страшная, безнадежная, глухая жизнь — и другая история. Эти порывы и голоса, эти отчаянные усилия мысли, чувства, воли, меняли и меняют больше, чем объективную историю (облагораживая ее, входя в нее наряду с танками и репрессиями) — они меняют наши души. Как всем, растущим и развивающимся в изменяющемся времени, нам начинает в конце концов казаться, что мы до всего дошли сами, своим умом — мы склонны забывать тех, кому обязаны своим развитием.

Герцен Копылов был одним из таких людей. Перечитывая его сейчас, убеждаешься, как много он понял раньше и глубже других — и как много в его размышлениях не устарело со временем.

У него был тихий голос, он держался в компании немногословно и незаметно — непросто было распознать в нем блистательного остроумца, проницательного, интеллектуально мужественного мыслителя, готового идти до конца в любом поиске, научном, литературном, жизненном. Но даже знавшие его по-новому оценили спокойное мужество этого мягкого интеллигентного человека, услышав после его смерти от врачей, что он не один год жил, в сущности, на грани — удивительно, как столько еще выдержало это сердце.

8.09.1988

Памяти Натана Эйдельмана

Натан Эйдельман умер, как жил — стремительно, точно споткнулся на ходу. До последнего дня он был деятелен, полон планов. Работоспособность его поражала не меньше, чем его память. Кто-то на похоронах заметил, что он один работал в силу научно-исследовательского института, сам оставаясь кандидатом наук.

Талант историка не просто счастливо сочетался в нем с талантом литературным: он воспринимал историю взглядом писателя, и она обретала человеческое измерение. Персонажи, знакомые нам из учебников лишь по именам да по датам жизни (а часто не знакомые вовсе), становились живыми людьми, с внешностью, характером и судьбой, вступали в личные отношения. Эйдельман видел их, слышал, знал их возраст, повадку и родственные связи, помнил их дни рождения, как иные из нас не помнят юбилеи близких, — он относился к ним заинтересованно и страстно, как ко всему в жизни. Может, это и был его главный — человеческий — талант.

Он жил необычайно интенсивно, щедро, он радовал и радовался сам общению — в дружеском ли кругу или в многолюдной аудитории. Его книги возникали не только из работы над источниками и материалами, а в немалой мере из этого общения, из разговоров с коллегами и друзьями — Эйдельман писал об этом сам в «Революции сверху»: «Откровенные российские разговоры — давнее, примечательное явление культуры, общественной мысли».

Таким явлением культуры, общественной мысли недаром становились и книги его, и публичные выступления; он оказывался общественным деятелем, практически о том не заботясь — даже необязательное, казалось бы, письмо Эйдельмана незнакомому литератору помимо его намерений и ожиданий оборачивалось общественным событием: он умл попадать не в бровь, а в глаз.

Все исторические, литературоведческие разыскания и размышления Эйдельмана вольно или невольно были проникнуты мыслью о наших днях, о современных проблемах. В «Революции сверху» он прямо сопоставляет века, чтобы «представить явления в их нерасторжимой связи»; он стремится понять живших некогда людей и одновременно извлечь уроки, необходимые «на новом витке исторической спирали».

Ибо Натан Эйдельман был убежден, что история все-таки может и должна чему-то научить, что в ней с определенной периодичностью развиваются аналогичные процессы, что за всеми ее неожиданностями и зигзагами проглядывают некоторые закономерности, позволяющие кое-что предсказать и в будущем развитии. Конечно, это отнюдь не закономерность простой экстраполяции, когда в будущее лишь как бы продлевается линия предшествующего развития. Наоборот, есть своя закономерность именно в зигзагах, колебаниях, поворотах.

В одном из последних наших разговоров Натан прокомментировал распространенные (и, увы, небезосновательные) пессимистические суждения о будущем: «Пессимист сейчас, конечно, имеет больше шансов на успех в аудитории, его доводы наглядней. Но я вспоминаю, как в Швейцарии один поляк спросил меня: а вы году в восемьдесят втором предвидели появление Горбачева? То-то и оно».

Был ли он сам оптимистом? Немецкий теолог Д. Бонхефер противопоставлял бездумному, поверхностному оптимизму оптимизм как жизненную силу, силу надежды, не иссякающей там, где отчаялись другие, как волю к будущему, которое должно зависеть от наших усилий, а не отдаваться на откуп противнику, как ответственность за дальнейшую жизнь. Я мог бы отнести эти слова к Натану Эйдельману.

Он любил говорить о смене поколений, которая каждые двадцать-тридцать лет влечет за собой исторические перемены, сопоставление чисел, «красноречивых дат». Одну из таких аналогий он распространял на себя и не раз говорил друзьям, что умрет на шестидесятом году жизни, как его любимый герой Карамзин. Конечно, шутя — но давно было замечено, что не стоило бы писателям так предсказывать свою смерть. А нам теперь — не стоит ли серьезней отнестись и к другим его предвидениям?

Он будто споткнулся на бегу. Но как велика была энергия движения! Книги, подготовленные им, продолжают выходить и после его смерти. Натан успел увидеть в этом году вслед за «Революцией сверху» «Мгновенье славы настает (Французская революция и русское общество)»; только что появился сигнал книги «За хребтом Кавказа» (о деятелях русской культуры в Закавказье); на подходе — «Первый декабрист» (о Вл. Раевском). Однако во всей полноте масштаб творчества и личности Натана Эйдельмана откроется нам, когда до читателя дойдет, думаю, главный труд его жизни. «Заметки историка» — так он называл свои многолетние, почти ежедневные записки о современности и истории, об учителях и учениках, о находках, встречах, беседах — а круг его общения был необъятен. Не раз за последние годы я уговаривал его отложить другие дела и привести эти заметки в порядок. Что-то им было сделано, что-то вошло в книгу «Последний декабрист» — но главная встреча с Натаном Эйдельманом нам еще предстоит.

Он еще многое скажет нам. Мы еще долго будем слышать его голос, наслаждаться беседой с ним.

14.12.1989

ТРИ ЕВРЕЯ

Сколько время?
Два еврея.
Третий жид
По веревочке бежит.
Дразнилка времен детства

Три близких мне человека в разное время покончили жизнь самоубийством. Три поэта. Три еврея. Последнее обстоятельство странным образом имело отношение ко всем трем смертям. Для всех троих речь шла о возможности отъезда — или об отъезде — в Израиль.

Илья Габай выбросился с балкона своей московской квартиры, так и не воспользовавшись этой возможностью. Тоша Якобсон повесился на собачьем поводке уже в Иерусалиме. Юра Карабчиевский принял смертельную дозу снотворного, вернувшись из Израиля в Москву.

Их многое объединяло. Все трое остро ощущали и осмысливали свое еврейство, но от сионизма были одинаково далеки. И не менее остро ощущали они свою связь с русской культурой, русской литературой, русским языком.

I

В пору, когда власти все шире стали открывать ворота в Израиль, чтобы выпустить наконец слишком уж перегретый пар и избавиться от неудобных людей, Илья Габай отбывал срок за правозащитную деятельность в Кемеровском лагере. Я написал ему туда об одном нашем общем знакомом, который в числе первых использовал этот путь. (Человек, кстати, был вполне русский и даже с антисемитскими заскоками.) Илья отвечал мне 16.11.1971 г.: «Трудно поверить, чтобы он когда-нибудь смог кровно воспринимать сионские боли. Я тоже, наверно, не смог бы, — а без этого как же жить там?»

И это говорил автор «Еврейских мелодий», автор «Зарубабеля» и «Книги Иова»! Но не в том даже дело. Подобной проблемы не существовало не только для тех, кто возвращался на историческую родину из чужеземного рассеяния, но и для сотен тысяч других, кто уже, ощутив возможность, начинал рваться за какую угодно границу, лишь бы вырваться из советского существования, и кто теперь живет по всему миру, с сочувственным недоумением оглядываясь на оставшихся.

Однако эти слова, мне кажется, не меньше говорят о еврейской сути и еврейской драме, чем беспроблемная цельность тех же сионистов. Габай своими словами угодил в суть. Для такого человека, как он, речь могла идти не о благополучии и безмятежности, а о подлинности существования, об отказе от каких-то насущных жизненных ценностей без убежденности в обретении новых. Не для всех, но для определенного типа людей эмиграция — то есть не просто переезд в другую страну, естественный для людей в нормальном мире, а отъезд вынужденный — это все-таки отчасти поражение, перелом жизни, катастрофа.

Тем более тогда, в начале семидесятых, когда заграница была для большинства — и вовсе не для тех, кто верил советской пропаганде — чем-то совершенно неизвестным, чужим. Это сейчас я, побывав во многих странах, могу мысленно примеривать: смог бы я там полноценно жить и работать? А почему бы нет? Не смогу — вернусь. Тогда же отъезд представлялся чем-то окончательным, непоправимым; слово «Запад» обретало тот же смысл, что для библейского Иосифа: это был Египет, то есть царство мертвых, куда уходили безвозвратно.

А в нашем дружеском кругу к добровольной эмиграции многие относились еще и в принципе неодобрительно; одним из таких был поэт Давид Самойлов. Эти настроения тоже играли свою роль.

В августе 1973 года мы с Габаем провожали в этот путь очередного нашего товарища — Тошу Якобсона. (Каким знаменательным видится теперь это совпадение!) У самого Ильи к тому времени давно уже лежал вызов от мнимых израильских родственников, он продлевал срок его действия, но воспользоваться медлил. Между тем во время продолжавшихся вызовов в КГБ его все откровенней подталкивали к отъезду. В тот вечер, уединившись со мной на какой-то момент, Илья вдруг сказал:

— Может, и меня придется скоро провожать.

Он не переставал об этом думать. Потом мы шли вместе с друзьями по ночной улице. Илья усмехнулся:

— Государство Израиль, допустим, не вызывает особого желания туда поехать. Но дело в том, что наше государство очень уж вызывает желание отсюда уехать. И оставляет для этого единственное отверстие... анальное отверстие... Если бы три года назад мне дали выбор: туда или в тюрьму —

я предпочел бы в тюрьму. А сейчас предпочел бы все-таки погулять на вольном воздухе, где-нибудь в Вене или Брюсселе... Так ты меня не придешь провожать? — спросил он Ю. К., продолжая, видно, какой-то разговор.

— Нет, — ответил тот довольно резко.

Боже, почему мы тогда так говорили? За день до смерти он сказал близким, что все-таки решился уехать. Почему вместо этого он бросился со своего балкона на одиннадцатом этаже? У самоубийства не бывает одной-единственной причины, мне еще не раз придется об этом задуматься. «Порой мне кажется, что отъезд оказался бы вариантом отсрочки — не представляю его там», — написал я без малого три года спустя после его гибели.

Я тогда и вообразить не мог, чем обернется на самом деле отъезд для человека, которого оба мы однажды провожали, — для Анатолия Якобсона.

2

Якобсон сам подробней других документировал свою историю в дневниках, письмах и записанных разговорах. По его собственным словам, он свое еврейство переживал очень интенсивно с ранних лет, но в его творчестве — не в пример Габаю и Карабчиевскому — эта тема не отразилась никак. Уезжать он не хотел, из страны его выпирал КГБ, но, может быть, решающую роль сыграл сын Саша, рвавшийся туда. В последние месяцы перед отъездом я не раз встречался с ним и слышал, как по-мальчишески безапелляционно разглагольствует Саша — этакий идейный израильский комсомолец. Тоша улыбался с видом извиняющимся и влюбленным: он мальчика боготворил. И он страдал, зная, как отрицательно к планам его отъезда относятся самые близкие ему люди — Давид Самойлов и Лидия Чуковская.

(Уже после его гибели в посвященных Якобсону стихах Самойлов заметил, что выбор-то был между эмиграцией и лагерем: «Но кто б ему наколдовал баланду и лесоповал?» Лидия Чуковская против этих строк приписала: «Я бы наколдовала».)

Лучше любых суждений со стороны — его собственные попытки изнутри разобраться в своей драме. В письмах из Израиля он говорил об этой стране восхищенно: если уж уезжать, то только сюда. «Так или иначе, я еврей. Я всегда знал, что я еврей. С детства. Я не считал, что это хорошо или плохо. Стало быть, я всегда любил Израиль... Что меня роднит с этой страной? Казалось бы, ничего... К культуре этой я непричастен... Государство — единственное, что меня привлекает. Ибо это сила, которая защищает евреев. И другой силы в мире нет и быть не может»...

А потом, после еще нескольких рассуждений: «Короче, все меня привязывало к России. И если проделать совсем уже беспощадный психологический эксперимент и задать себе вопрос: "А если бы у тебя, Якобсон, не было сына, который нас как бы взял всех и за веревочку привел в Израиль? Уехал бы ты из России или нет?" На этот вопрос, будучи честным, я ответить не могу».

И, объяснив еще раз, почему на такие темы невозможно гадать, столько в каждом конкретном случае сходится всяких «за» и «против», вдруг без особой логики заключает: «Думаю, что не уехал бы, если бы не сын».

Дело-то для него было не в том, хорош или плох Израиль. Он называл его «прекрасной чужбиной» — но все же чужбиной. «Люблю Израиль, — записал он в августе 1974 года, уже после тяжелой депрессии. — Намного ли больше люблю Россию? Да, намного. Израиль люблю, как жизнь, т. е. не так уж сильно. Россию несравненно сильнее жизни. Там, там кости моих людей».

И 19 августа 1974 года: «Повторяющийся, неотразимый сон про Россию, что вот в последний момент я не уезжаю, извернулся, переиграл; немыслимая радость во сне ("я самый счастливый человек в мире") — и кошмар пробуждения».

И четыре года спустя, незадолго до гибели: «Временами думается — и чем дальше, тем чаще, — что Израиль для меня имеет смысл только негативный: это антиосвенцим, отрицание, невозможность Освенцима — все. А положительное — духовное — содержание жизни народа для меня не более важно и значительно и, весьма возможно, менее благородно, чем бытие народа португальского и бельгийского, чтобы не сказать — люксембургского».

После его смерти Майя Улановская, первая жена Якобсона, писала в Москву: «Ходят слухи, что Толю сгубила его несовместимость с Израилем. Это не так... Несовместим он был не со страной, а с жизнью».

Наверное, здесь своя правда. У самоубийства не бывает одной причины, и чужбина могла называться иначе. Но вот что писал сам Якобсон в неотправленном письме Ю. Даниэлю — еще в мае 1974 года:

«Уезжая, я чуял, что совершаю почти самоубийство. Оказалось, что без всяких "почти"... Известно, что люди выносят любое горе. Но не всегда, не все люди. Есть такие, которые не выдерживают смерти близких, разрыва с любимыми, крушения своих идей, оскорбления и т. д. Изгнание у разных народов и в разные времена было высшей карой, родом казни. Я убежден, что были люди, которые от этого умирали, как умирали от любви. То, что я пошел на это добровольно из-за каких-то соображений (ты знаешь их), говорит только о том, что я не знал себя...

Израиль, собственно, здесь ни при чем, так было бы в любой загранице, попади я туда без надежды на возвращение... Ностальгия — дело естественное и болезнь многих, но каждый организм болеет по-своему, а бывают, видимо, исключительные, ненормальные, неизлечимые случаи. Что делать, если я именно такая, сверхпатологическая особь!»

Что тут можно добавить, кроме того, что такая «ненормальность» бывает сродни особой одаренности, тонкости, отличающей именно художников? И повторить вслед за Давидом Самойловым, посвятившим ему горестные стихи:

> Убившему себя рукой
> Своею собственной, тоской
> Своею собственной, покой
> И мир навеки.

3

Но Юра-то, Юра Карабчиевский! Ему-то посчастливилось дожить до времен, когда в Израиль можно было просто съездить — как в любую другую страну — и пожить там, и при желании вернуться, и съездить опять. Для него это было великой радостью. В отличие от Якобсона (и, скажем, меня) он еврейской темой болел, она была важнейшей и в жизни его, и в творчестве. Оказалось — в судьбе тоже.

Помнится, в октябре 1988-го он пригласил меня на свой день рождения. Гостей было всего трое: кроме меня, Л. Баткин и В. Библер. Разговор коснулся национальной темы. Я высказался в том банальном, казалось мне, смысле, что для меня в человеке важней всего личные достоинства, а национальность — дело десятое. Не бог весть какая мысль; Библер и Баткин вроде бы согласно кивнули. Юра посмотрел на нас с искренним, недоверчивым удивлением: «Ребята, вы серьезно?» Для него национальность действительно значила куда больше, она была во многих отношениях точкой отсчета.

Стоит ли говорить, что это не означало никакого национализма, тут было прежде всего ощущение солидарности с теми, кто подвержен угрозе и преследованию. Юра был на редкость чуток к чужой ранимости. Не помню, в тот раз или в другой он рассказал про случай в Армении, в ереванской чайной. Речь тоже зашла о нациях, причем неодобрительно были помянуты русские. Карабчиевский вставил на сей счет замечание — и возможно, как это бывает в таких ситуациях, до присутствующих лишь тут дошло, что один из них — не армянин. «А ты сам кто?» — спросил один. «И я почувствовал, — рассказывал Юра, — как выигрышно было бы ответить: еврей». Это действительно обеспечило бы симпатию собеседников, хотя бы потому, что две эти нации ощущают общность исторической судьбы; Карабчиевский писал об этом в своей «Тоске по Армении». А главное, это была бы правда.

Хотя тоже не вся, в том-то и дело. Не зря же Карабчиевский ощущал себя русским писателем. Но главное, это значило бы отграничить себя от тех, кто стал в данный момент объектом недоброжелательства. Назваться русским? — тоже сомнительно.

— А вот не скажу, — ответил Карабчиевский.

Его национальное чувство было свободно от всякого высокомерия, всякого мессианства, тем более от всякой агрессивности. В Израиле его больше всего привлекали черты страны нормальной, такой же, как все, где живут люди вовсе не особенные, отнюдь не святые, гении и герои; ему как раз нравилось, что здесь есть и жулики, и проститутки, и пьяницы, и бюрократы, и просто дураки. Он любил именно этот простой мир. А уж жена его Светлана, мастерица выпить и выматериться, та просто купалась в этой жизни, наслаждалась ею и не хотела ее покидать. Она решила остаться в Израиле вместе со старшим сыном. Юра вернулся в Москву один.

Помню, как это меня тогда удивило: ведь это означало фактический развод с женой, которую, как мне казалось, он любил. Но в таких случаях непозволительно расспрашивать, вникать в подробности. Он предпочел одинокую жизнь в неустроенной, неблагополучной стране, где ощущал себя постоянно подверженным угрозе. Мысль о возможном погроме не оставляла его никогда.

Наверное, и тут не назовешь единственного объяснения. В одной из статей об Израиле, которые печатала тогда «Независимая газета», Карабчиевский воспроизвел, среди прочего, все ту же знакомую мысль: ехать в Израиль следует тому, для кого что-то значит национальная идея; он же смог бы там лишь доживать. Но, может быть, важнее других причин было все-таки самоощущение русского писателя, чувство связи с языком и литературой. Его только начали наконец печатать.

Трудно сказать, как сложилось бы все дальше, если бы у Светланы не обнаружился вдруг рак. Юра кинулся в Израиль ее выхаживать. Лечение оказалось долгим. Приходилось искать заработки. Жизнь была во всех отношениях непростая. Вернувшись, он рассказывал мне, в частности, про свое тамошнее жилье с туалетом без дверей, где все пришлось чинить, вставлять, приводить в порядок — он был, к слову сказать, человек мастеровитый, в Израиле его восхищало, среди прочего, еще и обилие доступных разнообразных инструментов.

Светлану удалось вылечить, он вернулся в Москву опять, на этот раз вместе с ней, потому что она теперь без него не могла. Вот где оказалась действительно неразрешимая драма. В последний раз я говорил с ним в конце мая 1992 года. Он был грустен, рассказывал, что жена и сын упорно уговаривают его уехать, а он не хочет. В то же время в России у него было чувство, что прежней страны уже не стало, что-то все больше терялось; приезжающие в Израиль, говорил он, теперь быстро излечиваются от ностальгии: не о чем жалеть, нечего вспоминать. Говорил, что пробует писать — наконец-то распрощавшись со службой, как мечтал всю жизнь. Впервые его не просто с готовностью печатали: он становился знаменит. А в общем, говорил, все в порядке.

Мог ли я — и кто-нибудь вообще — предположить, как близка катастрофа?

Когда это случилось, меня не было в Москве. Вернувшись, я стал расспрашивать общих знакомых, почему он так сделал. Насколько я мог понять, самым невыносимым оказалось давление семьи, не перестававшей требовать, чтобы он уехал. Для него, видно, это значило отказаться от чего-то труднообъяснимого. Может быть, от самого себя.

Как, в самом деле, объяснить это тем, для кого самой проблемы никогда не существовало?

В одной из своих статей Карабчиевский писал, что истории русского, да, видимо, и европейского еврейства приходит конец. С возникновением Израиля евреи диаспоры обречены либо на полную и все ускоряющуюся ассимиляцию, либо должны будут ощутить себя израильтянами, просто поселившимися по своей воле в других странах, но имеющими куда, при надобности, вернуться. А это означает конец многовековой проблематичной жизни среди чужих, жизни, которая порождала неразрешимую напряженность с окружением, требовала особых качеств для выживания и, может быть, порождала некоторые особые достижения еврейства. Евреи перестанут ощущать себя избранным народом, станут наконец одними из многих — такими, как все. Якобсон — тот просто желал Израилю судьбы Португалии: «Тихая, невидная оконечность полуострова — и Европа... Вопреки эпохальным традициям... Это отказ от мировой роли, от мессианства»...

Может быть, может быть. По логике вещей, похоже, что должно быть так. Но укладываются ли в общедоступную логику хотя бы три упомянутые мною судьбы, три этих смерти? Нет ли в самой странности этих драм чего-то, не менее важного для еврейской сути, чем открывшаяся — а может быть, кажущаяся — возможность нормального, как у всех, развития? Вот уже звучат с разных сторон голоса, что у Израиля нет будущего и что евреям предстоит еще вернуться в диаспору. Не знаю.

На исходе второго тысячелетия после рождества одного из евреев мы знаем о судьбе и будущем этого племени не больше, чем два тысячелетия назад. (Как, впрочем, и о судьбе всего мира, но это другой разговор.) Подлинно верующий еврей не может усомниться, что относительно этого народа существует какой-то особый и вроде бы определенный замысел. Но кто скажет мне какой? Я с интересом выслушаю объяснение и, как положено еврею, с сомнением покачаю головой.

1994

История одной влюбленности

1. Опалиха

В октябре 1971 года, когда мы познакомились, Давиду Самойлову был пятьдесят один год — на шесть лет меньше, чем мне сейчас; но это был уже тогда знаменитый поэт. Меня привел к нему наш общий товарищ Володя Лукин, вызвавшийся показать маститому профессионалу рукопись моей повести «Прохор Меньшутин» (тогда она называлась «Сказка о Золушке»). Самойлов жил в ту пору на подмосковной станции Опалиха. После дождей развезло, мы кое-как дошли по грязи. Самойлов встретил нас на крыльце: в черной рубашке с закатанными рукавами, в замызганных грязью сапогах — только что ходил в лес. Удивила меня его седина (и щетина седая, небритая) — на известных фотографиях он таким седым еще не был. Мы посидели за бутылкой водки в прекрасной большой комнате с бревенчатыми стенами. В ней было тепло, сухо и удивительно легко дышалось. Большой рояль как будто не занимал места. Письменный стол, громадный — на многих гостей — обеденный стол, всевозможные свечи в подсвечниках, на стене портрет Пушкина — рисунок пером Нади Рушевой.

Говорили о том о сем. О Солженицыне, о Молдавии, где Давид незадолго перед тем побывал, о Польше, куда его не пускали в виде какого-то наказания, о сравнительных достоинствах русской водки, польской «выборовки» и венгерских настоек, о том, что в «Новом мире» собираются печатать поэму Цветаевой, а живых поэтов не печатают. Мне было в новинку услышать, что его, такого известного, тоже не печатают. Я думал, это лишь у меня так.

А в следующий раз я пришел уже в марте, когда Давид и его жена Галя прочли мою рукопись — и как же я был обласкан! Необходимость рассказывать об этом подвергает испытанию, наверное, не столько мою скромность, сколько чувство юмора. Но, во-первых, услышанное тогда мною вполне оказалось уравновешено впоследствии отзывами противоположного свойства, которые я тоже не намерен утаивать. Давид был человеком увлекающимся, на моих глазах его оценки не раз менялись; он мог кого-то вдруг «назначить» в гении, а какое-то время спустя разжаловать. Но главное, без этих похвал не понять моего тогдашнего состояния.

Достаточно сказать, что меня назвали достойным учеником Набокова. Я заметил, что Набокова впервые прочел, когда моя работа была уже закончена.

— Вполне может быть, — ответил Давид. — Вы могли и не читать Набокова. Он сам, например, утверждал, что не читал Кафку. Наверное, что-то кафкианское носилось в воздухе. И сегодня в воздухе носится что-то общее.

И еще о том, что мое описание провинциального городка чем-то напомнило ему быт Опалихи, он даже нашел в себе самом что-то близкое с Меньшутиным, а в своей шестилетней дочке Варе — что-то общее с Зоей из моей повести. «В какой-то миг даже страшно стало: откуда он про нас знает?..»

Впрочем, последнюю фразу, возможно, произнесла Галя; как это не раз бывало потом, говорили они вперебивку. Но мнения их не расходились; чувствовалось, что они это уже обсуждали. И говорилось все это, между прочим, при других гостях, неизвестных мне людях, которые уже смотрели на меня с интересом и уже просили рукопись почитать. Давид и сам стал называть имена разных знаменитостей, которым готов был меня рекомендовать (с кем он только не был знаком!) — хотя вещь сразу же объявил совершенно непечатной.

— И не потому, что антисоветская, — объяснил он. — Она просто несоветская. Воздух здесь какой-то другой. И мысли, и люди. Существует официальный термин, который употребил на совещании драматургов какой-то деятель ЦК: «неконтролируемые ассоциации». Нельзя, чтобы вещь вызывала неконтролируемые ассоциации...

Стоит ли говорить, что никаким знаменитостям я представлен не был (тем более что и сам отнюдь не рвался), ни до какого протежирования вообще за все годы нашего знакомства дело не дошло — не тот был случай. «Меньшутин» благополучно прождал публикации еще шестнадцать лет. Но разве это было для меня важно? Я получил нечто несравненно большее...

Тут вот ведь в какую всякий раз упираешься проблему: хочешь, не хочешь, а совсем без упоминания собственной персоны даже в разговоре о другом человеке тоже никак не обойтись. Но надо же иметь представление и о свойствах воспринимающего объектива, чтобы хоть делать на них необходимую поправку. У Самойлова был необозримый круг знакомств; десятки, а может, и сотни людей могут оставить о нем воспоминания — и многие уже появляются, и каждый видит его со своей стороны.

Мне было ко времени нашего знакомства 34 с лишним года — возраст уже куда как не юный; я годами что-то писал, но ни строчки не мог опубликовать. Испытавшие это знают, как много комплексов порождает такое состояние, как непросто бывает справляться с сомнениями и неуверенностью в себе — что бы ты сам о себе ни мнил или ни знал, как бы ни ободряли тебя доброжелательные друзья. Тем более что среди этих друзей не было таких уж литературных авторитетов. Но обращаться к «настоящим» писателям как-то не тянуло, возможно, из тех же самолюбивых комплексов. Друзья меня, впрочем, как-то сосватали к одному современному классику и во всех отношениях достойному человеку. Он отнесся к моим рукописям сочувственно, делал замечания, давал советы. Однако и замечания его, и советы скорей озадачивали меня, настолько они были «мимо» — как будто из другой системы координат. Да, если уж честно говорить, не так уж нужны мне были оценки и советы; вот если бы он меня порекомендовал в какой-нибудь журнал...

Так ведь и Давид, считай, никак мне в этом смысле не помог — но опять же: разве в том было дело! Он сделал для меня неизмеримо больше: он принял меня всерьез, на равных, совсем не как мэтр — и уже этим помог утвердиться в себе. Ни в чем другом я тогда так не нуждался. Уверенность в себе, в своей литературной правоте важна ведь не только психологически: она сказывается и на творческом уровне. «Робеющий считать значительными свои мысли рискует остаться при робких мыслях», — я записал это в дневнике как раз в ту пору.

Но главным было другое: я соприкоснулся с личностью, типом мироощущения, способом отношения к жизни, прежде мне в таком качестве неведомыми. Я увидел человека солнечного, открытого, расположенного, не просто талантливого, блистательного умницу, но способного бескорыстно и увлеченно радоваться другому таланту — и при этом без всякой табели о рангах. Несмотря на разницу в возрасте, мы довольно быстро — где-то уже в первые месяцы знакомства — перешли на «ты», хотя какое-то время оба еще сбивались. Нет, он не стал для меня мэтром — и, наверное, не только потому, что для этого было слишком поздно: мы были достаточно разными. Но я был им восхищен. Я думал о нем в первые месяцы неотступно, вел с ним какие-то мысленные разговоры; я рвался к нему в Опалиху и стеснялся приехать без приглашения, не созвонившись: ни у него, ни у меня тогда не было телефона.

Но как было не восхититься, когда вдруг приходило от него письмецо:

«М. Харитонов!
Куда Вы (ты) девались?
Или Вы (ты) зазнались?
Приезжай(те).
Ваш Д. Самойлов
(особенно Галя).
Что-то мы соскучились».

И я бросал все дела, бежал покупать бутылку (и для Гали цветы) и мчался к нему в Опалиху.

В дни, когда я пишу эти строки, по какому-то знаменательному совпадению появилась публикация самойловских дневников как раз тех лет. Там немало записей об усталости от общения. Например, от 22.02.1972 года: «На общение и пьянство уходит много сил». Однако без гостей он скучал.

В той же февральской записи, дальше: «Но ведь я всегда общался и пил. А когда не пил и не общался, все равно не писал лучше и больше».

Как-то он пошутил, что в песенке Людоеда из его детской сказки «Кот в сапогах» выразилось это опалихинское настроение:

> Я соседей распугал,
> Съел друзей до одного.
> Хоть бы в гости кто приехал,
> Не заманишь никого.

Сколько моих знакомств и дружеских отношений началось в этом доме — доме, где умели наслаждаться застольной беседой как высоким искусством! Кажется, что он всегда был полон людей; мне и сейчас трудно понять, как на такую открытую жизнь хватало не то что средств — сил, и это при двух детях, один из которых, годовалый в ту пору Петя, от рождения был болезненным и требовал особых забот. Никогда и ни с кем я так хорошо не сидел, никогда не слушал столько стихов! Никогда и ни с кем я так не пил, пренебрегая всеми медицинскими запретами — в душе уже запечатлелись слова о «химере самосохраненья» — и вот эти:

> О, как я поздно понял,
> Зачем я существую!
> Зачем гоняет сердце
> По жилам кровь живую.
>
> И что порой напрасно
> Давал страстям улечься!..
> И что нельзя беречься,
> И что нельзя беречься...

Словом, что говорить, я влюбился в этого человека. Наверное, в этой влюбленности было что-то не совсем по возрасту. Она порой оборачивалась разными неточностями поведения. Едва ли не во второй или третий мой приезд Давид предложил мне снять на лето дачу по соседству с собой, в Опалихе, и даже подыскал подходящую, и я даже сговорился с хозяином. Представить только, сколько встреч и разговоров сулило такое летнее соседство!.. Не только обстоятельства заставили меня изменить планы — сработал некий инстинкт, может быть, инстинкт самосохранения. Словно я боялся утерять что-то в себе, чему-то поддаться.

Тогда я, пожалуй, не отдавал себе в этом отчета. Я говорил себе другое: надо сначала закончить «Этюд о масках», очередную повесть, над которой я тогда работал, — надо оправдывать и подтверждать такое отношение к себе. И в этом уже было, наверное, что-то ненатуральное, нервное. Интенсивность первоначальных отношений словно сбила какое-то простое равновесие. Я вдруг становился мнителен к оттенкам разговора, к перемене интонации. Вдруг начинало казаться, что я что-то не так сделал или сказал, был неправильно понят, чем-то даже его обидел, хотелось что-то исправить, объяснить, может, написать письмо. Хотя он-то, скорей всего, забывал обо мне и моих словах, едва я уезжал, и вовсе не перебирал, как я, в уме подробностей и оттенков разговора... Да, было тут, пожалуй, что-то болезненное — так ведь сама влюбленность, говорят, состояние отчасти патологическое.

Но я все-таки не о себе — тема существенна постольку, поскольку имеет отношение к Давиду. Он начал подшучивать над моими «комплексами» — опять, разумеется, в присутствии других.

— А у кого их нет, комплексов? — заметил как-то один из присутствующих.

— У меня, — мгновенно откликнулся Давид. — Я лишен комплексов начисто, от рождения, как бывают лишены слуха.

И в другой раз — тоже в ходе разговора о комплексах:

— Будь уверен в своей правоте, в себе. Что прав ты и только ты.

Я заметил, что о том же говорит Мандельштам: талант есть сознание своей правоты.

— Вот у кого не было определенности, — сказал вдруг Давид. — Он всю жизнь метался между иудейством и эллинством.

Тут я начал спорить (я полней, возможно, еще воспроизведу этот разговор в другом месте). Я начал говорить, что в этих метаниях между иудейством и эллинством выразилось по-своему великое мироощущение, что литература, созданная «комплексами», может быть великой...

Потом я еще мысленно продолжал этот спор по дороге домой и дома. Я перебирал имена людей, которых вряд ли можно считать совсем свободными от «комплексов»: Достоевский, Кафка, тот же Мандельштам, — и думал, что, пожалуй, не зазорно оказаться в такой компании. Может, в «комплексах» следует видеть не только слабость, может, они по-своему обеспечивают богатство и полноценность психической, а еще больше творческой жизни. «Лишен комплексов, как бывают лишены слуха», — формулировка по-своему красноречивая, не так ли? Может, в гармоническом, непротиворечивом восприятии мира тоже есть своя ограниченность...

У меня потом будет еще немало поводов поразмышлять на эти темы.

Мой «Этюд о масках», кстати, Самойлов принял, в общем, благосклонно, хотя с оговорками, тоже что-то о нем говорящими.

— Я понял, что мы в некотором отношении писатели прямо противоположного типа, — сказал, в частности, он. — Ты показываешь разложение, когда общество делает из людей маски. Я, напротив, хочу показать, как, несмотря на все, люди остаются людьми.

Были еще интересные рассуждения о масках в армии; записанной оказалась лишь фраза: «Но когда этих людей посылают на смерть, умирают они без масок».

Дело не в том, насколько справедливо отнести его слова ко мне. Мне-то самому кажется, что все написанное мной как раз было попыткой сопротивляться разложению, показать, как люди остаются людьми. Во всяком случае, я сознательно думал об этом, особенно в последние годы, когда обычным стало воспроизведение в литературе хаоса и распада едва ли не адекватными средствами.

(Сейчас вдруг подумалось: а не засела ли у меня в подсознании Давидова фраза? Не помогла ли она мне что-то для себя отчетливей сформулировать?)

Интересно другое. Тогда я еще не знал, что почти в то же самое время схожие слова были сказаны им В. Корнилову — они воспроизведены в упомянутом дневнике: «Тебя интересует деструкция жизни, а меня конструкция. Тебя — почему жить нельзя, а меня — почему можно» (запись от 24.04.1973).

Тут явно чувствуется какое-то уже сформулированное общее убеждение, которое при случае как бы прилагалось к достаточно разным явлениям.

Читавшие мою повесть «День в феврале» обнаружат сходную сентенцию в разговоре Пушкина с Гоголем. Стоит ли говорить, что я никак не проецировал одного из нас на Пушкина, другого на Гоголя. Но все же не случайно я впоследствии посвятил эту повесть Самойлову. Что-то в ней отозвалось, что-то оказалось с ним связано: мотив бурного первоначального обожания, мотив невольного противопоставления... Там восторженный, дурно воспитанный, самолюбивый провинциал добивается каких-то проясняющих слов от своего кумира — и лишь много времени спустя, после совершившейся трагедии, до него доходит, что у человека, с которым он говорил, была своя драма, своя тайна и горечь, к которой он даже не способен был проявить интерес. «Ему-то какая печаль могла смущать сердце?.. Это был другой возраст, возраст старших, учителей, которых едва ли мыслишь в смятении и одиночестве; разговоры с ними выходят неумышленно корыстными, для себя — да и с чего бы наоборот? им-то чего ждать от тебя, ты ли им поддержка и советчик?»

Мог ли я в самом деле тогда, в 1973–1974 годах, когда писалась повесть, думать что-то подобное о Давиде? Ведь у меня в ту пору, пожалуй, и представления не было о его действительных проблемах, о каких-либо драмах и тем более одиночестве — чему-то еще лишь предстояло развиться, что-то стало приоткрываться намеками лишь в посмертно опубликованных строках. В этом смысле он был человек сдержанный, к откровенным излияниям не склонный — да и внешне, казалось тогда, у него было вроде все в порядке...

Вдруг вспомнился рассказ общей знакомой, какой благодарностью откликнулся Давид на ее доброе письмо по поводу опубликованного стихотворения. «Какие же мы, читатели, все-таки сволочи, — сказала она. — Нам в голову не приходит, что для него это может быть важно».

Мне, признаться, это тоже не приходило в голову. Он представлялся мне таким знаменитым, уверенным в себе, знающим цену написанному им, что всякие слова по этому поводу казались излишними.

В своем нынешнем возрасте я, пожалуй, больше способен понять его, тогдашнего, чем себя.

2. Разговоры

От Давида я впервые услышал про записки Л. Чуковской об Ахматовой, у него же потом впервые прочел рукопись.

— Чуковская воспитывалась в культурной семье, где понимали цену таким разговорам, понимали, что их необходимо записывать. И надо было, между прочим, самой что-то собой представлять, чтобы удостоиться присутствия при разговоре Ахматовой с Пастернаком.

Он возвращался к этой мысли не раз, хотя сам такому правилу далеко не всегда следовал. В том же дневнике досадно бывает читать: «Долгий, интересный разговор с Н.» — и я-то могу представить, насколько это был действительно интересный разговор — но редко цитируется хотя бы фраза. Разве что за той же Ахматовой он кое-что записал и в своих воспоминаниях о ней изрядное место уделил просто воспроизведенным без комментариев разговорам.

Меня-то убеждать было не надо, я записывал постоянно, по свежей памяти стенографическими значками; все цитируемые на этих страницах разговоры воспроизводятся по тогдашним же записям. И сейчас я сижу в некотором замешательстве над накопившейся бумажной грудой: кто это все разберет без меня? А там, право же, немало интересного. Попробую воспроизвести хоть немногое из записанного, сокращая малосущественное или существенное лишь для меня (а также по большей части рассказы и суждения, которые нашли место в его собственной прозе) и, быть может, заменяя некоторые имена инициалами. Давид, правда, в собственных дневниках не стесняется называть всех своими именами — но это его право. Меня он не уполномочивал передавать свои застольные суждения о живых людях, нередко запальчивые, особенно после выпивки. Но они бывают интересны сами по себе, безотносительно к той или иной личности, поскольку характеризуют самого Давида.

17.03.1972. «Когда наше поколение пришло с войны, мы думали: нас встретят с распростертыми объятиями. Отвоевались, сделали свое дело, теперь все пути открыты. А оказалось, все места уже заняты — людьми немного более старшего поколения, марксистами 20—30-х годов. И когда началась борьба с космополитами, мои сверстники поняли, что это для них шанс пробиться. И помогли топить тех, чтобы занять их место. Ведь среди этих космополитов, если уж так говорить, были самые сволочи, те, кто выжили в 37-м году и помогали бить предшественников. Вот тогда-то на их место пришли мои сверстники. Мое поколение, я считаю, самое сволочное поколение...»

О литературном начальстве: «Они страшно ущемленные люди. Даже удивительно: кажется, у них все есть: власть, привилегии, деньги, что угодно. Но они необычайно ущемлены. Всюду им чудятся враги, за границей им нехорошо, все время какие-то комплексы. Страшная жизнь».

6.05.1972. В Опалихе местные жители уже начали отмечать День Победы, привинтили медали, пьянствуют. Заговорили о войне, о том, что люди, помнящие войну хотя бы с детства, отличаются по психологии от тех, кто родился после войны и ничего не помнит.

Давид вспомнил, как несколько раз встречали День Победы, начиная с 30 апреля. Объявляли, что война окончена, а потом опровергали. Какой салют устроили — на полный боекомплект. И как обидно было погибать в последние дни, в Берлине, в Праге.

— В общем, — вставила Галя, — как сказала твоя мама: хорошо, что тебя не убили.

— А какая тема: бабы после войны, — сказал Давид. — Невесты, которые остались без женихов. Бабы на войне. Вообще бабы и мужики на войне. Это совершенно другое сознание...

О местных жителях:

— Эти люди совсем потеряли совесть. Водопроводчик вымогал у нас деньги, ничего не починил. А потом оказалось, что и чинить ничего не надо было — просто отвернуть один кран. Слесарь взялся чинить отопление, снял и унес все, что только можно было, теперь отопление совсем не работает. И при этом все хамски считают, что ты их эксплуатируешь, что ты не уважаешь физический труд, все жалуются, какая тяжелая работа, все требуют не только денег, но и разговоров... А в корне всего лежат ненависть к интеллигенции и хамство. В общем, иногда просто испытываешь взрыв классовой ненависти.

Почему у него не бывает денег:

— Я зарабатываю не так уж мало. Сейчас прекрасная кормушка для переводчиков — серия «Библиотека всемирной литературы». У них тираж 300 тыс. экземпляров. Сейчас должны выйти 17 томов с моими переводами. В месяц у меня выходит рублей 700. Но за обслугу дома всем этим ворам уходит рублей 100. Сам дом стоит много. Потом, я даю маме, старшему сыну. Вот уже не пито, не едено — уходит масса денег. Потом, у нас всегда гости. Я сам человек пьющий. А главное, нерегулярность поступлений...

15.06.1972. Рассказ Самойлова, как он в 1953 году вышел на пустынную улицу Кирова купить вина, чтобы отметить со старыми знакомыми смерть Сталина, и боялся, что его сейчас арестуют. А Слуцкий ходил на похороны, его там чуть не задавили. Незадолго до этого он спросил Слуцкого: «Ты любишь Сталина?» Тот подумал и сказал: «Люблю». «А я не люблю», — сказал Давид.

Историю с выступлением Слуцкого по поводу Пастернака Самойлов объясняет так:

— Когда начался «ренессанс» в поэзии, Мартынов и Слуцкий были поэтами номер один и номер два. Слуцкий из скромности поставил себя на второе место. Он всерьез говорил, что Мартынов — поэт посильней Пастернака. Пастернак и Ахматова как-то выпадали из представления о ренессансе. И вдруг во все это непрошено вторгается Пастернак. Я помню знаменитую фразу Мартынова: он нам все нагадит. Мол, власти теперь испугаются, начнут давить — и пропал ренессанс. Этим и объясняется выступление Слуцкого. Он сильно потом переживал. Сразу же после того заседания, я помню, он ко мне приходил. Он, в общем-то, за это уже расплатился внутренне. И что самое паршивое: какой-нибудь подлец Е. или С. всегда может его этим кольнуть: я-то не выступал.

26.06.1972. Давид по поводу речей Саши, сына А. Якобсона: «Мыслить категориями может только зрелый ум. Незрелый ум, начавший мыслить категориями, становится отвратительным».

По поводу моей статьи об иронии у Томаса Манна прочел из дневника очень умные мысли об ироничности христианства, верней, Христа, который был терпим и двойствен, в отличие от нетерпимых церковников. Вообще о христианстве и современных христианах, которые приходят к вере не закономерным путем, путем многолетней внутренней духовной работы, а воспринимая чужое.

Вдруг позвал меня к себе в кабинет, стал читать большую поэму, над которой сейчас работает. Очень сильная глава «Моление о сыне», намного сильней всей поэмы.

18.07.1972. Самойлов читал начало своей статьи о Солженицыне, первоначально задуманной как письмо ему об «Августе», который ему не понравился; он даже считает его вредным. После того как он упомянул об этом в письме Л. Чуковской, та рассказала о нем самому Солженицыну и передала от него Д. С. предложение издать все критические отзывы (которых много) неким самиздатским сборником, чтобы он ответил на них сразу. «Хитрый мужик, хочет выставить всех на избиение. Не говоря о том, что там много мест, которые не понравятся властям предержащим...»

Разговор о том, что современные поиски в духовной области все-таки заимствованы (нынешнее христианство, в частности; Давид сейчас читает Вл.

Соловьева). Он считает возможным появление большого мыслителя, философа и писателя, который осуществил бы синтез и предложил новое осмысление современного состояния общества. Пока все силы были затрачены на то, чтобы отделиться от прошлого; только недавно с этим было покончено.

2.08.1972. Ехал на автобусе и загадал: будет номер билета делиться на 3, поеду к Самойлову, нет — не поеду.

Номер не совпал, но я поехал...

Давид встретил меня радостно: у нас два дня никого не было, сидим как в берлоге. Он был в трусах, со старыми, тонкими, в узловатых белых бородавках, ногами, с большим животом, с седыми усами, которые начал отпускать и которые я так не любил, считая, что они делают его похожим на Безыменского.

— Хочешь английского джина?

— Не хочу, жарко.

— Зато я хочу. Нет в тебе чувства солидарности.

— Тогда и я хочу, — опомнился я.

На столе появилось полбутылки джина, но там оказалась вода.

— Я решил доказать Гале, что женщина все-таки глупа. Как может стоять открытая бутылка джина и чтобы я не выпил? Я выпил ночью, и мне было хорошо.

— А воду-то зачем было доливать? — хмыкнула Галя.

Появилась новая, непочатая бутылка, отличный белый джин. Давид привез его из ЦДЛ вместе с цыплятами табака, шашлыком, орешками и прочим. Он сказал буфетчице: дайте мне что-нибудь для дома, для семьи — и взял пакет, который ему соорудили, не глядя.

Что нового? «Самым значительным событием за последние три дня была смерть гениального комика Енгибарова. Он умер в 37 лет. Это был мим не ниже Марселя Марсо, прекрасный эквилибрист — и гениальный клоун. Я знаю женщину, которая была его первой женой, сейчас она жена прозаика В. Прозаик сманил жену у клоуна. Как она могла поменять гениального клоуна на рядового прозаика?»

Выпили за клоуна. Разговор пошел уже немного пьяный. Говорили о Бёлле как о клоуне. Я еще никогда не видел Давида таким разморенным.

— Я последнее время не мог работать. Переводы. А если я с утра посидел над ними, писать свое я уже не могу. Тем более что я не умею делать усилий.

Рассказывал, как читал Слуцкому главу о нем из своей книги и Борис принял ее с большим благородством, хотя там есть много горького для него. Кое с чем поспорил по частностям, засомневался: неужели я так говорил? Потом согласился, что мог и так сказать. «А я и не знал, что имел на тебя такое влияние. Я был провинциал, я всем завидовал».

Поговорили о Слуцком как о прекрасном человеке.

Я довольно сильно окосел — от жары и на голодный желудок. Давид надписал мне книгу и вышел в сад жарить шашлыки.

Когда я вышел к нему, он играл с Петром.

— За что он меня так любит? Ведь я ему ничего хорошего не делаю, не кормлю, не меняю штанов. А правда милый типус?..

Мы жарили шашлыки. Давид ушел в дом и вдруг вышел в коричневой куртке с целым комплектом боевых медалей и орденов: орден Красной Звезды, значок «Отличный разведчик», медали «За отвагу», «За взятие Варшавы».

— Я хотел произвести на тебя впечатление, — сказал он.

Остался у них ночевать. Утром Давид вышел веселый. Вдруг сел надписывать мне книгу. «Ты же вчера уже надписал». — «Забыл»... Потом: «А я тебе рассказывал, что читал Слуцкому главу о нем?»

12.10.1972. Разговор с Самойловым, может ли талант быть жестоким и подминать других. (Я перевел разговор на своего Прохора.)

Давид: «Талант, как явление природы, как деревья, вода или солнце, не может никого подминать. Талант не может быть безнравствен, ибо по идее, по определению соотнесен с представлением о бессмертии души — в отличие от дарования, которое есть ремесленная способность».

Рассказывал о своем пребывании в Тбилиси. «Зачем тебе ходить по городу? — говорил он Гале. — Видишь эту гору? Ну и достаточно. А ходить на нее незачем». И все время в Тбилиси провел за менявшимися пиршественными столами.

Но при этом пишет прекрасные стихи о городах, в которых бывал.

Говорит, что в нем нет специального интереса к природе, его не тянет идти в лес, любоваться закатом, он не увлекается рыбной ловлей или купанием. «Я живу в природе», — говорит он — и пишет прекрасные стихи о природе.

«Стихи не пишутся, а записываются», — говорит он, но записывает тотчас и точно, и не только стихи, но и мысли для прозаической книги. За письменным столом у него рождаются лишь переводы — это действительно работа, которая высиживается задом.

31.10.1972. Спросил у Давида, какое свое стихотворение в «Дне поэзии» он больше всего ценит.

— По-моему, там всего только одно стихотворение, — сказал он. — «Мне снился сон». А остальное — так...

8.01.1973. Приезжал ко мне Якобсон. Ни на минуту не мог присесть, все время ходил возбужденно... Он думает над отъездом в Израиль — ради сына. Для себя он ничего хорошего от этого не ждет... С Д. Самойловым у него по этому поводу было объяснение, дошедшее, как сказал Тоша, чуть не до истерики с обеих сторон. Давид, по его словам, не только лично привязан к нему, он в нем нуждается, потому что проверяет на нем каждую строчку своих стихов и своей прозы.

17.01.1973. У Самойлова. Читал мне три новых стихотворения и отрывок из прозы: о правдолюбцах, правдознатцах и праведниках. Умно. Ему сейчас предлагают печататься, но слишком много звучать он не хочет. «Мне достаточно двух-трех стихотворений в год, я не хочу 20–30». Написал несколько заявок на издание уже готовых стихов и переводов — надеется некоторое время прожить, не печатая ничего нового.

24.02.1973. У Самойлова... Разговоры о Якире и Красине... Ю. Даниэль говорил о том, что нельзя разделять нравственную сторону личности и дело, которое он делает.

Давид сказал:

— У этих людей всегда сильная табель о рангах. Они считали себя руководителями, вождями. Следователь, наверное, сумел повести с ними речь именно как с руководителями: мол, с вами ведут переговоры высшие уполномоченные со стороны государства. Им показалось лестно почувствовать себя высокой договаривающейся стороной.

Один раз он сделал оговорку: «Я, конечно, сам не сидел и не вправе судить...» Ю. Даниэль даже всплеснул руками: «Как ты можешь так говорить? Какое имеет значение, сидел человек или не сидел. Право судить определяется нравственным обликом человека...»

Из шуток Давида: «Я отпустил усы. Теперь у Слуцкого усы, у Левитанского усы — можно говорить о поэтическом направлении».

12.04.1973. Циля Израилевна, мать Давида, ревниво относится к его болезням. «У меня гипертония». — «У меня тоже, еще посильней». Но вот он чуть было не вырвался вперед: у него нашли катаракту, прогрессирующую; видно, придется делать операцию. Маму это на некоторое время озадачило. Но недавно в разговоре она произнесла: «Да, а что касается катаракты, так у меня их две».

1.06.1973. День рождения Самойлова. Я сумел освободиться поздно, приехал, когда все были уже пьяны. Давид вначале меня как будто не узнал. Он был в темных очках, его катаракта прогрессирует, на сильном солнце он совсем не видит. Заплетающимся языком читал стихи Копелеву.

Сказал: «Старик, я по тебе соскучился»...

Я переночевал у них... Утром зашли с ним в новый ресторан «Опалиха», посидели за рюмкой коньяку. Давид упомянул, что Якобсону не понравился «Ночной гость», и стал мне читать, комментируя. До меня впервые дошел смысл этих стихов: возможность найденной гармонии, которая так и осталась пока неопределенной. «В этих стихах я впервые позволил себе употребить ассоциации из прошлых стихов, не заботясь о том, поймут ли это читатели или нет»...

О Мандельштаме. «Мандельштам — первый поэт, показавший, что в России существует великая поэзия. Великая русская поэзия стала складываться сравнительно недавно — лет 150 тому. Мандельштам первый овладел огромным богатством ассоциаций, созданных этой поэзией. Он первый стал писать знаками, как французы, у которых традиция накоплена издавна. Сложность Пастернака на поверку оказывается не такой уж сложной, ее можно расшифровать, исходя из самого же стиха (он на ходу объяснил какую-то сложную строфу Пастернака). Но когда Мандельштам говорит: «Я трамвайная вишенка страшной поры» — за этим огромное богатство ассоциаций»...

О Цветаевой. «Одно время она некоторым казалась сложней Ахматовой, хотя как раз наоборот. Цветаева мне кажется холодным и рассудочным человеком, который искусственно себя возбуждает. Проза ее быстро надоедает»...

Он в хорошем состоянии, в мире с собой и с жизнью. Бёлль прислал ему в подарок книгу о Нюрнберге; он сейчас в США.

— Они все великие писатели, — хмыкнул Давид. — А я нет, но мне и так хорошо.

8.06.1973. У Самойлова. Остался у них ночевать. Утром разговор, в числе многого прочего, о литературе.

Давид: «Есть два типа художников. Одни получают удовольствие от своей работы. Если их ругают, они думают: ну и дураки. Пушкин совершенно лишен параноидальных комплексов — как мании величия, так и мании преследования. В нем сочеталась гениальность с самочувствием и поведением обычного человека. Вот кто параноидален — это Р. Он не получает удовольствия от работы, а постоянно думает, что кому-то этим вставит фитиль. И колеблется между самоуничижением и непомерным честолюбием. Он артист, поэтому у него это проявляется особенно наглядно. Или вот М. Он отгородился в своей скорлупе, потому что боится мнений, оценок. И он создал вокруг себя окружение, которое его оберегает. «Ах, знаете, он такой ранимый!» По-человечески он несчастен. Легко говорить со стороны, но это, очевидно, дано от природы. Или В. Это несчастный человек. Для него любая чужая публикация — удар по самолюбию. Как будто все, что удается другим, отнимается у него...»

Я заговорил о Пушкине и о Гоголе.

Давид: «Выработались штампы в понимании литературного процесса. Старик Державин нас заметил и, в гроб сходя, благословил. А что было? Просто услышал на экзамене способного мальчика, похвалил, тем более что писал тот в его, державинском, духе. А никакой передачи лиры не было. Думаю, что и разговоры о влиянии Пушкина на Гоголя преувеличены. Они развивались самостоятельно... Пушкин мог приветствовать и поддерживать даже тех литераторов, которые ему были не очень интересны. Думаю, Гоголь был для него провинциальный писатель школы Нарежного...»

3. Трудное время

Прерву на время цитирование: разговор исподволь подходит к другим временам, другому этапу его жизни. У самого Давида Самойлова было отчетливое чувство таких этапов: у поэтов они нередко документируются книгами стихов. Давно ведь замечено, что книга — все-таки не случайное собрание отдельных стихотворений.

«Формировался я долго, — можно прочесть сейчас в дневнике от 5.05.1977 г. — В 38 лет ("Ближние страны") я еще — ранний Самойлов. Во "Втором перевале" — (43 года) я "средний". Только с "Дней" что-то начинается. А я все удивлялся, что нет признания (где-то видел в себе больше, чем было, и думал, что оно уже наличествует в стихе). Но публика — она не дура. С "Дней" и начала меня замечать».

Можно бы тут поспорить: его заметили и после «Ближних стран», и особенно после «Второго перевала». Но, пожалуй, время между книгами «Дни» и «Волна и камень» — как раз когда я с ним познакомился — было в самом деле порой наивысшего его расцвета. Он не поощрялся официальным начальством, публиковался не часто и почти каждый раз со скрипом — репутации его это лишь способствовало. Книг его было не достать, на вечера в ЦДЛ спрашивали билеты от самого Садового кольца...

Правда, едва ли не четверть зала казались мне теперь знакомыми — по встречам у Самойлова или по другим вечерам; это была отчасти «своя» публика. Тут, к слову сказать, была определенная проблема. Давид, как уже здесь было замечено, сам прекрасно сознавал, какими опасностями для трезвого творческого самоощущения чревата замкнутость в среде «своих», слишком уж безоглядно преданных, заранее восхищенных читателей.

В уже цитировавшейся записи 22.02.1972 после слов об усталости от общения можно прочесть: «Выход из круга прежних друзей, создание нового круга, новое самосознание». Я в самом деле мог убедиться, что лишь немногие из тех, кто упомянут был в дневниках предыдущих лет, появлялись теперь за опалихинским столом — у него и в этом смысле было чувство, а верней, четко сформулированное осознание некоего нового этапа.

И вот снова что-то менялось, начинало как бы себя изживать. Отчасти, конечно, дело было в возрасте и ухудшавшемся здоровье; он уже не так хорошо выдерживал прежние нагрузки. Я еще застал времена, когда выпивший Давид не особенно отличался от трезвого — был так же умен, воспринимал собеседника и отвечал за свои слова. При всех физических недугах психологически он был устойчив невероятно; наутро после бурного застолья садился за работу как ни в чем не бывало. Последнее время его, выпившего, все чаще «заносило»: «А я говорю, что никакого отчуждения нет! Все это вздор!» Или: «Т. не может хорошо писать. Ты посмотри, как он ест. Он ест как человек, которому надо выкакать то, что он съел».

Впрочем, так все чаще случалось, увы, не только после выпивки. А. Якобсон как-то сравнил мысль Самойлова с танком, который прет напролом, сметая возражения и преграды. Он всегда любил (если не говорить о стихах) формулировки четкие и даже категоричные — эта категоричность начинала мне порой казаться чрезмерной, в ней появлялся оттенок вещания, все чаще хотелось с ним спорить, но все меньше это имело смысл. Он нуждался в собеседнике, но скорей для того, чтобы отточить собственное, уже непоколебимое убеждение. И мнение свое умел внедрять.

Но, может, тут дело было скорей во мне. Я переболел первоначальной безоглядной увлеченностью и становился поневоле критичней. И самым-то главным, самым трагичным было другое — он все ощутимей слеп.

Мужество, с каким он переносил и саму болезнь, и угрозу утраты зрения, было поразительно; жаловаться он себе не позволял. Ему пришлось перенести не одну, а серию операций, исход каждой был под вопросом. Я навещал его в больнице. Доходили сведения, что он написал завещание — и тогда все сжималось внутри, и я понимал, что значит для меня этот человек.

Между тем летом 1973 года у него родился сын Павел. Мы встретились с ним в роддоме у Гали, расцеловались.

— После Петра мне не советовали ребенка, — сказал Давид. — Но я фаталист...

Требовалось все больше работать, чтобы прокормить семью, а работать становилось все труднее. Некоторые записи тех лет приоткрывают кое-что в тогдашнем его самоощущении*.

* Надо только иметь в виду, что в дневниках вообще фиксируются чаще моменты слабости и уныния, чем моменты ровного самочувствия. И это понятно: дневник в известной мере служит психологической самотерапии. Смутные тревоги, сформулированные и проясненные словом, начинают казаться не столь серьезными, не столь гнетущими; слово помогает овладеть своим состоянием. «Дневники чаще всего напоминают прерывистую кривую барометра, который регистрирует лишь моменты самого низкого давления, а высокое не отмечает», — пишет Макс Брод по поводу дневников Кафки.

«Ощущение клячи, безнадежно тянущей воз. Нужно думать о деньгах и прочем. Ощущение тупости в мозгу» (11.05.1974). «Видимо, жизнь моя сейчас может состоять только в зарабатывании хлеба насущного. Большое семейство и здоровье заставляют отказаться от всех остальных планов» (30.10.1974). «Настроение тяжелое. Чем дальше, тем труднее работать, чтобы обеспечить семью. На остальное времени нет. Стихи как будто вовсе отпали. Надо мной властвует волевой момент: надо! А я иногда кричать готов: не могу» (16.06.1975). «Пробовал сочинять стихи и понял, что не могу выдать того усилия, которое, оказывается, требуется при сочинении простейшей строки. Недаром врачи запретили Ахматовой сочинять после инфаркта» (18.07.1975).

Тогда я этих строк, конечно, не знал. Кое-что прорывалось лишь иногда, намеками, по настроению. На необходимость заниматься переводами, например, он, в отличие от многих (от меня в том числе), как правило, не жаловался, наоборот, уверял, что переводы в свое время помогли ему «нарастить поэтические мускулы».

И внешне — для других — продолжалась как будто прежняя жизнь. Он сам еще поддерживал эту инерцию. «Жить в пробирке я не умею и не хочу. Это значит только беречься, не писать стихов, не пить вина, т. е. быть машиной для удобства окружающих, вроде стиральной машины», — записано там же, в дневнике, 10.06.1974. Можно, конечно, покачать головой над тем, что в один ряд оказались поставлены вино и стихи, но смысл-то ясен.

В мае 1975 года мы с друзьями перевозили его имущество из Опалихи в новую квартиру на Пролетарском проспекте. Перед тем как занести рояль, грузчики устроили хорошо, наверное, известный спектакль: стали говорить, что рояль невозможно поднять по узкой лестнице. Мы по интеллигентской своей неопытности не сразу поняли, что они просто вымогают дополнительные деньги, стали вести какие-то нервные переговоры: не оставлять же было рояль на улице. Давид сидел в еще неустроенной комнате мрачный, не желающий ничего знать обо всей этой мерзкой суете. Переезд вообще получился нервный, чересчур поспешный; в Опалихе пришлось оставить не только часть вещей, но и часть архива, многое пропало. Наконец мы сообразили, что от нас требуется, и грузчики чуть ли не бегом, как перышко, внесли рояль через все этажи...

Воссоздать на новой квартире Опалиху не удалось, это было и невозможно. Слишком многое изменилось, Давид прежде всего. По-настоящему новым домом стал для него уже лишь дом в Пярну.

21.06.1973. Давид все больше слепнет. Приезжала Л. К. Чуковская, привезла лупу с сильным увеличением, толстые фломастеры, чтобы лучше было видно написанное, обещала похлопотать насчет хорошего врача.

19.09.1973. Давид совсем ослеп. Переутомил второй глаз и теперь просто ничего не видит, писать не может совсем... И при всем этом такой же веселый и открытый. Через месяц ему должны сделать операцию, сначала на одном глазу, месяца через три на втором... Жалуется, что потерял свою лабораторию: есть строчки, обрывки, которые, может, плохи и никогда не пойдут в дело, их трудно диктовать даже Гале, это интимные вещи. Кое-что он все-таки ей диктует. Предложили ему магнитофон, он сомневается, что сможет говорить вслух: некоторые вещи вслух не произнесешь, это интимно.

Сочинил стихи про слепого:

> Поводырь ведет слепого,
> Любопытного такого.
> — Что там, что там, поводырь?
> — Это город Алатырь.

Очень скоро он отключился, пробовал читать с запинками стихи. Говорил, что Л. Чуковская особенно оценила строчки: «Не склоняй доверчиво слуха к прозревающим слишком поздно».

— Я не люблю прозревающих слишком поздно.

Та же мысль и в его главе о Пастернаке: человек формируется однажды и навсегда, время уже ничего не изменит.

Я попробовал ему напомнить, как он хвалил В. Максимова именно за мысль: никогда не поздно начать сначала. Но говорить с ним нормально было уже невозможно.

В подпитии о Есенине:

— Негодяй, хам, сволочь, от него пошло все хамское и сволочное в нашей поэзии — но поэт гениальный!

8.11.1973. Навестил Давида в больнице. Говорили, главным образом, о Габае. Он настойчиво, после каждой реплики повторял мне: «Я считаю, ты должен написать о нем. Стихи его, которые я прочел, показались мне не поэзией, но личность это, видимо, была замечательная. Это гораздо более важно, чем стихи. Если бы у меня был такой прототип, я бы отложил все дела и сел писать о нем. Житие праведника — не правдоискателя и не правдолюбца (он напомнил о своем подразделении; сказано это было в ответ на мое разъяснение, что Илья сам понимал тщетность своих усилий, но действовал независимо от этого) — это сейчас нужней, чем когда бы то ни было. Тебе придется затронуть вопросы, касающиеся многих других людей, без этого не обойтись».

И опять: «Я считаю, ты должен отложить все остальное и написать о нем. Может быть, немного».

Я попробовал ему объяснить, как понимаю стихи Габая, напомнил о связи с традицией пророков, прочел «Язык псалмов, пророчеств, притчей».

— Ну и очень плохо, что он сам выбрал себе школу. Когда поэт говорит, к какой школе он принадлежит, — это плохо.

Я принялся объяснять, что он не выбирал, а лишь задним числом констатировал свою связь с определенной традицией. Вот Мандельштам, например, написал о своей привязанности к немецкой речи...

— Мандельштам в 17 лет написал: «На стекла вечности уже легло мое дыханье и мое тепло». Это мироощущение сильней, чем «язык пророков».

8.12.1973. Поехал к Самойлову. Он выглядит хорошо, врачи обещают сто процентов зрения, но полгода надо будет беречься, не пить, не поднимать тяжестей. Быстро устает. Говорили о слухах, будто Сахаров собирается уезжать. Давид относится к этому неодобрительно. У Сахарова была уникальная и очень сильная позиция, он был моральным судьей, защитником, и вдруг окажется, что результат всего — устройство своей судьбы...

Читал ему стихи Ильи. После молитвы Бога («Не предавай меня, Иов») он сказал: «Это интересно». «Волхвы» тоже местами нравились. Но в целом отношение не изменилось: это прекрасный человек, но нет «шкуры», живота; он по устройству свое-

1. Марк Харитонов. *Фотограф T. Foley.*
Париж. 1992

2. Дедушка Мендель Ломберг, мамин папа.
Бердичев. 1910-е

3. Бабушка Хая Ломберг, мамина мама.
   1910-е

4. Мама Фаина и брат Арон (в центре).
Слева мамина мама Хая, в центре мамина
бабушка Хана Пекарская. 1928

5. Бабушка Голда Харитон и дедушка Иосиф
Харитон. Около 1946

6. Потоп в Нижних Котлах. Мама, бабушка,
   тетя Рая, дедушка (он держит меня за плечи),
   мой младший брат, двоюродная сестра. 1944

7. Мама. 1936

8. Папа в армии (справа). 1932. (Оружейная
   мастерская, ударная бригада)

9. Я с няней Верой. 1938

10. С учительницей Маврой Алексеевной,
я в верхнем ряду, второй справа. 1946

11. Папа и мама. Москва. 1937

12. Илья Габай. Конец 1960-х

13. Рельеф на надгробном памятнике И. Габаю
работы В. Сидура

14. Вадим Сидур, его жена Юлия Нельская
и я. *Фото А. Харитонова.* 1983

15. Давид Самойлов. 1980

16. Интервью со Львом Копелевым во время моего дня рождения. Я справа.
31 августа 1991

17. Лев Копелев

19. Семен Липкин и Инна Лиснянская. 1988

20. Григорий Померанц и Зинаида Миркина
    на своей даче. Август 1984

21. Борис Хазанов и я у меня дома.
    Фото Е. Поликашина. Москва. Сентябрь 2000

22. Я с женой Галей Эдельман.
    Фото В. Михайлова. 2007

му не поэт. Слова у него взаимозаменяемы. Разговор о близости к библейской традиции отвергает. «Нет, в Библии непосредственная мощь, и это крепко сделано. А тут интеллигентские размышления. И ссылка на Радищева не верна, у Радищева не было косноязычия, у него был мощный, действительно библейский язык, недаром им так восхищался Пушкин. Он просто старомоден, это другое дело. Но в любой прозе об этом человеке стихи Габая будут звучать чрезвычайно убедительно...»

30.12.1973. У Самойлова... Он говорил о Мандельштаме, которого сейчас читает. Очень ему не по вкусу разночинное самоощущение Мандельштама. «И нападки на власть, на время, на людей за то, что не признают его гениальности. Он в 17 лет написал: "На стекла вечности уже легло мое дыханье и мое тепло". А в "Четвертой прозе" стал ругаться за то, что ему не воздают по заслугам. Ахматова не ругалась. Пастернак не ругался. Не было у него аристократизма. Ругается на бедного Горнфельда всякими словами, хотя, в сущности, сам виноват. Нет, стихи его прекрасны, но чем дальше, тем больше в нем неприятного. О письмах я не говорю. Почему он набрасывается на Иван Ивановича за то, что тот не понимает его стихов? Если не понимает, незачем с ним разговаривать, и не виноват он, что не понимает»...

2.05.1974. У Самойлова... Его сборник подвергся сильному цензурному вмешательству, выкинули «Ночного гостя», еще раньше «Блудного сына»; «Поэт и гражданин» называется теперь «Поэт и старожил». Давид переживает, но соболезнований не слушает.

— Если хочешь печататься в этой стране, надо делать выбор. Почему мы должны ждать лучшего отношения от власти, к которой сами не сделали навстречу ни одного шага?

О Даниэле, книгу которого мне дал:

— Литературной фактуры у него нет, но личность чувствуется и подтверждается. Он не политик, не правдоискатель и не правдолюб, но у него есть ощущение нравственного порога, дальше которого нельзя. Этот звоночек, зуммер очень четко работает.

8.06.1974. Читал своего «Гоголя»* вслух Давиду. Он принял это всерьез, но хочет перечитать.

1.06.1975. День рождения Самойлова. Впервые он жаловался:

— Хреновое у меня состояние, никогда так не было. Совершенно не получается работать. Мне надо недели две спокойно поваляться на диване, чтобы пошло. А у меня нет такой возможности. Мне говорят: надо писать. А я не могу. Очень хреново. Заработки-то, конечно, я делаю, а работать не могу.

16–17.07.1975. Поездка из Нарва-Йыэссу в Пярну** к Самойлову... Давид лежал больной, с рассеченным лбом: несколько дней назад в номерах семейных бань у него поднялось давление, он потерял сознание и ударился лбом о дверь. Сейчас приходит в норму, пытается снова работать.

Прочел у него воспоминания Чуковской об Ахматовой.

— И какой у нее интерес ко всему, — сказал Давид, — как она судит о политике! Никакой отре-

---

* Повесть «День в феврале».
** Этим летом Самойловы впервые отдыхали в Пярну и тогда же присмотрели для себя там дом. Я отдыхал в другом конце Эстонии, в Нарва-Йыэссу.

226

шенности от жизни. Какая постоянная энергия и отточенность мысли, постоянная работа. Вот собрались Ахматова, Чуковская, Эмма Герштейн — какие были разговоры! А о чем могут говорить, собравшись, В. с Е.?.. А ты заметил, как Анна Андреевна ценила читателя, возможность говорить с ним? А какой-нибудь А. Н., вертевшийся возле нее, мне говорит: «Как вы можете печатать свои стихи и выступать перед аудиторией? Мне достаточно 2–3 читателей». А Ахматова понимала, что оторванность от читателя — трагедия для писателя.

А ты заметил, как она пишет: не может быть поэта без техники? Галя, ты заметила?.. А тут мне М. начинает говорить, что дело не в технике, достаточно взлета таланта...

И вот говорят: аристократка, королева. А она самого простого происхождения. Из небогатой семьи. Просто она сама так держалась, так себя поставила.

О сохранении преемственной интеллигенции. Давид повторил свою мысль о несогласии с Солженицыным: оставалась и остается средняя прослойка интеллигенции, которая сохранила традицию культуры.

— Высший представитель интеллигенции сейчас — Сахаров. Пусть он, может, и не так хорошо разбирается в искусстве или литературе...

— Я убежден, что нельзя научиться понимать искусство. Это должно быть воспитано с детства. Человеку нужна среда. Не обязательно, чтобы он что-то писал или делал — нужна атмосфера разговоров, уровень.

12.10.1975. Давид приехал от друзей сильно пьяный. Странный разговор. Иногда он садился за рояль.

— Надоело все, — повторял он время от времени. — Надоело. Я медведь, ты понимаешь, Марик? Я медведь, и мне ничего не надо. Только написать поэму «Снегопад» — и можно умирать. Надоело все.

Потом опять:

— Мне никого не нужно. У меня никакой табели о рангах. Мне нужно 10–15 человек... Я тебя люблю, Ю., В., мне это поколение нравится. А больше я не хочу ничего.

Вдруг взял лист бумаги, стал выстраивать окружающих по степени любви к ним. На первом месте оказался, конечно, Петр, я — где-то на пятом-шестом.

— А Тоша уже никакого места не занимает? — спросил я.

— Никакого, — ответила за обоих Галя.

22.10.1975. Давиду очень понравилось переданное мной «мо» Гершуни: «Достал "День поэзии"? — А что там? — Самойлов, "Письмо к вождям"»*.

Разговор об интеллигенции.

— Со времен Чехова существует убеждение, что русская интеллигенция должна испытывать чувство вины перед народом. Я, может, первый из нашего поколения, кто не испытывает никаких этих комплексов. Я соль русской земли. Интеллигенция. Пусть мне народ кланяется, а не я ему за то, что он меня хлебом кормит. Тем более что он меня и не кормит. А чем не докормит, у Америки купим. (Это говорилось уже в сильном подпитии.) Кому я должен кланяться? Дяде Васе? У меня нет никаких комплексов.

Вдруг перевел разговор на меня:

---

* Речь шла о поэме Д. Самойлова «Струфиан», где отчасти пародировалось солженицынское «Письмо к вождям».

— Что тебе нужно, чтоб была хорошая проза, — избавиться от комплексов. Будь уверен в своей правоте, в себе. Что прав ты и только ты.

Я заметил, что о том же говорит Мандельштам: талант есть сознание своей правоты.

— Вот у кого не было определенности, — сказал Давид. — Он всю жизнь метался между иудейством и эллинством. Последние его стихи мне очень нравятся: «Мне на плечи кидается век-волкодав» — это замечательно. Он очень изменился к концу жизни. А вот Ахматова не изменилась.

Я все время спорил. И что Ахматова менялась гораздо больше. И что в этих метаниях между иудейством и эллинством выразилось по-своему великое мироощущение. Что литература, созданная «комплексами», может быть великой. Что стихи с ощущением эпохи появились у Мандельштама не к концу жизни, а были всегда...

Давид сказал, что для него Ахматова неизмеримо выше Мандельштама. Составил перечень гениальных поэтов: Маяковский, Ахматова, Пастернак, Хлебников. Цветаева туда не вошла, ее он поставил во второй ряд вместе с Заболоцким, Ходасевичем, Кузминым.

Очень резко отозвался о книге Синявского («Голос из хора»). Она показалась ему отвратительной...

— Лучше всех сформулировала Лидия Корнеевна: «Кого любят, того не покидают». (Он повторил эту фразу несколько раз.) Я разлюбил Толю Якобсона, он для меня не существует. Кого любят, того не покидают. Человеку, который способен написать: «Россия — сука, ты мне за это ответишь», там и место. Там, в эмиграции, привыкли на все смотреть через жопу. Он эстет, сноб, ему все равно, где собой любоваться... Был процесс Синявского–Даниэля, сейчас он стал процессом Даниэля–Синявского.

Дал почитать повести Е. Носова: «Вот это настоящий писатель. У него есть уверенность». Я стал читать в метро: нет, это не для меня. И думаю: что же его три года назад пленило в моей прозе?

16.01.1976. Давид собирается поехать в Пярну оформлять покупку дома.

Разговор о современной прозе:

— Деревенская проза живет последнее десятилетие, скоро придет новое поколение, которое никогда не жило в деревне и не пережило процесс урбанизации, для них все это не будет звучать. Новое поколение будет ездить в деревню туристами. Деревенская проза сейчас сильней, потому что деревенские проблемы разрешены. Сейчас можно написать и напечатать о том, что в деревне голодали и работали на истощение, как у Тендрякова («Три мешка сорной пшеницы»). А попробуй написать, как эксплуатируют рабочих на заводе. Городские темы все еще не разрешены.

О переводе:

— Поэт всегда переводит лучше переводчика, который не пишет своих стихов. Так, Лозинский — тупой переводчик. Поэзию он переводил безобразно и «Божественную комедию» перевел плохо. Шекспира, «Двенадцатую ночь», я, с моим посредственным знанием английского языка, переводил, имея перед собой его перевод, и местами это был просто подстрочник. Он переводил, например: «Мне все равно», а я видел, что надо сказать: «Мне это до фени».

О разговорах с поэтом М.:

— Этот человек боится всего: властей, КГБ, победы левых, победы правых, системы, и весь от страха перекручен, постоянно врет. Слушаешь его, слушаешь, и очень даже интересно, потом вдруг думаешь: а ведь это брехня. Когда он был помоложе, это воспринималось как талантливое фантазирование, он очень талантлив, но теперь это неинтересно. Он сам перед собой выкручивается, боится; таковы и все его романы, и в стихах чувствуется.

31.01.1976. Я сказал Самойлову, что пробовал читать моего «Гоголя» глазами цензоров или членов редколлегии и не нашел ничего, почему можно было бы не пропустить*.

— А ничего и не нужно, — сказал Давид. — Просто, раз не похоже на других — этого достаточно.

О психологии начальства Союза писателей:

— В Доме литераторов для начальства есть бесплатный буфет. У меня все-таки не укладывается:

---

* В 1975 году зашел разговор о возможности впервые напечатать мою прозу: в «Новом мире» понравился «День в феврале», но требовалось снабдить его чьим-то авторитетным предисловием. Со мной посоветовались, кто бы мог это сделать, и я — перебрав несколько кандидатур, которые тут же были отвергнуты, — предложил Д. Самойлова. (Почему-то не сразу о нем подумал.) Он с готовностью согласился, только попросил, чтобы текст написал я сам.

— Оставь только места для эпитетов: талантливый, гениальный, это я сам впишу.

Я не без труда сочинил небольшой текст; помню, там цитировалась замечательная мысль Бахтина о «катарсисе пошлости» у Гоголя. Самойлов похерил все, оставив лишь несколько фактических данных, остальное все-таки написал сам, и мы стали ждать выхода журнала.

Странно, мы не всегда замечаем, как изменилась жизнь; мы забыли о временах, когда о публикации нельзя было говорить с уверенностью, пока уже готовый сигнальный экземпляр не будет подписан цензором.

и им не стыдно? Все же писатели. Вот в Доме творчества, в Малеевке, председатель Литфонда, вообще не писатель, административный работник, обедал не вместе со всеми, а в отдельной комнате. Так это еще понятно, он не писатель и, в конце концов, сам себя изолирует в гетто, теряет возможность общения — и кому он нужен? Во время поездок простые писатели едут в четырехместном купе, а начальство — в двухместных. Они, избранные мной же, на мои же деньги едут. Это уже люди с извращенными ценностями.

Говорит, что готовит три новых сборника. Я спросил, а почему не сделать однотомник или двухтомник «Избранного».

— А мне не положено. У них точный распорядок, кому можно, кому нельзя. Секретарям Союза да еще Евтушенко можно, а мне нельзя.

Они с Галей только что приехали из Пярну, где купили дом. Показывали план. Я сказал: «Начинается новый период».

20.02.1976. Упомянул среди своих стихов неизвестного мне «Дезертира». Услышав, что я его не знаю, тут же прочел.

— Неожиданное стихотворение, — сказал я. — Меня всегда интересует, как возникают такие темы.

— Это стихотворение про Тошку Якобсона, — усмехнулся он... — Что мне самому нравится — что здесь, по-моему, удался верлибр. Верлибр очень трудно писать. А здесь не переставить ни одного слова.

Говорит, что хочет менять паспорт (на Самойлова вместо Кауфмана). «А то возникает много неудобств. Деньги переводят на Самойлова, в гостинице номера заказывают на Самойлова. Правда, у меня есть билет Союза писателей, где я Самойлов, но каждый раз приходится объясняться. Очень неудобно. И Варьке хочу поменять фамилию. Ей лучше быть Самойловой».

Заговорили о том, можно ли прожить на литературу без переводов. Он стал подсчитывать: с 1958 года у меня вышло 5, ну будем считать, 6 книжек. Общим объемом столько-то листов, столько-то строк, по 1 руб. 40 за строку, практически все прежде печаталось в журналах, все это перемножим... Получается примерно 100—120 рублей в месяц.

Я сказал:

— Но если бы ты не занимался переводами, ты бы больше писал своего. Душа все-таки занята.

— Нет, — сказал он. — Вот сейчас я вполне могу не заниматься переводами. Но больше, чем могу написать, не напишу. Я в год вряд ли пишу больше 500 строк. Это, конечно, индивидуальный случай. Есть люди много пишущие. Вот Евтушенко — много пишет. А Белка Ахмадулина не занимается переводами и все равно мало пишет.

Он член редколлегии «Дня поэзии», читает множество стихов. «До чего все плохие стихи. Никому не хочется писать». Я передал мнение Озеровой, которая читает самотек, что «земля рожает».

— В прозе — может быть. А стихи очень плохие. Есть хорошая деревенская проза, а деревенской поэзии нет.

— Странно то, — сказал я, — что поэзии по содержанию проще обойти цензуру.

— Не скажи. «Наш современник» распутинскую прозу про дезертира напечатал, а мое стихотворение про дезертира не печатают. Хотя у меня куда более безобидно.

6.04.1976. Прочел Самойлову начало «Габая»* (дальше он слушать не мог, был выпивши). Он заявил, что это самая лучшая моя работа. По пьянке наговорил кучу комплиментов, вроде того, что это второе в русской литературе житие — после «Жития Симеона Ушакова». «А ты знаешь, что такое быть в русской литературе вторым?» — и т. д.

8.04.1976. Вечером позвонил Давид. Он прочел до середины.

— Очень интересно. Ты молодец. Создается образ личности, образ поколения. Может, хорошо бы немного больше вещных деталей, аромата: портреты, описания, пирушки. Ты здесь, скорей, концептуален. Это же повесть. Хотя ты явно любишь его, ты все же способен описать его объективно, как повествователь. Стихи его... но ты и не старался убедить, что это хорошо. Он, конечно, поэт по природе своей, но поэт без стихов. Бывает же музыкант без музыки, глухой, как Бетховен... В общем, это этапное произведение.

13.04.1976. Встретились в Гослите, Давид отдал мне «Габая». Получили деньги, зашли в ресторан у Земляного вала.

Из разговоров. О «Прогулках с Пушкиным» Синявского:

— Умно, талантливо, но... противновато. Неприязнь к традиционному пушкиноведению с его долбое...вом понятна, оправданна. Но для меня,

* Эссе «Участь».

например, образец отношения к Пушкину — Ахматова. А он Пушкина готов через жопу еб...ть.

Заговорили о перспективах нашего развития. Я заметил, что от возврата к Сталину верхи должно бы остеречь чувство самосохранения: история чему-то учит и потому не повторяется.

— Я считаю, история вообще не повторяется, — сказал Давид, — и это доказывает, что Бог есть. Если бы событие могло повториться дважды, оно могло бы повториться бесчисленное множество раз, и это бы доказывало, что правы материалисты.

О солженицынском «Теленке» вдруг сорвалось: «Это житие хама».

В ресторане я заказал 250 граммов коньяка, он поправил: 300. «Никогда не заказывай неровные числа». После чего официантка прониклась к нему уважением и обслуживала нас особо предупредительно. «Это молдавский коньяк, — угадал он. — Он не так сладок, как армянский или грузинский». Потом мне пояснил: «С профессионалами надо показать свое профессиональное знание. А знаешь, как я угадал?» — «Как?» Но тут он перевел разговор.

— Ты, я вижу, не ресторанный человек. А я ресторанный. Я люблю саму атмосферу ресторана. Я предпочту пообедать в ресторане, даже если могу пообедать дома...

4. Врозь

Это была одна из последних наших встреч перед отъездом Самойлова в Пярну, теперь уже в собственный дом. Начиналась действительно новая глава в его жизни, для меня во многом закрытая.

Мы встречались теперь лишь во время его редких приездов в Москву да понемногу переписывались.

От одного из друзей я тогда услышал суждение, что жизнь в Пярну стала для Давида чем-то вроде полуэмиграции; она, среди прочего, избавила его от необходимости опасно вмешиваться в общественную жизнь. Пока он жил в Москве, для него это составляло известную проблему.

В дневнике Самойлова от 30 мая 1974 года есть запись о разговоре с молодым киевским поэтом И. Померанцевым. «Он говорил, что меня читают и, главное, уважают за позицию. Этим обязательно надо дорожить. И думать об этом на всяком жизненном повороте». Но в тогдашней сложной жизни поддерживать общественную репутацию бывало весьма непросто. Как-то он рассказал мне о разговоре с В. Максимовым, который был обижен, что друзья-писатели никак не поддержали его в противостоянии властям. «А чего он ожидал?» — сказал Давид. Но вот исключили из Союза писателей совсем близкого человека — Л. К. Чуковскую. «Она на это шла, ожидала и т. д., — записывает Самойлов 10.01.1974. — Все же каждый раз тревожно и неприятно. Каждый раз вопрос: правильно ли выбрана линия? Не пора ли возопить?» И пытается обосновать для себя, почему он этого не делает. Тот же оттенок — в постоянной внутренней полемике с А. Солженицыным: «И тошно, оттого что сам так не умеешь, и смелость завидна, и какой-то мрачной гнилью веет от всего» (16.09.1975).

Однажды я завел с ним речь о возможности пристроить к себе в секретари только что вышедшего из заключения Илью Габая — но понял, что совершил бестактность. Много лет спустя, живя уже в

Эстонии, он оформит своим секретарем тоже отбывшего срок И. Губермана, но это будут уже другие обстоятельства, другие времена и, между прочим, все-таки немного другая страна.

Нет, конечно, эмиграцией это можно было называть только в шутку. (Впрочем, само понятие теперь видоизменилось, мы дожили до времен, когда былые эмигранты получили возможность, живя в другой стране, наведываться в метрополию, поддерживать с ней связь и даже печататься в Москве.) Как-то я написал ему шутливое письмо — якобы уже за границу, в отделившуюся вдруг Эстонию. Поосторожнее бы нам с такими шуточками!..

Как бы то ни было, тут был не просто переезд в другой дом, тут был элемент сознательного выбора. Самойлов сам напишет об этом в стихах:

> Я сделал свой выбор. Я выбрал залив.
> Тревоги и беды от нас отдалив,
> А воды и небо приблизив,
> Я сделал свой выбор и вызов.

Не просто выбор, но вызов — кому? Здесь все примечательно — как и последующие строки:

> И куплено все дорогою ценой.
> Но, кажется, что-то утрачено мной.

Тут поневоле навостряешься: что же? Однако вместо объяснения:

> Утратами и обретеньем
> Кончается зимняя темень.

Пожалуй, не очень внятно. Да, может, от поэзии и неверно требовать логической ясности и завершенности мысли? Может, чего-то и не следует договаривать — даже самому себе? Пусть размышляет читатель.

В суждениях друзей был, возможно, оттенок ревности — как будто он изменил нам с Пярну. Кое-кто покачивал головой, уверяя, что Давид долго не выдержит тамошнего одиночества, ведь он нуждается в постоянном общении, он человек беседы, его идеи всегда формировались в разговорах, это был его способ мыслить. Теперь у него не стало полноценного общения, хоть он и говорит, что в Пярну ему хорошо.

Наверное, общения в самом деле стало меньше — так ведь и сил прежних не было. Я потом имел возможность убедиться, что Давид и в Пярну не особенно себя берег — но в Москве он, может, и вовсе уже не выдержал бы. Может, пярнусские годы все-таки хоть немного продлили ему жизнь.

Даже тамошнее общение, особенно летом, в курортный сезон, казалось ему теперь чрезмерным.

— Раньше у нас были хоть утренние часы, когда мы могли с Галей обговорить свое, — сказал он мне в одну из наших московских встреч. — Теперь мы и этой роскоши лишены.

«Крайнее утомление от людей», — записано у него 25.07.1977 г. И немного позже, уже в Москве: «После суматошного, утомительного лета, о котором следует еще поразмыслить, — Москва. То же ощущение безумия, возбуждения и усталости, к которой все привыкли». И 15 сентября того же года: «Знакомые отпали после лета, обидевшись, видимо, что мы живем в отдалении и уже не принадлежим им».

До меня действительно доходили разговоры о разных пярнусских обидах и чуть ли не ссорах.

Кто-то жаловался, что он там «всех раскидал». И в Москве теперь приход в гости без приглашения расценивался как бестактность, это давали понять. Говорили, что он теперь предпочитает ограничиваться лишь «престижными» визитами. Я сам не без ревности узнавал о его приездах в Москву: позвонит ли? Нет, чаще всего не звонил.

Но когда вдруг звонил — я видел прежнего Давида, и все досужие толки представлялись пустыми.

3.II.1976. Утром позвонил Давид, позвал в гости, сказал, что у него в Москве неприятности, что он написал мне письмо в драматической форме, но не закончил и прочтет его вслух...

Письмо оказалось довольно большое, очень забавное — целая пьеса, где я — персонаж. В руки не отдал, обещал прислать, как допишет.

Из разговоров:

— Я Лидию Корнеевну люблю и уважаю, но мы с ней разошлись. Первые пятьдесят страниц третьего тома («Архипелага») для меня эмоционально неприемлемы. Солженицын исходит из того, что советская власть никак не утвердилась в народе и держалась только на терроре. Это в полном противоречии с моей мыслью, что Сталина во время войны спас идеализм народа. А по Солженицыну выходит, что его спас страх.

Что до неприятностей: в раковом отделении лежит его первая жена Лиля, и дела ее плохи.

О больных раком:

— Все дело в том, что действительно больные раком не чувствуют себя больными. Другие вокруг действительно больны, а у них недоразумение, скоро выпишут. Если бы они действительно все знали о себе, они кончили бы с собой... Нет, а мне все-таки хотелось бы дождаться естественной смерти. Все-таки интересно, как это происходит. Писатель, который каждый день не думает о смерти, — не писатель. У меня и стихи об этом есть: «Надо готовиться к смерти так, как готовятся к жизни».

В один из приездов Давида, в апреле 1977 года, я помогал перевозить его имущество опять в новую, теперь уже пятикомнатную квартиру по Астраханскому переулку: 100 с лишним кв. м жилья. «Теперь видно, что ты большой писатель», — пошутил я. Заходившие в гости рассказывали, как новоселы-писатели стараются перещеголять друг друга обстановкой, туалет бархатом обивают. Убогая мебель Самойловых выглядела здесь чужеродно. По сути, он на этой квартире не жил — останавливался на время приездов... Нет, в самом деле, долгой жизни в писательском доме он бы теперь не осилил.

«Московские впечатления в последние приезды примерно одинаковые, — писал он мне 27.06.78 (дата по штемпелю). — Событий не происходит, но что-то неуклонно худшает. В общении это выражается в той же неуклонности, с которой отдаляются люди, прежде жившие рядом, и так же неуклонно приближаются другие, бывшие прежде в отдалении.

Я, видимо, уже пережил (слишком долгий в моей жизни) период чистого общения или чистой взаимной информации. Общение, как таковое, мне стало скучно и утомительно. А отношения возможны лишь с небольшим кругом лиц».

Процитирую еще одно из его писем:

«20.07.1978 (дата опять по штемпелю).

Дорогой Марк!

О катаевском "Венце" ты пишешь очень точно. Но кажется мне, что с точки зрения литературного процесса он выполняет функцию, сходную с либеральным "Стариком" Трифонова.

У нас уже есть литература "сытой" деревни — развившаяся "деревенщина". Это литература деревни, дорвавшейся до власти и до города и потому испытывающей необходимость канонизировать трудности своего пути: мы все получили не задаром. Такова их индивидуальная правда и мера правдивости их ретроспекции. Они прошлое не отвергают и не осуждают, а, напротив, как бы принимают, как бы выстраивают некую закономерность и некую дидактику: ничего не дается без трудностей, через страдание — к благу. Рядом с правдивостью была у них всегда и романтизация среды.

На тех же основаниях будет строиться литература "сытого" города, к которому принадлежат и Катаев, и Трифонов. Один из них растленный, другой — честный, но функция одна и та же: через критику ретроспективную к утверждению действительности. Эта литература будет развиваться, ибо городу тоже нужна своя легенда и обоснование своих прав на кусок пирога.

Как ни странно, "обскуранты" более реально подходят к оценке нравственного состояния нации, но пути предлагают дикие.

Все это и будет в ближайшее время нашей полулитературой».

К слову сказать, мою очередную работу, повесть, которая называется теперь «Провинциальная философия», Самойлов отверг полностью, назвал ее «игрой в бисер».

— Это талантливо, умно и т. п., — сказал он при встрече в Москве. — Если это будет напечатано (чего искренне можно пожелать), это найдет своего читателя, и читателя не худшего. Но мне это совершенно не нужно... В русской литературе есть два направления: исповедальное и учительское. Ты не принадлежишь ни к одному из них. Вначале казалось, что это даже хорошо, ты создаешь какой-то свой, третий путь...

Дальше — о разочаровании... Я слушал его на удивление бестрепетно. Слова об «игре в бисер» не казались мне на самом деле упреком, предложение учиться у Е. Носова давно уже заставило пожать плечами. И почему только два направления?.. Но главное, к той поре я уже справился с юношеским, задержавшимся во мне непозволительно долго комплексом самосовершенствования: мол, буду слушать, что думают обо мне и о моих книгах, даже просить критики — и исправляться, и совершенствоваться. Я бы назвал это гоголевским синдромом — Гоголь отчасти надорвался на чем-то подобном. Я уже знал, что это происходит не совсем так...

В доходивших время от времени публикациях, статьях, интервью Самойлова все чаще звучали нотки, заставлявшие меня в недоумении качать головой. Что-то я переставал понимать. В рассуждениях о народе, о русском национальном характере, об идеализме и национальном идеале начинало слышаться что-то расхожее, не совсем свое — и для меня сомнительное. В статье к пушкинскому юбилею смутил какой-то уж слишком благонравный пассаж о народе как о творце истории: «Знаешь ли, чем мы сильны?.. Мнением народным» — словно забыт оказывался контекст: ведь, по Пушкину, это «мнение народное» привело в Россию самозванца с интервентами. И то и дело, опять же, какое-то пристрастие к категорическим, на мой вкус, произвольным схемам...

Чувство смущения подкреплялось и некоторыми рассказами о разных пярнусских разговорах с ним. Говорили, будто он написал главу об эмигрантах, очень раздраженную; смысл ее мне был пересказан так: вы уезжаете, бросаете, как трусы, поле боя, начали дело и не докончили, а мы теперь отдувайся. Я не читал этого текста, но тут важно, что он так был воспринят. И когда один из слушателей осмелился сказать ему, что по сути именно такое отношение к отъезжающим хотело бы создать КГБ, что он не вправе так говорить об этих людях, Давид — так передавали мне — чуть ли не швырнул в него стулом...

Надо было самому к нему наконец съездить. Рассказы рассказами, но кроме статей и интервью доходили время от времени стихи, и среди них были пронзительные. Никакой категоричности, никакого вещания: сомнение, вопрошание, грусть, проникновенное прощание с жизнью — к счастью, преждевременное. Может быть, слишком преждевременное — ему было, слава Богу, еще жить и жить.

> Хотел мне дать забвенье, боже,
> И дал мне чувство рубежа
> Преодоленного. Но все же
> Томится и болит душа.

5. Пярну

9 мая 1980 года, созвонившись с Давидом, я повез ему в Пярну свою только что завершенную повесть «Два Ивана».

Разыскать дом на улице Тооминга удалось легко. Я вошел без стука. Вся семья сидела за обеденным столом.

— Хоть поздно, но все-таки доехал, — сказала Галя.

Оказывается, Давид перепутал дни и они ждали меня еще накануне. Какая-то их знакомая, любительница готовить, даже приготовила для меня вчера специальный обед, и со вчерашнего же дня мне был заказан номер на отличной турбазе, в нескольких шагах от их дома.

Мы расцеловались. На столе была бутылка коньяка, я выставил еще одну — и все опасения, какой окажется встреча после столь долгого перерыва, сразу потеряли смысл. Как будто и не было никакого перерыва: попрощался, а теперь приехал. Пошел разговор, как в лучшие опалихинские времена, обо всем, о детях, обо всех знакомых, перемежавшийся чтением стихов.

Я вряд ли смогу воспроизвести разговоры этих трех дней в какой-либо временной последовательности — да и не было никакой последовательности. Мы после обеда гуляли с детьми к морю, катали мальчиков на каруселях. Дети выросли, я их едва узнал. Младший, Павлик, оказался, слава Богу, здоровым живым мальчишкой, открытым, расположенным. На другой день я с ним прошелся до самого конца полуторакилометрового мола и почувствовал, как ему не хватает полноценного товарищеского общения: быть все время только с болезненным Петей — не слишком просто и не слишком, наверное, благотворно для психики. Я спросил его, любит ли он Петю. «Не знаю», — ответил он. И после некоторого раздумья: «Когда болеет, люблю. Я ему даю все свои игрушки». Старшая, Варя, жила теперь одна в Москве со знакомыми, и этот отрыв от семьи, считали они, вроде бы пошел ей на пользу. Давид показывал забавный бланк сочиненного им типового письма Варвары родителям, ей там нужно было лишь вставлять: сколько она получила пятерок и четверок, какие видела фильмы (с вариантами в скобках: понравилось, не понравилось) — и т. п. Показал мне сочиненные ею стихи — они удивили меня не только незаурядным владением формой, но и неожиданно серьезным содержанием.

— Я тоже был поражен, — сказал Давид. — Я в четырнадцать лет так не писал. Я не постыдился бы поставить под этими стихами свою подпись.

При этом они с Галей, разумеется, трезво сознавали: еще неизвестно, что из этого выйдет и выйдет ли что-нибудь вообще. Обсудили проблемы, связанные с детьми, которым хотелось одеваться не хуже знакомых и иметь то же, что другие. Самойловы жили в Пярну (по эстонским стандартам) более чем скромно. Давид рассказывал: когда к нему впервые приехало Таллинское телевидение, режиссер тихонько спросил сопровождающего: а это действительно знаменитый писатель?

Когда я сказал Давиду, как многое в этом доме и в его здешнем образе жизни напоминает мне Опалиху, он ответил:

— В Опалихе я был для тамошнего начальства никто. А здесь я местная знаменитость. Я поэт, причем единственный в городе. Когда мне что-то надо, я могу сразу обращаться к начальству, и мне все сделают.

Его действительно здесь знали. Когда я заказывал телефонный разговор с Москвой, Давид напомнил: «Скажи, что говорят из квартиры Самойлова» — и действительно, соединили почти мгновенно. Так же сразу пришло по вызову и такси, что вообще не всегда бывает. Давид рассказывал, как один приехавший к нему знакомый, будучи пьяным, попал здесь в милицию, но стоило ему сказать, что он приехал к Самойлову, как милиционер сразу доставил его по адресу. Он был в дружеских отношениях с администраторами гостиниц, в частности той турбазы, где устроил меня. Он был знаком даже со всеми бригадами проводников вагона СВ поезда № 34 «Таллин—Москва», где они обычно занимали двухместное купе. Тем более что однажды он ехал в этом вагоне с местным начальством, проводники видели, что он пользуется почетом — они такие вещи понимают.

— А кроме того, Пярну — это город, где я, полуслепой старик, могу сам ходить в магазин, — добавил он, когда мы на другой день пошли с ним за покупками. Здесь такие походы совмещались с неспешной прогулкой. По пути мы раз-другой заглядывали в кафе или буфет, по-местному einelaud, и в каждом его тоже знали, без разговоров приносили по сто грамм коньяка, бутерброды с семгой. По словам Давида, он мог здесь сидеть за столиком и работать, к нему никого не подсадят, чтоб не мешали.

Выносливость его к выпивке меня опять поразила, как в лучшие времена: в первый день мы распили на троих три бутылки коньяка, не считая

рюмочки в einelaud, а на другое утро Давид предложил опохмелиться, и потом мы пили еще дома
и вечером в einelaud. Я поддерживал такой темп с
трудом, а сам думал: неужели он может так каждый день?.. Впрочем, был праздник. На городском
валу играл оркестр.

Но что все о быте! Главным были, конечно, стихи. Он читал их мне каждый раз за столом и во
время прогулок вдоль моря, потом я несколько раз
перечитывал машинопись у себя в комнате на турбазе. Это была уже сложившаяся книга «Залив».
Некоторые стихи я прежде читал в печати («Хлеб»
и др.), они не произвели на меня особого впечатления, показались несколько дидактичными, что ли.
Сейчас я услышал другие — возникало ощущение
действительно новой книги.

Тем более что иные стихи совсем по-особому
воспринимались в этой обстановке, на морском
берегу. «Деревья прянули от моря», — читал по
пути Давид, показывая на группу прибрежных со-
сен, как бы сформированных ветром: они накло-
нились в сторону от моря, будто действительно хотели бежать. «Чайка летит над своим отраженьем
в гладкой воде»... Эти стихи, оказывается, были
написаны перед отъездом в Ялту, где умер наш общий друг Исаак Крамов. Там было все так неправ-
доподобно хорошо, — рассказывал Давид; но в стихах уже прозвучало: «Тихо, как перед сраженьем.
Быть беде». («Вот и не верь после этого поэзии», —
сказала Галя.) Знакомым было еще одно стихотворение, которое Давид читал на похоронах Крамова («Мы не меняемся совсем»). Я был уверен, что
они написаны на смерть Крамова. Оказывается,
нет, они были посвящены ему ко дню рождения —
а там уже прозвучало: «Живем взахлеб, живем вов-

сю / Не зная, где поставим точку»... Вспомнили по этому поводу предостережение Пастернака: не надо писать о смерти, своей и предстоящей чужой, потому что поэзия — вещая, она может накликать смерть.

В другой раз он мне читал несколько совсем новых стихотворений. Я сказал, что тут уже другая интонация, она не ложится в старую книгу, это начало новой. Галя была очень довольна: «Скажи, скажи ему. А то он твердит, что у него кризис, что он больше не может писать. Я тоже считаю, что это начинается новая книга».

Показал мне толстую красивую тетрадь, где теперь записывает стихи.

— Раньше я писал на отдельных клочках, иногда их куда-то засовывал, забывал, потом случайно находил. Теперь я все записываю подряд, и когда открываю тетрадь, все хозяйство под рукой, вспоминаю, что было записано, иногда продолжаю...

Не помню, в какой связи зашел разговор о вдохновении.

— Признак вдохновения — когда сами собой идут рифмы, — сказал Давид. — У меня уже достаточный опыт, я рифму всегда найду. Но бывает, их нужно искать, вспоминать — значит, не идет работа. А когда они сами идут, тянут за собой другие, а с ними новые повороты мысли — это и есть вдохновение.

Еще он читал новую для меня прозу. Это были главы «Дом» и «Квартира» — о детстве, семье, родителях. Впервые мне приоткрылась очень еврейская атмосфера его детства: дед, который молился в талесе, дядя-нэпман и др. Стал говорить, что хочет написать об отце, но это очень сложно.

— Он был субъективно состоявшийся человек, хотя объективно не состоявшийся. Он много занимался мной. В частности, от него я впервые услышал библейские легенды. Он повлиял на мое понимание национальной проблемы. Он был очень еврейский человек. Он считал, что в этом государстве евреи не должны быть на первых ролях. Как, скажем, в Израиле не должны быть на первых ролях арабы. Он считал большой ошибкой участие евреев в гражданской войне, в ролях комиссаров и т. п. Когда живешь в стране среди другой нации, нельзя брать на себя расстрелы, приговоры и прочее. Он очень любил тип русского мужика, ценил этих людей, всегда умел найти с ними общий язык.

Уже поздней мне подумалось, что эта несомненно достойная позиция обозначает все же самоощущение человека, живущего как бы не совсем в своей стране. С этой темой был связан еще один эпизод, рассказанный Давидом. Однажды к нему пришли поздравить с праздником две местные дамы-учительницы. Сосед Самойловых, владевший верхней частью их дома, пришел к нему как-то с претензией: его жену, гулящую пьяную бабу, вызвали в отделение милиции и предъявили обвинение в тунеядстве, сосед заподозрил, что это Давид написал на нее заявление. Получив в ответ заверения, что это не так, заодно поинтересовался, сколько бы дал Давид, если бы ему продали и верхний этаж. Давид уловил тут нечто вроде попытки шантажа и прогнал его.

— Надо вообще пожаловаться на него, — сказала одна из дам. — Его давно пора выселять.

— Нет, я так не хочу, — ответил Давид. — Все-таки я живу среди эстонцев. Я не хочу, чтобы говорили: вот, приехал русский, выселяет эстонцев. Надо помнить, что ты живешь в чужой стране.

Вообще разговоров на национальную тему было немало. Он рассказывал о работе Ю. Абызова по этнопсихологии, и я по этому случаю изложил ему концепцию Л. Гумилева, тогда мало кому известную. «Но это же фашизм», — сразу же прокомментировал Давид. (Думаю, тут дело не в моем изложении, я излагал достаточно объективно.) Потом прочел свою поэму «Канделябры» — об иррациональном и злом националистическом шабаше. Я слушал ее единственный раз уже в состоянии некоторого подпития и потом не перечитывал, но сохранившееся ощущение кажется мне как раз адекватным содержанию: ощущение хмельной, недоброй мути, без четких мыслей, с одним лишь откровенным стремлением — стремлением к власти. «Заенделилась енделя, заендилась ендова»...

— Они же как Емельки Пугачевы, — пояснил Давид. — Им хочется бить, резать, что угодно, но только чтобы потом самим в цари...

А еще говорили о друзьях, о знакомых. Вспомнили Копелева, который все-таки собрался уезжать. Давид посвятил ему стихотворение «Нельзя не сменить часового». Заговорили о его жене Рае Орловой, которая написала в своих мемуарах, как ей теперь стыдно за некоторые свои прошлые поступки.

— Я с ней не согласен, — сказал Давид. — Почему стыдно? Разве она поступала против своей совести, считала, что поступает подло, и все-таки делала это? Нет, она была убеждена в том, что делала, считала, что это правильно. Я не считаю, что мы были тогда глупы. У нас были ложные идеи, но понятия были правильные.

Я попробовал задать ему вопрос, как он поступал, когда на собрании надо было голосовать за что-то или против кого-то, а это ведь нередко значило либо кого-то погубить, либо самому чем-то пожертвовать. Однако он не понял вопроса или уклонился от ответа. Тогда я выразился иначе: перед тобой до войны все-таки не вставало самого драматического выбора, судьба в этом смысле не предъявила тебе самых крайних испытаний. Тут он согласился: да, это досталось другому поколению...

Я вспоминал этот разговор, перечитывая некоторые стихи из книги «Залив»: «В тридцатые годы я любил тридцатые годы, в сороковые любил сороковые»... Это желание жить в ладу со временем, несмотря ни на что (или все же — какой ценой?) заслуживает особого размышления.

При этом ему самому как будто казалось, что он сформировался сразу и ему потом не пришлось в себе ничего преодолевать.

— Когда после революции оказалась уничтожена интеллектуальная элита общества, дворяне, духовенство, высшая интеллигенция, — повторил он в том же разговоре уже знакомую мне мысль, — их роль взяла на себя средняя интеллигенция, врачи, учителя. И они сумели сохранить некоторые ценности, дать нам основные понятия. Я нашел свои старые дневники, это очень интересно. Я многое правильно понимал, многому знал цену.

Действительно, когда он читал свои воспоминания с цитатами из юношеских дневников, можно было лишь удивляться его ранней зрелости. Я познакомился с ним сравнительно поздно и не могу судить, насколько он в самом деле менялся или оставался неизменным. Многое, наверное, определялось еще и способностью быть «счастливым по природе при всяческой погоде», как выразился он в стихах. (А может, не просто способностью, но желанием — когда предпочитаешь что-то отстранять от себя, чтобы не смущало?..) У меня потом опять же будет еще возможность поразмышлять о том, что здесь, пожалуй, обозначена и некоторая граница, за которую он не хотел и не стремился заглядывать.

Помянули, между прочим, известного литератора Ф. С.:

— Вот у него понятий не было, — сказал Давид. — Он всегда жил идеями и потому мог менять их, как перчатки. Был убежденным партийцем, потом убежденным новомировцем, потом убежденным сторонником идей Солженицына, потом убежденным христианином. Потому что понятий на самом деле нет...

Было трогательно наблюдать его в домашней обстановке. Утром он вставал и готовил кашу для детей. «Когда готовишь манку, — объяснял он мне, — важно, как ее засыпать, чтобы не было комков». Потом варил кофе. Кофе то и дело переливался из кофейника, потому что он по слепоте не всегда успевал заметить момент закипания. После обеда он обычно шел вздремнуть. В последний день моего пребывания там похолодало, он затопил печку, сел у дверцы; я заговорил с ним, он ответил не сразу — оказывается, вздремнул сидя.

У него в ту пору не было передних верхних зубов. Забавно рассказывал, как пошел было к протезисту, но это оказалась женщина такой ослепительной красоты, что он не смог раскрыть перед ней рта. К усам все время прилипали крошки, он то и дело подкручивал их пальцами. На стене висела фотография времен, когда он был без усов — по-моему, так все-таки было лучше.

Как-то днем постучался в дверь молодой человек — поэт из Тарту, принес стихи. Давид как раз отдыхал, и Галя приняла стихи сама. «А то бы Дезик завел разговор на два часа», — пояснила она мне. По ее словам, к нему сюда едут отовсюду, без конца шлют стихи. Я мог сам убедиться, какая у Давида обширная переписка: в один из дней он получил добрый десяток писем и столько же отправил...

Перед прощанием Давид стал говорить мне, что напишет о моей повести Наровчатову (тогдашнему редактору «Нового мира»).

— Ты сначала прочти, — сказал я.

— Я, конечно, прочту, — ответил он, — но напишу все равно. Мне не надо ему писать специально, мы же с ним переписываемся регулярно. Просто упомяну в очередном письме, что прочел очень хорошую повесть.

6. «Два Ивана»

Я всякого ждал после этой встречи (Давид читал медленно и успел в промежутке сообщить мне, что первые страницы ему нравятся) — но не того письма, какое получил.

20.06.1980 (даты в большинстве случаев указываются по штемпелю на конверте, он, как правило, не датировал писем):

«Дорогой Марк!..

После всех юбилейных возлияний я засел за твою повесть и прочитал ее медленно и внимательно. Если говорить о слове и изобразительности, она написана замечательно. Но чем дальше читаешь, тем больше нарастает сопротивление прочитанному и возникает ощущение однообразия. Ты столько ужаса, крови, вони, уродства, мучительства нагромоздил, что где-то они переступают порог восприятия. Возникает что-то вроде привычки к ужасам, равнодушие к ним. Может быть, ты этого и добивался. Тогда цель достигнута, но верная ли это цель?

И самое главное, конечно, это отсутствие любви и жалости, иначе откуда такое роскошество стиля и такая скрупулезность в описании пыток и убийств.

Ты верно определил композицию вещи как поэтическую. Но поэтическая композиция не искупает отсутствия поэзии внутренней, противовеса апокалипсическому ужасу.

Не стану с тобой спорить, такова ли истинная история России, так ли было на самом деле. Кажется, и тебе это не важно. Ты рассматриваешь пытку, убийства, уродство и юродство как вечные категории нашей истории и без сомнения подставляешь Ивану или Никанору рассуждения 37-го года.

Аллюзионная история мне чужда. Она мало дает для познания прошлого и настоящего. На самом деле история уникальна, ничто не повторяется, все обосновано конкретной психологией масс и деятелей. И опричнина вовсе не 37-й год. А что было страшней, мы не знаем, ибо страдание тоже единично и конкретно. И когда оно таково, оно неминуемо приводит к жалости, к сопереживанию. А жалость — уже и способ понимания. В русской духовной традиции есть идея жалости к руке карающей. Это особенность русского христианского мышления, ставшего потом внерелигиозным мышлением русского интеллигента. Твоя повесть язычески груба. В ней нет бога.

Таково мое главное впечатление.

И еще одно: несмотря на сугубо оригинальный твой авторский почерк, в способе восприятия есть что-то узнаваемое, слышанное и даже раздражающе-банальное.

Прости за все сказанные слова. Я думаю, что нам друг с другом не надо играть в комплименты. О качествах прозы ты сам хорошо знаешь. Но здесь оно превосходит качество мышления. А любоваться одним стилем я, например, не умею. Это наверно умеют пересытившиеся французы.

Отсутствие любви и жалости отметил не только я, но и Галка, и Юлик Ким, значит, это не только мое впечатление. С другой стороны, этого не вставишь и не исправишь. Это может быть только дано или не дано.

Вот теперь, кажется, изложил все основное.

А по деталям у меня замечаний нет.

Не обижайся. Пиши. Какие есть другие мнения?

Привет тебе и твоим от Галки.

Будь здоров.

Твой Дезик».

Сейчас-то мне просто переписывать эти строки — когда повесть моя напечатана, переведена на другие языки и читатель имеет возможность сам составить мнение о правоте или неправоте этой скорей инвективы, нежели критического отзыва. Тем более читатель нынешний, которого последующее развитие литературы — да, главное, не только литературы, а самой жизни — успело приучить к такой чернухе, к такому — действительному —

живописанию ужасов и уродств, по сравнению с которым моя проза выглядит робким стыдливым сентиментальничаньем. Один очень умный читатель упрекнул меня, как раз наоборот, в попытке оправдать в русской истории то, что в ней оправданию не подлежит. Тогда еще не начались дискуссии о чрезмерном якобы благонравии русской литературы, предпочитавшей умалчивать о зле и жестокости реальной жизни и оставившей читателя беззащитным перед этой реальностью. Но надо представить себе самочувствие автора только что законченной вещи, еще не утвердившегося в себе, потому что он лучше других знает, сколь много на самом деле не удалось — а его обвиняют не в частностях и не в литературных слабостях, но в грехах, по сути, личных, в отсутствии жалости и любви, не более не менее (не говорю уже об отсутствии «бога» — с маленькой буквы!) — когда ему приписывают идеи, прямо противоположные всему, что он хотел сказать, да еще так, казалось мне, бездоказательно, так безапелляционно! Приезжавшие из Пярну общие друзья уже говорили мне о «Двух Иванах» чуть ли не цитатами из этого письма — даже те, кто до этого повесть хвалил: я-то знал, как умел Давид внедрять свое мнение и чего стоил высказанный им будто бы интерес к «другим мнениям». Надо представить себе самочувствие непечатающегося писателя, знающего, что и эта его книга, скорей всего, останется никому не известной. А чего стоили хотя бы слова о «пересытившихся французах» — скорей всего, тут была опечатка, но уж я не отказал себе в удовольствии на ней поплясать.

Словом, я написал ему очень резкий ответ. Моя жена запретила мне его отправлять, и я ей благодарен за это. Копии некоторых отправленных писем у меня сохранились. Я воспроизведу эту переписку, опуская лишь не относящиеся к делу житейские подробности, приветы близким и т. п.: что ни говори, а она теперь уже факт недавней литературной истории — как все, относящееся к Самойлову. Даты своих писем восстанавливаю по дневнику.

«27.06.1980.

Дорогой Давид!

Спасибо за откровенное письмо. Неприятие столь полное и безоговорочное в каком-то смысле упрощает разговор. Речь явно идет не столько о литературных оценках, сколько о взгляде на мир, на историю и современность, на литературу. И тут стоит объясниться.

Ты пишешь: "Не стану с тобой спорить, такова ли истинная история России, так ли было на самом деле". Отчего же и не поспорить? Увы, история была не совсем такова. На самом деле все было страшней, грубей, кровавей. Я обошел хотя бы Новгородский погром, когда ежедневно пытали и убивали тысячами, младенцев привязывали к матерям и бросали в Волхов, и длилось это пять недель, а потом перешли к Пскову. Духу не хватило, но во время работы я не раз спрашивал себя: не от робости ли душевной все смягчаю, сглаживаю, поэтизирую?

Я слишком хорошо понимаю, как тянет отвернуться от страшных картин — и в жизни, и в искусстве; сам откладывал в сторону иные описания. По-человечески это более чем понятно и оправданно. Нам по природе свойственно щадить себя и отгораживаться от отрицательных эмоций.

Но для писателя — честно ли это? нравственно ли? И когда дети у меня играют в казнь — можно ли не услышать здесь боли, стона и говорить о смаковании жестокостей?

Я заглянул в трагические времена, когда половина населения погибла от казней, голода, мора, войн, набегов, а для другой половины страх и смерть стали повседневным бытом. Это был непростой душевный труд, который много мне дал и в чем-то меня изменил. После него невозможно стало, в частности, читать иную историческую беллетристику: режет ухо облегченность, условность, неподлинность. Я уже слишком знаю, что реальный Василий Блаженный ходил не в рубище с картинными заплатами, а нагой (таким его и рисовали на ранних иконах) и испражнялся среди площади, что реальные пустынники годами не умывались и не меняли платья и т. п. Когда по-настоящему вживешься в эпоху, перестаешь зажимать нос и находишь в этой жизни свою (не нынешнюю) полноту, истину, поэзию.

Возьми хотя бы документальное описание угличской драмы. Увидев мертвого сына, Мария Нагая схватила из поленницы полено и, простоволосая, стала бить им по голове мамку Василису Волохову. Прискакал пьяный Михайла Нагой, дьяк Битяговский, который незадолго перед тем урезал Нагим денежное содержание. Михайла натравил на Битяговского толпу. Попутно растерзали еще несколько человек, кинулись на подворье Битяговского, разбили там винные бочки, упились, с жены Битяговского сорвали одежду. Звонарь звонил, запершись на колокольне.

Таков пересказ — еще без множества сочных подробностей — известного эпизода:

"Вдруг между их свиреп, от злости бледен
Является Иуда Битяговский.

'Вот, вот злодей!' — раздался общий вопль,
И вмиг его не стало" — и т. п.

Это, впрочем, не Пушкин, это Пимен. Для меня
существенно и полено, и простоволосая баба, и по-
путное пьянство: глубина грубой жизни. Все это
отнюдь не детали и не стилистические роскоше-
ства, это плоть прозы, как и лес, озеро, дорога, ко-
лыбельная и молитва.

Мне жаль, что в твоем восприятии многое
слишком свелось к расхожим схемам: языческая
грубость — христианская жалость и т. п. Насчет
"пересытившихся французов", которые якобы умеют любоваться одним стилем, — по мне, это одно
из общих мест, вроде деловитых англичан, гру-
бых немцев и загадочной славянской души. Современных французов я просто не знаю; была старая
французская традиция, сказавшаяся на русской
исторической беллетристике: традиция исторического анекдота в духе Таллемана де Рео — занятные происшествия, адюльтеры, придворные ин-
триги и т. п. Это по-своему интересно, но как раз
мне не близко.

А что до русской духовной традиции — она
бывает разная, как разным бывает и народ. Народ в истории, увы, не всегда безмолвствует, он
еще оставляет исторические песни вроде приве-
денной мною. И народолюбивые историки разво-
дят руками перед этим голосом, приравненным
к гласу божьему: недаром ведь в народной памяти сложился светлый образ грозного царя. Ах,
недаром!

Тут речь не о жалости к "руке карающей" (да
и слово "карающей" в контексте этой темы вряд

ли точно: карают за что-то, за вину). Тут устоявшаяся с татарских времен традиция холопского, рабского почтения ко всякой власти и силе, готовность заведомо признать ее правоту и с некоторым даже восторгом подставлять собственную спину под кнут (как делает у меня один персонаж, сам палач). Это до сих пор в нас не изжито. Я не принимаю упрека в сознательных аллюзиях (кстати, странно слышать о такой уж нелюбви к аллюзиям от автора любимого мною «Струфиана»). Дело в неизжитости русской истории, ее проблем, о которой я тебе однажды писал. Мысль о том, что «нам, русским, без палки нельзя», можно встретить и в современном разговоре, и в документе 400-летней давности.

Моя книга не в последнюю очередь о памяти. Наша память во многом выжжена, подменена, искажена не только пожарами и стараниями властителей, но и нашей собственной душевной самозащитой, стремлением себя щадить. Одна из задач литературы, мне кажется, — восстанавливать подлинность и интенсивность памяти, чувств вообще. Порой это бывает трудно и даже болезненно.

Можно, конечно, просто вынести все ранящее за скобки своего мировосприятия. Но, думаю, как раз это было бы не в духе русской совестливой традиции. Надеюсь, во всяком случае, что в моем мировосприятии нет равнодушия, хотя мне отнюдь не удается жить и писать на уровне собственных требований к себе...

Хорошо, если бы ты нашел способ переслать мне рукопись. А пока всего тебе доброго.

Твой Марк».

«05.07.1980.

Дорогой Марк!

С большим интересом и даже сочувствием прочитал твое письмо. Я и не ожидал, что ты со мной согласишься. Но все же дискуссию готов продолжить, ибо она касается вещей существенных.

Я умышленно писал тебе только о художественных недостатках "Двух Иванов", выводя их из недостатков авторской позиции — из отсутствия жалости, сочувствия и любви. Твое письмо косвенно подтверждает правильность моего ощущения: какая же может быть любовь к сплошному ужасу, убийству и грязи. Эта позиция для меня внутренне неприемлема. Любить Россию не значит любить дыбу, кнут и блевотину. Есть в ней, в ее истории — я уверен, что есть! — и нечто достойное любви и восхищения, есть добрые, а порой и патетические, свойства народа, есть и бескорыстие, есть и идеализм, есть, наконец, культура, /к/ которой я принадлежу и которую люблю. И это не культура пытки и убийства, не бескультурье сранья посреди площади.

Чтобы так писать, как пишешь ты, нужно "не любить". Об этом-то я и вел речь.

И неправда, что Россия не ужаснулась Иваном. Ты не написал бы свою повесть, не имея свидетельств этого ужаса и осуждения. И само обилие этих свидетельств означает наличие народного мнения, наличие "другого взгляда" даже тогда, в страшные времена...

Любовь и жалость — это не от страха, не от "татарщины", а от сердца, у которого есть свои законы ощущения действительности.

Я видел войну, где погибло больше людей, чем в Иваново время. Видел, к примеру, как улыбающийся мальчик запихивает кишки в развороченный живот. Видел трупы, раскатанные танками в блин, на фронтовой дороге. Видел много ужасного и страшного. И помню все это. И вовсе не отгоняю от себя эти воспоминания. ("Поэт и старожил", где бессмысленно убивают человека.) Но, как свидетель смертоубийства, могу сказать, что помню не только это. Что не ужас, не страх перед смертью был главной нотой в моем самоощущении. А что-то другое.

Ибо довелось мне увидеть и праведников.

Тогда они были в обличье солдат. А в тобою описываемые времена — пустынники.

Ты же в пустыннике видишь прежде всего несоблюдение гигиены, а не духовный подвиг. Можно не зажимать нос, но и не придавать слишком большого смысла своим обонятельным ощущениям. (У Достоевского тоже старец завонял после смерти.) Не думаю, чтобы вонь была плотью прозы. Плоть прозы — мысль.

У тебя в повести праведника нет. А на нем, а не на кнуте, стоит и стояла Россия. Ведь она своими силами вышла из времени Грозного и из разорения Смуты. И так откровенно и ясновидяще оценила происшедшее: Грозный и Смута. Это у тебя и не брезжит.

Ты пишешь историю власти и хочешь отождествить ее с историей нации, общества, культуры. Тут великий просчет в твоей исторической концепции и причина просчетов художественных.

Не думаю, что эпизод с Битяговским у Пушкина хуже и неправдивей, чем твои описания. В нем просто больше целомудрия писательского.

Отождествление власти, народа, общества и культуры смахивает на идеологию эмигрантства. Ты, наверное, не сочтешь этот термин отрицательным.

Эмигранту не надо жалеть и любить. Ему ведь не нужно думать, как жить у себя. Он должен думать, что у себя жить нельзя.

Тут мне Ахматова ближе, чем Горбаневская.

Я эмигрантства не осуждаю, но всегда был сторонником личной, а не коллективной ответственности. Но психология эта вообще мне чужда.

Ведь можно тратить силы двумя способами: один — изобличение зла, другой — проповедь добра.

Твои слова о традиции холопства, о почтении к всякой власти (а не всякая — как с ней быть?), об оправдании власти звучат скрытым упреком мне. Не будем переходить на личности. Но мне эта традиция почитания власти чужда настолько же, насколько и традиция непочитания, ибо они легко переходят друг в друга...

Я уже писал, что ткань твоего повествования добротна, описания безупречны, слово точно. Но не радует это. Это все "гроб повапленный". У Достоевского порой написано "хуже", чем у тебя. Но про что бы ужасное ни написал Достоевский, в результате остается радость. Эта радость — элемент впечатления от художественности.

И даже, если предположить, что твои рассуждения сплошь верны, а мои сплошь неверны, все равно из твоих художественности не получится. И если не от недостатка таланта, то отчего же? Наверное, от "нехудожественности" общей концепции.

Вот, собственно, те бараны, к которым мы должны возвратиться.

Взаимное изложение взглядов не приведет к улучшению "Двух Иванов" или (прости за остроту) даже одного из них.

Ты можешь использовать аргумент Слуцкого и сказать мне, что ты слышал и другие мнения о повести. Допускаю. Но могу ответить тебе так, как отвечал тому же Слуцкому: надо уметь выбирать мнения не по их приятности...

Надеюсь, ты не обидишься за это письмо, ибо какой толк писать друг другу не то, что думаешь...

Будь здоров.

Твой Д.»

«10.07.1980.

Дорогой Давид!

Согласен с тобой: есть смысл продолжить спор, ибо речь действительно идет о вещах насущных. Только хорошо бы при этом не очень забывать сам предмет спора. Я принужден был отвечать главным образом на упрек в живописании жестокостей, и вот ты пишешь: "Твое письмо косвенно подтверждает правильность моего ощущения: какая же может быть любовь к сплошному ужасу, убийству и грязи". Ко мне лишь недавно вернулся экземпляр рукописи, я стал перечитывать главу за главой — да полноте, о моей ли работе идет речь? "Ты пишешь историю власти и хочешь отождествить ее с историей нации, общества, культуры". Но в книге-то прямым текстом как раз обратное: глубинные слои жизни недоступны тем, кто считает себя властным над ней (это, кстати, сочла главной мыслью повести, если помнишь, Галка в своем первом отзыве). И т. д. В позиции автора, который начинает говорить о своей работе и себя цитировать, всегда есть что-то сомнительное. Раз уж повесть задержалась у тебя так надолго, попробуй ее просто перечесть. Впрочем, немного зная тебя, я сам отношусь к этому предложению с юмором.

Некоторые места твоего письма отчасти объясняют, как мне кажется, причину неточности или перекоса в твоем взгляде. Ты пишешь, например, "о бескультурье сранья посреди площади". То-то и оно, что 400 лет назад такое поведение юрода имело как раз и культурный, и духовный смысл. Летопись пишет об этом так: "Душу свободную имея... не срамляяся человеческого срама". Мы сейчас больше, чем когда-либо прежде, учимся подходить к прошлому, вообще к не похожей на нашу жизни без предвзятости современных мерок: моральных, эстетических, гигиенических. XIX век больше был склонен свысока морализировать над былым "варварством", "дикостью", "суевериями", не чувствуя внутреннего смысла многих явлений. Поэтому и праведников не видели в их подлинном обличье, а подгоняли под доступный своему пониманию канон. Праведников вообще проще канонизировать посмертно; вблизи-то они обычно слишком оскорбляют и целомудренный вкус, и обоняние, и выглядят ненормальными — проще любить свое представление о них, чем их самих.

"Полюбите нас черненькими, а беленькими нас всякий полюбит", — справедливо заметил классик. Другой классик, которого ты почему-то решил противопоставить мне, приводит целую дискуссию на тему, можно ли считать праведником того, кто завонял после смерти. Впрочем, Зосима отнюдь не кажется мне самым убедительным образом у Достоевского. Для меня были немного в новинку твои восторги перед этим автором;

когда-то я слышал от тебя другое. Наши мнения, конечно, уточняются, о классиках особенно. Давно ли Достоевский избавился от клички "жестокий талант"? (Надеюсь, не надо пояснять, что я не сравниваю себя с ним.) Но действительно ли даже после чтения "Бобка" у тебя остается радость? Не знаю, не знаю, непременно ли только радость должна оставаться после чтения.

Что до эмигрантского отношения к России, то тут совсем уж парадокс. Многие из читавших рукопись сочли нужным предупредить меня, что если ее напечатают, как раз эмигранты набросятся на книгу особенно остервенело. Думаю, это действительно так. Если хочешь, я могу даже заранее перечислить упреки, которые предъявили бы мне тамошние ревнители русского исторического благочестия. Но стоит ли? Тем более что публикация в ближайшее время мне явно не грозит. А напечатали бы — я послушал бы всякие мнения, с пользой и интересом. Ведь мнения говорят не только о книге, но и о состоянии умов. Выбирать же их не приходится, ни по приятности, ни по неприятности.

В одном из первоначальных вариантов беседы двух старцев произносились у меня примерно такие слова: дело не в правоте кого-либо из нас. Никто из нас не владеет истиной, но она присутствует, витает в воздухе, покуда мы спорим о ней.

Надо только с уважением и всерьез относиться ко всякому искреннему серьезному поиску. Переход на личности тут действительно запрещен. Я не понимаю, каким образом ты мог услышать личный намек в моих словах о традиции холопства: мне это просто в голову не приходило. Тут остается лишь призвать на помощь чувство юмора, как пришлось это сделать мне, когда я читал твои слова о том, что не только в книге моей нет жалости и любви, но мне лично в этом отказано (очевидно, по природе?). "Этого не вставишь и не исправишь, это может быть только дано или не дано". А окажись на моем месте человек менее загрубелый да прими такой приговор всерьез — ведь это повеситься впору. Не будем говорить о любви, но много ли жалости, простой человеческой осторожности в таких размашистых высказываниях?

Ты прав, взаимное изложение взглядов не изменит моей книги. Но оно может не без пользы уточнить сами эти взгляды и мнения. Попробуй все-таки еще раз перечесть...

Будь здоров.

Твой Марк».

«30.07.1980.

Дорогой Марк!

Спор, к которому ты меня приглашал, свелся к довольно тугомотному тяганью. Да у нас вроде и нет принципиальных разногласий. Я говорю, что у автора, даже жестокой истории, должна быть любовь и жалость. Ты как будто с этим не споришь, вместе с тем ссылаешься на Достоевского, что он "жестокий писатель".

Я говорю, что Россия стоит на праведнике. И ты как будто с этим соглашаешься.

Спор сводится, следовательно, к вопросу оценки твоей повести. Есть ли в ней любовь и жалость. Есть ли в ней праведник. Ты утверждаешь, что есть и предостаточно. Я говорю, что маловато. Ты утверждаешь, что перечитал повесть сам и все это обнаружил, что ты своей вещью доволен. А я говорю, что судить о себе самом трудно. Что существует автор и читатель. И что автор должен прислушиваться к читательскому суду.

Ежели тебе этого суда не нужно, то остается тебе быть собственным читателем, еще раз перечитать свое произведение и остаться им довольным.

Ты меня упрекаешь в жестокости моего читательского суда, утверждая, что я тебе лично отказываю в любви и жалости. Ничего подобного. Давай не переходить на личности. А тебе как писателю, я это утверждаю, да и многие согласны со мной, этого не хватает.

Вот и все.

В результате ты можешь согласиться со мной (хотя бы отчасти) и написать мне: я подумаю, постараюсь переделать. Или можешь не соглашаться со мной и написать: я очень огорчен, что тебе моя повесть не нравится, но я считаю, что она совершенна и в переделке не нуждается. Есть и третий вариант: я с тобой частично согласен, но столько вложил в это сил и надежд, что переделывать и касаться этого не могу.

Ты из этих вариантов выбрал второй. И тут мне возражать нечего. Я не обижаюсь на тебя за то, что ты отвергаешь мое читательское мнение. Ты же не обижайся, что я высказал его достаточно твердо и ясно.

Прибедняться нам обоим нечего. Мы оба не дураки. И каждый знает что почем.

А ссылка на то, что кому-то твоя вещь нравится, совершенно не к делу. Выбор читателей целиком зависит от тебя...

Будь здоров.

Твой Д. Самойлов».

«2.08.1980.

Дорогой Давид!

Пожалуй, довольно о моей повести. Скажу только напоследок, что для меня дело отнюдь не сводилось к ее защите. Ты сам знаешь, как уязвим бывает автор только что законченной вещи, как он сам готов опередить и превзойти все возможные читательские упреки, ибо воплощение никогда не совпадает с замыслом. Задел меня за живое характер и тон — не упреков даже, а приговоров. Слишком много я сам об этих вещах думал, и возражения мои были конкретны. Ты на них, кстати, и не ответил.

Но главное, это не только наша с тобой ситуация. Вроде бы единомышленники, не дураки и в общем согласны, что хорошо, а что плохо. Смешно в самом деле спорить, что любовь, жалость или нравственность — это хорошо, а безнравственность и жестокость — плохо. Тут существует уже определенный джентльменский набор литературного благонравия, и ссылаться на него беспроигрышно. Да настоящий-то разговор отсюда только начинается: когда пытаешься уловить и выявить эти ценности в противоречивой, нестилизованной реальности. Мне кажется, литература сейчас во многом заново здесь кое-что осмысливает, и ничей опыт пока не кажется мне бесспорным.

Я уже писал тебе, что мнения иногда говорят не только о книге, но и о состоянии умов. Меня особенно утвердил в этом ответ знакомого историка на "Заметки" Лихачева, которые, помнится, тебя восхитили и о которых мы даже немного поспорили. Удивило почти дословное совпадение некоторых моментов нашего нынешнего спора.

С разрешения автора я посылаю тебе эту работу; интересно услышать твое мнение. Я с ней согласен во всем, за исключением разве что некоторых частностей. Думаю, и тебе будет интересно. Только большая просьба вернуть, не очень задерживая.

Пиши. Рад буду, если в Москве созвонимся.

Твой Марк».

«Знакомым историком» был Леонид Баткин, я послал Давиду его известную ныне работу «По поводу "Заметок о русском" Д. С. Лихачева». В ту пору, правда, автор не без основания предпочитал оставаться анонимным; я раскрыл его имя Давиду лишь в одном из последующих писем. Не так давно эта часть полемики — через меня с безымянным историком — была опубликована Баткиным в его книге «Пристрастия» (М., 1994); я воспроизведу лишь фрагменты нашей с Самойловым переписки.

«13.08.1980.

Дорогой Марк!

Жаль мне, конечно, Д. С. (т. е. Д. С. Лихачева. — *М. Х.*), на которого твой историк, как две капли воды похожий на тебя, столько нагромоздил обвинений. Он ему даже в праве называться "гражданин" отказывает. Выходит, что единственный гражданин — твой историк, ну там еще Радищев, Пушкин и Достоевский. Всего несколько человек за всю русскую историю среди дикой толпы матерящихся, пьяных и непотребных русских.

Жаль мне, конечно, Д. С., к которому твой историк пришил М. Алексеева, видно толком не прочитав, что М. А. глубоко чужд Лихачев, что он его "исправляет" и "дополняет". Пришил он к нему и "деревенщиков", что тоже из другой оперы. Т. е., ежели веришь в "русское", формулируешь идеал прошлого и при этом еще называешь себя гражданином современного государства, то ты и есть Михаил Алексеев.

Жаль мне бедного русского интеллигента и либерала Д. С., который с наилучшими намерениями творит худое дело фальсифицирования национального характера и национальной истории.

Но еще больше жаль мне твоего историка. Он, бедняга, все время старается работу сердца заменить работой ума, горестные заметы холодным наблюдением.

Поэтому задачи у него и у Д. С. разные, можно сказать, противоположные. Твой историк пытается доказать, что он Россию любит умом, беспощадностью, всей своей умственной правдой. А на деле доказывает, что Россию любить не стоит, что она чудовищна и непотребна, что такова ее история с давних времен.

Д. С. показывает, за что можно и нужно любить Россию, за что он ее сам любит как гражданин. А любит он ее за культуру. И не за особую, "деревенскую", "уездную", а за культуру в высоком и всеобщем понимании. Потому он и обращается к понятию космополитизма и без всякого бранного оттенка.

Твой историк, опять же, путает историю власти с историей нации и культуры, с историей общества, породившего тех же Радищева, Герцена, Пушкина, Достоевского и, наконец, его же, историка. Или он из яйца вылупился? Или он гадкий утенок, а на деле — лебедь, воспаривший над бедным утиным стадом?

Как он неоригинален, твой историк, в своем зазнайстве перед Россией, в своей чувственной и обонятельной неприязни к толпе. В этом что-то инородческое, чужое.

Лихачев любит. А любить можно и просто, по велению сердца, иногда вопреки уму. И поэтому история России для него не "история вообще", а еще и родительское предание, еще и пейзаж и строение, еще и среда, еще и слово, и обращение.

Твой историк вставляет Россию в ход всеобщей истории и хочет ее судить по этим законам. Он доказывает, что Россия — худшее звено истории и что на пересечении идеала и действительности именно в ней возникали самые уродливые формы жизни.

А либерал Лихачев не судит, ибо судить не хочет. Он любит, а у любви свои законы.

И рядом с этими законами плоскими кажутся все аргументы твоего историка.

Вот, пожалуй, все, что хотелось написать по этому поводу...

Твой Д.»

Это письмо я показал Баткину, и он снял для себя копию, чтобы написать ответ. Копии моего собственного ответа у меня не сохранилось. О его содержании можно судить по следующему письму Давида. Не помню, тогда или поздней я счел нужным ему сообщить имя Баткина: я испытывал определенную неловкость оттого, что один из участников выступал в этом споре, так сказать, с открытым забралом, другой оставался анонимным. О содержании и резком тоне ответного баткинского письма я, видимо, уже знал.

«2.10.1980.

Дорогой Марк!

Запоздало поздравляю тебя с днем рождения. Я в юбилейных датах туп.

Что же касается "инородческого", не вижу, на что здесь сердиться. Есть взгляд на историю нации и ее культуру "изнутри", а есть "извне". Взгляд извне дает право на "объективность" и "ума холодных наблюдений". Или на необъективность, но "внешнюю". К примеру, странно было бы, если бы татарский историк рассматривал Куликовскую битву как торжество справедливости, а не как избиение татар.

В споре самом и в его формулировках я не вижу ничего случайного и ничего специально "не от хорошей жизни". Спор как спор.

А "резковатое" письмо твоего историка прочитаю с интересом...

Моя книга "Избранное" вышла и, говорят, продается. Я ее еще не видел. Тираж всего 25 тыс. Значит, на черном рынке пойдет за двадцатку.

Как только получу заказанные экземпляры, пришлю тебе.

До встречи...

Твой Д.»

«7.10.1980.

Дорогой Давид!

Поздравляю с выходом книги. Я ждал ее давно и заинтересованно...

Мою рукопись по Москве читают, отзывы бывают занятные. Обычное удивление автора, когда в его работе находят вещи, о которых он сам не думал.

Меня, в частности, озадачивает упор на сугубо национальной проблематике. Почему у Шекспира (надеюсь, ты не сочтешь за сравнение) нас меньше всего заботит отражение черт английского национального характера в образах Лира, Макбета, Ричарда или в ужасах междоусобной борьбы? Я остаюсь при чувстве, что здесь какой-то сомнительный сдвиг в умонастроениях.

Вот и в последнем письме ты находишь странным, "если бы татарский историк рассматривал Куликовскую битву как торжество справедливости, а не как избиение татар". Действительно ли ты думаешь, что для историка (то есть человека все же интеллигентного) было бы странно встать выше узконационального взгляда на события? Что истинно русский не мог сочувствовать борьбе поляков в 1830 и последующих годах? Или что француз никогда не увидит в победе вьетнамцев при Дьен-Бьен-Фу торжества справедливости, а лишь избиение своих соплеменников? Что взгляд историка определяет не страсть к поиску истины, а иррациональные пристрастия? Тогда почему бы в самом деле не спрашивать анкету: п. 5 — татарин? — а! что вы можете сказать о нашей Куликовской битве!

Я все продолжаю надеяться, что тут какое-то недоразумение, издержка полемики, неточный выбор слов.

С этой надеждой и пересылаю тебе реплику твоего оппонента, с которой ты захотел познакомиться...

Пиши, мой милый. Сердечно тебя обнимаю.

Твой Марк».

«Реплика оппонента» была опубликована Л. Баткиным в той же упомянутой книге. Я не хотел этой публикации и говорил об этом Баткину, когда он со мной на сей счет советовался, но доводы приводил какие-то придуманные. Подлинной причины своего внутреннего сопротивления я назвать не мог: мне было больно за Давида, которого в полемике явно занесло куда-то, куда он сам, думаю, не хотел. Его позиция казалась мне слишком уязвимой, доводы — неубедительными, на удивление слабыми; я, увы, не мог не быть в основном согласным с Баткиным. А он отвечал не в пример мне резко, не сдерживаясь — для него Давид не значил того, что для меня. Однако я не мог оспорить его права считать себя косвенным адресатом одного из писем. Я мог только, помнится, сказать Баткину, что оппонента его теперь уже нет в живых и он не может больше ответить...

На самом деле Давид безответным отнюдь не остался.

«13.10.1980.

Дорогой Марк!

Скучный, скучный твой историк. И к тому же великий цеплятель за слова. Я ему "инородца", а он мне "выкреста", я ему "Континент", а он мне Бунина. А "Окаянные дни" забыл или не читал.

На этом спор кончается. Ведь речь шла о "заметках" Лихачева. Он их критиковал, я их защищал. А что заметки могли понравиться М. Алексееву, так что ж тут такого? Чехов, к примеру, Ермилову нравился.

Твой историк мне про логику твердит. А я ему про любовь. Он считает, что любовь — это от "власти", мол, воспитана в нас рабская любовь. Петр, к примеру, воспитывал любовь к чужеземному, а не к своему. Да и вообще, Россия изменяется, как все на свете, и по одному времени нельзя судить о другом.

Все это прописные истины. И историк твой — сторонник свободного ума — только их и талдычит. Да еще себя ставит в ряд с Пушкиным, Герценом, Лермонтовым. Я на такое не претендую. Я говорю о собственном отношении и самочувствии в России. И историку его не навязываю. Удивляюсь только, зачем он занимается тем, что внушает ему такой страх и отвращение? Занялся бы историей Гренландии.

Ну, бог с ним. Пусть живет.

Твое удивление по поводу восприятия "Двух Иванов" в национальном аспекте (я так понял?) мне кажется странным. Мы живем в эпоху, когда отсчет (для "среднего" человека, конечно) начинается с нации, а не с человечества. Был отсчет с человечества у нас в 20-е годы. Много ли он лучше оказался?..

По поводу твоих "Иванов" я писал Наровчатову, никак не высказывая свое мнения, так, вроде бы к слову. Можешь связаться с ним...

Будь здоров.

Твой Д.»

Грустно сейчас это перечитывать. Каждый волен, конечно, соглашаться с тем или другим в этом споре. Но мне позицию Давида и сейчас понять трудно. Как будто он однажды и навсегда сформулировал и утвердил для себя некую общую идейную конструкцию, где «идеал прошлого» существовал как бы обособленно от противоречивой действительности, а «история власти» — от «истории нации и культуры», где «работа сердца» противопоставлялась «работе ума» и заклинания о любви к родине словно бы могли заменить осмысление трагизма и проблематичности реальной российской истории, которую почему-то не следовало «вставлять в ход всеобщей истории» и «судить по общим законам»... И никакие доводы, никакие указания на конкретные факты и противоречия не могли убедить его эту конструкцию хоть как-то перепроверить: он логике противопоставлял все те же заклинания о любви. Чем дальше, тем все больше было вялого отругивания вместо аргументации. «Инородческое», «татарский историк»... грустно. Как будто он сам чувствовал, что его занесло. Но нельзя же было ждать, что при своих глазах он в самом деле возьмет на себя труд перечесть мою повесть...

А заключительные слова о письме Наровчатову — разве они малого стоят?

7. Последние годы

В последние его годы мы виделись совсем редко. Понемногу переписывались. Получив вышедшую тем временем книгу «Залив», я стал перечитывать уже хорошо знакомые стихи — и не в первый раз стал ловить себя на том, что как бы спотыкаюсь на строках, которые прежде не вызывали у меня вопросов. Например, в стихотворении «Афанасий Фет»:

> В его судьбе навек отделена
> Божественная музыка поэта
> От камергерских знаков Шеншина.
> Он не хотел быть жертвою прогресса

И стать рабом восставшего раба.
И потому ему свирели леса
Милее, чем гражданская труба.

Не так это на самом деле просто, — думалось мне. Нелегкая жизнь Фета не так уж отделена от его поэзии, его гармоничность, светлое приятие мира выстраданы испытаниями, сомнениями, трудным опытом и размышлениями. Разве не сам Давид написал об этом когда-то в любимых мною стихах на смерть Ахматовой:

Ведь она за свое воплощенье
В снегиря царскосельского сада
Десять раз заплатила сполна.
Ведь за это пройти было надо
Все ступени рая и ада,
Чтоб себя превратить в певуна...

А впрочем, превратилась ли Ахматова в певуна? — тут же возникало новое сомнение. Скорбящей матерью, плакальщицей за всех — стала, но садовым певуном?..

Я все чаще размышлял в ту пору о том, что есть солнечное приятие мира, прошедшее через сомнения, страдания, выдержавшее испытания абсурдом и жестокостью, — и есть желание ничего об этом трагизме не знать, просто отвернуться от него. Как-то я прочел слова немецкого философа К. Ясперса о Гете. Он видел ограниченность великого поэта в его безоговорочном приятии мира, в стремлении как угодно сохранить равновесие с самим собой. «Нам ведомы ситуации, — писал Ясперс, — в которых у нас уже не было желания читать Гете, в которых мы обращались к Шекспиру, к Библии, к Эсхилу, если вообще еще были в состоянии читать... Существуют границы человека, о которых Гете знает, но перед которыми отступает... Было бы неверно сказать, что Гете не чувствовал трагическое. Напротив. Но он ощущал опасность гибели, когда решался слишком близко подойти к этой границе. Он знает о пропасти, но сам не хочет крушения, хочет жизнеутверждения, хочет космоса».

Поздней я процитирую эти слова в своем эссе «Уроки счастья», вовсе не думая о Самойлове. Ясперс, между прочим, продолжает свою мысль. По его словам, ограниченность Гете — оборотная сторона великого его достоинства: глубоко загнав внутрь свой «опыт трагического», он пришел на этой основе к «несравненно широкой человечности понимания», которая способна уравновесить, смягчить напряженно-тревожное и трагически-болезненное состояние душ и умов, характерное для Европы XX века.

«Без такой опоры и равновесия нам всем трудно было держаться», — напишу я в этом эссе.

Но все эти оговорки, все напряженные мысли как-то теряли значение, когда он, ненадолго приезжая в Москву, вдруг звонил, звал в гости или на вечер — и я оказывался вновь в атмосфере, близкой моему сердцу: звучали новые стихи, и не надо было думать об оценках, был голос Давида и хмель в голове, было присутствие поэзии, прекрасной поверх отдельных стихов или строк. Без него жизнь, оказывается, была совсем другая.

(Она и стала заметно другой теперь, без него.)

23.11.1987. Давид читал стихи из своей новой книги «Горсть». Он приехал продвигать двухтомник в Гослите, говорит, что его выдвинули на Государственную премию на будущий год, и есть шансы, что дадут. Это бы решило его финансовые проблемы и дало бы возможность года 2–3 спокойно работать над прозой, не отвлекаясь на переводы. Начал работать над пьесой по "Доктору Живаго". Говорит, что стихи из романа нравятся ему больше, чем ранние, кроме некоторых.

— Почему ты читаешь не все, некоторые стихи пропускаешь? — спросил я.

— Да они так себе.

— Зачем же ты пишешь стихи так себе? — сказал математик Ю. Л.

— Знаешь, мои так себе лучше, чем их хорошие. И потом, жить-то надо.

В какой-то момент я спросил:

— Скажи, тебе хорошо живется?

— Нет, — покачал он головой. — Сказать в двух словах причину: груз годов. Я ведь как всегда жил? Пил вино и баб е...л. Теперь все не так.

При этом он выглядел по-прежнему оживленным, остроумным. На вечерах замечательно отвечал на записки. Как-то его попросили прочитать «Сороковые, роковые», он отказался:

— Когда я читаю «Сороковые, роковые», мне кажется, что не я их написал. Как будто мне их в школе прочитали.

(В другой раз рассказал, как на одном из вечеров забыл свои стихи и какой-то мальчик из зала ему подсказывал — знал наизусть.)

На записку, есть ли у него увлечения помимо поэзии, ответил:

— А вот этого я вам не скажу. Когда был молодой, были, конечно, увлечения, а сейчас — что уж...

Потом на банкете за кулисами А. Городницкий поднял тост:

— У всех гениальных людей жены красивей их. Выпьем за Галину Ивановну.

— Это подкоп, — мгновенно откликнулся Давид. — Я красивей ее, но она гениальней.

Хорошо, не правда ли?..

Вообще его экспромты, юмористические стихи, письма, надписи на книгах (некоторые теперь собраны и изданы) — особый разговор. Мне кажется, немногие из профессионалов этого жанра могут с ним тут равняться. Я ценю эту область его творчества ничуть не меньше так называемых «серьезных» стихов — хоть и давались они ему как будто играючи, без усилия.

> Я сделал вновь поэзию игрой
> В моем кругу, —

сказал он сам. Его способность к рифмованным импровизациям вообще казалась мне, прозаику, непостижимой: лишь на секунду задумавшись, он сочинял стихотворную надпись на книге.

Приведу лишь один из таких экспромтов. Поздравляя меня в письме с очередным днем рождения, он сумел, по-моему, виртуозно зарифмовать мою не очень поддающуюся рифме фамилию, да еще вместе с именем:

> Пусть иные хари тонут
> Уходя во мрак.
> И да будет Харитонов
> Марк!

Письма приходили время от времени. Приведу еще два. Когда у меня наконец — в пятьдесят один год — вышла первая книга, все повести в которой были для меня так или иначе связаны с именем Самойлова: и «Прохор Меньшутин», и «Этюд о масках», и «Два Ивана», и посвященный Самойлову «День в феврале», Давид откликнулся на нее письмом:

«10.03.1989.

Дорогой Марк!

Твою книжку я воспринял как личную радость. Листал ее и убедился, что все хорошо помню.

Ты молодец. Не делал уступок. Выстоял. Ждал. Писателю нужно, кроме таланта, огромное терпение.

Ты свое время не упустил. Я ведь тоже поздно начал печататься. Первая книжка вышла, когда мне было уже тридцать восемь. Прозаики соответственно могут начинать и позже. Уверен, что книга твоя будет замечена лучшим читателем и высоко оценена.

Сейчас почти все пишут плохо. Ты один из немногих, кто пишет хорошо. Ты мастер.

Еще раз поздравляю тебя и Галю».

Ну как было не любить такого человека!

Вообще же это письмо оказалось одним из самых грустных — грусть была навеяна и собственным состоянием, и состоянием времени. Я процитирую его дальше:

«У меня особых новостей нет. Осенью написал две небольшие поэмы, которые пойдут в «Октябре» и в «Неве». Несколько новых стихов отдал в «Знамя» и в «Даугаву». Что-то пишется. «Огоньковский» цикл ты, наверное, видел.

Сейчас сижу за огромным переводом. Болят глаза. С этим делом надо кончать.

Несмотря на тихую жизнь, не покидает чувство тревоги. События развиваются быстро и непредсказуемо. Но это ты и сам знаешь. Сейчас, как никогда, работает фактор времени. Если произойдет неожиданный (или возможный) слом, все пойдет прахом. И может настать эпоха жуткая. И все же что-то уже необратимо. К сожалению, в России все понимается после, потом. Россия кается и сожалеет. Но все это задним умом. Опять-таки надо ждать.

Семейство в порядке.

В апреле собираюсь в Дубулты. А в мае в Москву. Позвоню тебе, т. к. надеюсь побыть в Москве "тихо", без выступлений и суматошных дел. Повидаемся. Поговорим.

Посылаю тебе маленькую "Беатриче". Возможно, что почти все ты читал. Но в книжке это смотрится иначе.

Жду двухтомника и новой книги "Горсть".

Привет Гале. Привет от Гали.

Обнимаю тебя.

Твой Д.

10.03.89»

На этот раз он, против обыкновения, поставил дату.

Последнее письмо от него датировано 30 ноября 1989 года, но получил я его уже в декабре:

«Дорогой Марк!..

Веселого мало... Народное мнение, мне кажется, в главном сползает вправо. Процесс естественный при топтании на месте, непоследовательности властей и законодателей.

Прогнозы печальные. Оттого хочется жить сегодняшним днем, делать свое дело.

Стихи, как обычно, приходят не каждый день. Двухтомник дал мне возможность не заниматься текучкой. Надеюсь, наконец, засесть за последовательное писание воспоминательной прозы, есть довольно много кусков. Их надо дописать, связать, свести воедино»...

Без малого через два месяца его не стало.

В его смерти есть что-то хрестоматийно-классическое — он умер на поэтическом вечере памяти Пастернака в Таллине. Это была смерть поэта — легкая смерть, какой, говорят, дано умирать праведникам. Передавали его последние слова, когда он ненадолго очнулся: «Ничего, ребята, все в порядке».

Его смерть навалилась на нас в ряду других, внезапных, одна за другой: смерть еще одного нашего друга Натана Эйдельмана, смерть А. Д. Сахарова. Что-то вдруг сразу и резко ухудшилось в этом мире. И словно опустело вокруг.

Потом были похороны в крематории. Я стоял у гроба, смотрел на лицо Давида с заострившимся, как это бывает у покойников, сразу каким-то очень еврейским носом, и мне хотелось прочесть изумительные его стихи, точно заранее для этого дня написанные:

> Хочу, чтобы мои сыны
> и их друзья
> несли мой гроб
> в прекрасный праздник погребенья...

Но не решился — и крематорская обстановка не располагала. А стихи звучали как бы сами собой, внутри:

> И все ж хочу,
> чтоб музыка лилась,
> ведь только дважды дух ликует:
> когда еще не существует нас,
> когда уже не существует...

Дальше начиналась уже его посмертная жизнь — в стихах и прозе, которые по сей день продолжают доходить до нас впервые, не читанные прежде, как доходит не сразу, спустя срок, свет погасшей звезды.

Февраль–март 1995

Семен Израилевич Липкин
(Из книги «Стенография конца века»)

27.02.1979. Зашел к Копелеву, там был Искандер, лежала газетенка «Московский литератор» с откликами на «Метрополь»*. Полторы полосы дерьма, подписанного разными именами. Особенно меня огорчил Залыгин (почему-то я от него этого не ждал): он единственный обрушился на Попова, назвав его рассказы «стоящими вне литературы»; другие Женю не трогали. Откуда у этих людей уверенность в своем праве определять, кому жить в литературе, кому нет? Рассказы самого Залыгина в последней «Дружбе народов» не выдерживают никакого сравнения с рассказами Попова, это очень слабая литература — но мне в голову не придет запретить Залыгину печататься. Розов: Мы, конечно, не можем этого напечатать. Мы! Михалков: писатели союзных республик, которых переводил Липкин, задумываются, не поискать ли им другого Липкина. Какая уверенность, что всегда найдется другой Липкин! И антисемитизмом, конечно, попахивает...

30.10.1980. ...Заехал к Копелеву. Там были Липкин с Лиснянской...

* С. И. Липкина вместе с его женой, поэтессой Инной Лиснянской, за участие в неподцензурном альманахе «Метрополь» (1979) исключили из Союза писателей.

Разговор о визите Кани в Москву. В Белоруссии якобы мобилизовали 5 возрастов, ГДР закрыла границу с Польшей. Введут войска или нет? Если введут, будет мировая война. Хочет ли руководство войны? Я сказал, что нет. «Мне кажется, вы относитесь к этим людям (руководству), как Толстой к своему Холстомеру, — возразил Липкин, — вы приписываете им человеческие чувства. А у них логика другая, не человеческая». — «Инстинкт самосохранения — это не человеческое чувство», — заметил я.

Рая пригласила меня поехать с ними — к Светлане, на их проводы. Было много знаменитостей: Битов, Ахмадулина, которую я видел впервые (с Борисом Мессерером, ее нынешним мужем, очень симпатичным человеком), Окуджава, Войнович, Даниэль. Читали стихи на пленку...

Из разговоров. Липкин спросил у Комы*, почему Христос молился «авва отче», то есть два раза на двух языках произнес одно и то же слово? Кома отвечал, что это сложный вопрос: на каком языке говорил Христос? Вероятно, на арамейском; возможно, где-то существует подлинник Евангелия на древнееврейском языке. И перед смертью, обращаясь к отцу, он вспомнил язык своего детства, а в Евангелии эти слова растолковали для читателя, который этого языка уже не знал, то есть дали сразу и слово, и перевод...

24.06.1981. ...Из рассказов Липкина. «Когда Анна Андреевна хлопотала за Бродского, она обратилась за помощью к Наровчатову. Тот, конечно, не помог. Меня это очень удивило. Он тогда не был даже влиятельной фигурой, так сказать, подполковник, но не генерал. Я спросил ее, почему она все-таки об-

* Лингвист Вячеслав Всеволодович Иванов.

ратилась к Наровчатову? И знаете, что она мне ответила? "Он красивый"».

25.04.1988. ...Позвонила Инна Лиснянская, я поехал к ней и Липкину. Инна встретила меня очень нежно, расцеловались...

Книг у них не предвидится: им не предлагают, они сами не ходят и не хотят. Все, что до сих пор было напечатано в журналах, — это по инициативе журналов. «Противно ходить, — сказал Липкин. — У меня тяжелый опыт. Моя первая книга вышла, когда мне было 56 лет». Сейчас оба переводят Кайсына Кулиева: нужны деньги...

— Когда я пишу стихи, — сказал Липкин, — у меня хорошее настроение, а сейчас я перевожу, у меня тоска. Я перестал флотировать — знаете этот химический термин? Когда обогащают руду, доводят в ней содержание нужного металла с тридцати до шестидесяти–семидесяти процентов, этот процесс называется флотацией. Раньше он мне давался легко, а сейчас я перевожу, лишь бы имело вид. Но это несъедобно...

По его сведениям, на июнь общество «Память» обещает еврейский погром. «Значит, они чувствуют покровительство. Погромы всегда происходят под покровительством властей. Потому что погромщики трусы». И он рассказал историю погрома, который устроил в Одессе атаман Григорьев. Их предупредил о нем старый знакомый, городовой. Он уже предупреждал его отца, социал-демократа-интернационалиста, закройщика, когда к нему должны были прийти арестовать. Значит, городовой знал, и власти знали. Они прятались в подвале у мадам Шестопал, владелицы магазина церковной утвари. «Но это был уже не 905-й год. Евреи организовали отряды самообороны, на Молдаванке шла стрельба, и до нашего квартала просто не дошло».

Рассказывал, как встречался с Клюевым в доме Клычкова. Его приводил Мандельштам. (Наверное, об этом он сейчас пишет в воспоминаниях.) Клычков объявлял, что еврей не может быть русским поэтом. Немецким, французским, каким угодно, но русской страны он по природе не может понять. «Он не был антисемитом, но таково было его убеждение. И любопытно, что Клюев ему возразил. Нет, сказал он, а чей был сын тот, кто «в рабском виде исходил, благословляя» нашу землю? Жидовочки».

«Мандельштам, — говорил Клюев (коверкая эту фамилию), — поэт, а Пастернак (тоже коверкая) — спичечный коробок, но без спичек».

Рассуждал о национальных проблемах.

— Я считаю, что империя обречена на распад. Когда-то в Средней Азии к русским относились хорошо, по крайней мере, интеллигенция. Но все время росла ненависть к русским. Особенно после коллективизации. В Средней Азии многие бедняки имели большие участки земли. Главное — вода, орошение. И много было скота, особенно в Казахстане. Там бедняк-бедняк имел двести овец. Их всех сослали. И знаете, большую роль, как ни странно, сыграл пример Израиля. Хотя, казалось бы, это враг мусульман. Но они видели: маленькая страна на полупустынной земле сумела устоять против более многочисленного и сильного врага и живет неплохо. Там через бухарских евреев многие имеют родственников. А бухарские евреи породнены с узбеками, таджиками. К евреям в Средней Азии лучше относятся, чем к русским. Я объясняю это чисто марксистски. Русские и евреи пишут для них диссертации. Сами они ничего не могут написать, даже по гуманитарным наукам, не говоря о математике или физике. Но русский, написав кандидатскую диссертацию, требует для себя докторскую или высокую должность — там для них предусмотрен определенный процент. А евреи знают, что ни на что не могут претендовать. Разве что напишут свою кандидатскую, если еще не кандидаты. Или проще всего деньгами. Или попросит устроить дочку в медицинский институт. С ними проще.

Введение русского алфавита оказалось катастрофой, особенно для поэтов. Дело в том, что там стихосложение связано с тонкостями долготы и краткости, которые можно передать только арабским алфавитом. Там существует 90 основных размеров, их когда-то учили в медресе. Сейчас самый образованный поэт знает 3–4, ну 5 размеров. Я знаю один. Иранцы смеются.

Об идише. Многие древнееврейские слова вошли через идиш в воровской жаргон. Например, хаза, шмон, мусор. Хохма — тоже древнееврейское слово, оно родственно имени Хикмет, что означает: мудрая мысль. А что такое душман? Враг. А басмач — следующий за зеленым знаменем мусульман.

31.10.1988. ...Заехал к Лиснянской и Липкину. Липкин утром был в «Дружбе народов», там планируют издать его «Декаду». Спросил, чем он занимается. «Во-первых, пишу стишки. А во-вторых, взялся за странную работу: делаю по научному переводу Дьяконова поэтический перевод "Гильгамеша". Без всякого заказа. Эта работа вряд ли будет напечатана, тем более Кома мне сказал, что Дьяконов считает свой перевод поэтическим. Но я давно это хотел сделать, уже несколько лет этим занимаюсь. Перевел из 11 песен (или таблиц, как правильно их называет Дьяконов) 8. Пусть после моей смерти останется. Я ведь готовлюсь уходить. Это великое произведение, и оно многое говорит моей семитской душе. Там много грубости, эротической грубости. Я придумал одно строфическое решение»... — «А мемуары?» — «Отложил. Я вдруг почувствовал, что многого не помню. Я хотел написать про встречу с Клюевым и вдруг почувствовал, что помню общее содержание его речей, но не помню конкретных слов. А у него очень своеобразная речь. Я сделал глупость, что в свое время не записал. Еще недавно, до операции, мне казалось, что я все точно помню. А после операции вдруг оказалось, что забыл...

12.01.1989. ...В «Литературной газете» рассказывают, что Липкин передал издательству хранившийся у него экземпляр романа Гроссмана «Жизнь и судьба». Я вспомнил, как спрашивал у него: кто же это сохранил роман? Да, это очень интересно, — отвечал он. Но я уже с молчаливого намека Лены Макаровой об этом догадывался.

5.02.1989. ...С Галей в ЦДЛ на вечер Липкина... Прекрасные стихи, некоторые я услышал как будто впервые, так мощно они прозвучали. Это крупный поэт. Подарил свои книги* ему и для передачи Л. К. Чуковской, с надписью, где рассказал историю 1972 года (когда у Анатолия Якобсона при обыске изъяли рукопись моего «Прохора Меньшутина», которую он хотел ей показать).

16.04.1989. ...Вечером в ЦДЛ на вечер Инны Лиснянской... Инна в красивом зеленом платье, которое ей привезла из Америки Лена, выглядела

---

* Сборник повестей «День в феврале» (1988) — первая моя книга.

очень достойно, читала хорошо, да и стихи хорошие... Поговорил с Липкиным, он сказал, что читает мою книгу второй раз. «И как?» — спросил я. «Ausgezeichnet!» — ответил он почему-то по-немецки...

25.04.1991. ...Позвонил Липкину, договорились встретиться. Он пишет стихи и воспоминания, опять жалуется, что память отказывает. «Не могу вспомнить точную прямую речь, это раздражает, а в раздражении писать нельзя». Очень хвалил мою книгу. «Но это не рассчитано на массовый успех»...

29.03.1999. Разговор с С. И. Липкиным. Обсуждали недавние бомбардировки Югославии, резню, которую устроили сербы в Косово, говорили о национальных страстях и безумствах, о мусульманском самоощущении.

Липкин:

— Они все помнят, ничего не забывают. Был когда-то такой турецкий город Бердыш, там изготовлялось оружие, которое так стало и называться. Теперь это Бердичев...

— Как, Бердичев был турецким Бердышем? Я не знал.

— Но вы же знаете, что и Одесса была турецкой. Конечно, у них все это отвоевали, и сами турки завоевали полмира, переименовали Константинополь в Стамбул. Но они помнят, что и этот город принадлежал им... Я жил когда-то во дворе, превращенном в коммунальную квартиру, там обитали шестьдесят семей, а когда-то дом принадлежал одному известному промышленнику... вот, с возрастом стал забывать фамилии... (Время спустя вспомнил и вставил: Гоншин. И он жалуется на память!) От этого семейства осталась в живых одна старуха, ее сын женился на женщине по фамилии

Калинина и взял ее фамилию. Он совершенно не помнил о своем происхождении, и никто не знал, кому принадлежал этот дом. Но старуха помнила все подробности: вот здесь была столовая, в этой комнате детская, там комната для гостей, наверху жила прислуга. Помнила, что было во всех пристройках и надстройках. Она никогда этого не забывала. Так же и с национальной памятью...

Я много бывал в разных наших мусульманских республиках, со мной и при мне говорили откровенно, я для них был не русский, а еврей. Я перевел татарский эпос «Идегей», его не разрешили печатать, я для татар был такой же пострадавший, как они сами. О русских все говорили с ненавистью. Никто не сделал для национальной вражды больше, чем большевики. До революции мусульманские и другие меньшинства готовы были жить с русскими, они были для них носителями высокой европейской культуры, через Россию был выход в мир. Революция все это уничтожила. Ленин ничего не понимал в национальных делах, и они его не интересовали, но Сталин очень хорошо в этом разбирался, умел натравить один народ на другой; взаимная вражда помогала держать в руках власть. Это для нас церкви уничтожали большевики, для мусульман мечети и медресе уничтожали русские, они запретили священные книги на арабском языке, ввели кириллицу, которая совершенно не была приспособлена к фонетике их языков. Вслух они могли говорить что угодно, но память о религиозных святынях молча хранили...

Я знаю, как хоронили Рашидова, узбекского партийного секретаря, члена Политбюро. Его хоронили как положено, приехала из Москвы делегация, тоже какой-то член Политбюро, похоронили поязычески, возле здания республиканского ЦК. А ночью могилу раскопали, надели на труп чалму, халат, прочли, как полагается, молитву и закопали снова...

— Я никогда об этом не знал. (И странно, что никто не написал сейчас.)

— А вы и не могли этого знать. Этого никто не знал. Мне рассказывала вдова Рашидова. Я был знаком с его семьей...

Или возьмите Дагестан. Там живут 30 наций. И было твердо установлено: первым секретарем ЦК должен был непременно быть аварец. Аварцы — самый многочисленный народ Дагестана. Но если дочь первого секретаря хочет поступить в университет, то и ректором университета должен быть аварец. Значит, если лезгин или кумык хочет устроить ребенка в университет, он должен идти к аварцу. Так устанавливается национальная неприязнь. Лезгины живут на границе с Азербайджаном, говорят на тюркском языке. Они ведут речь о создании особой республики, лезгинской. И есть маленькая народность, таты, их тысяч 10. Это горские евреи, иудейского вероисповедания, и внешность характерная, иудейская. Они были знаменитые виноделы. Дагестанские коньяки — это их изделия, мусульманам пить вино запрещено. Лезгины призывают татов присоединиться к своему Лезгинистану, преследуют, избивают. Многие уже уехали в Израиль, но кто-то остался. Или кумыки. Когда в Дагестан переселились чеченцы-агинцы, они выселили кумыков, жителей равнины, им теперь негде жить, они живут у родственников, кто где может. И так везде. Эти межнациональные разногласия при общей вражде к русским в конце концов непременно взорвут Россию, я не вижу другой перспективы...

— Но вот Фазиль Искандер мне рассказывал, как у них в одном дворе жили мингрелы, греки, абхазцы, жили друг с другом мирно, знали на бытовом уровне какие-то слова из языков друг друга — Фазиль тоже немного знал.

— Фазиль прав в отношении одного маленького двора, но он упускает из виду одно обстоятельство: он принадлежал к титульной нации. Это очень важно. Во дворе надо жить мирно друг с другом, не воевать же. Но с какой-то мелочи могут начаться конфликты. Вы знаете, как начались события в Абхазии? Один грузинский профессор написал научную статью — совершенно правильную, — где рассказывал, что абхазцы, входившие в более обширное семейство адыгов, переселились на свою нынешнюю территорию в семнадцатом веке. Абхазцы утверждали иное, они ссылались на Геродота, который будто упомянул их в качестве древних жителей этой местности. И вот в селе Лыхны — это своего рода священное место для абхазцев — началось стихийное возмущение, демонстрации, в грузин стали кидать камнями... А потом и пошло.

(И сербы, и албанцы жили вроде бы мирно, подумал я, а теперь режут друг друга.)

— А вы ждали такого развития событий лет тридцать-сорок назад? — спросил я. — Мне казалось, человечество в конце тысячелетия становится более единым, современная цивилизация уменьшит национальную рознь. Живут же в других странах люди разных наций?

— Я ждал, потому что я много имел дела с разными народами. Я их переводил, я знал, какая в них кипит ненависть. В 1946 году я попал в Киргизию, я переводил «Манаса», и там встретил своего старого знакомого Кайсына Кулиева. (Назвал еще одно, менее известное мне имя, я забыл.) Их народы были сюда высланы. Они привели меня к себе домой. Я говорил с людьми, которые были со мной откровенны — я для них был не русский, а еврей. Удивительно: вернувшись в Москву, я рассказал об этом Василию Гроссману. Вы знаете, что это за человек. Мы тогда были еще на «вы». И когда я ему рассказал о том, что увидел, он в сомнении проговорил: «Но, может, это было вызвано военной необходимостью?»

— Гроссман?! — воскликнул я.

— Да. Я ему ответил: я посмотрю, что вы скажете, когда так же будут высылать евреев. «Высылать евреев в нашей советской стране?» — «Да, в нашей фашистской стране».

— Вы уже в сорок шестом году могли сказать о нашей стране «фашистская»?

— Да, я уже многое понимал. Может, на меня влияли воспоминания. Мой отец был меньшевиком. Я многое видел. В сорок третьем году, уже после Сталинградской битвы и Курской дуги, в августе или начале сентября, сейчас точно не помню, нас, военных журналистов, собрали в ЦК. Выступал Щербаков. Он стал говорить, что в войне произошел перелом, мы движемся на запад, и надо немного изменить характер наших газет, помещать в них иногда веселые, развлекательные материалы, шутки, чтобы солдаты могли посмеяться. «Но только без одесчины», — погрозил он пальцем. И когда началась кампания против космополитов, появилась статья «об одной антипатриотической группе литературных критиков», Гроссман позвонил мне и сказал: «Сволочь, ты оказался прав»...

Память важна для всех народов. Вы знаете, что у Ленина один дедушка по матери был еврей, а одна бабушка по отцу была калмычка? Она была дочерью купца третьей гильдии по фамилии Карпов — ну, он, как отец Чехова, содержал в Астрахани небольшую лавочку. У Ленина была некоторая слабость к калмыкам, он ведь помнил бабушку. У него есть известное обращение к калмыкам. Калмыки тоже были разные. Есть калмыки-буддисты, и были еще астраханские калмыки, они входили в Астраханское казачье войско. Когда калмыков выслали, часть их территории передали Астраханской области — это как раз те прибрежные области Каспийского моря, где получают богатую осетровую икру, вы знаете эти астраханские баночки. Ну, отняли землю так отняли, уже ничего не поделаешь. Но когда калмыки вернулись из ссылки, они решили обратиться в Астраханский обком партии, чтобы те установили мемориальную доску на лавке бывшего купца Карпова: «Здесь родилась бабушка Владимира Ильича». Лавка сохранилась, мне ее показывали. Маленькая лавка, похоже на одесскую Молдаванку. Вроде бы верноподданническая коммунистическая идея: речь все-таки о Владимире Ильиче. Астраханский обком подумал-подумал и в просьбе отказал. Калмыки возмутились, написали письмо в Центральный комитет. Те тоже подумали — и тоже отказали. Калмыкам пришлось проглотить — но они и этого не забыли. Это же для них гордость: большевик, не большевик, им все равно. Но бабушка Ленина была наша, пусть и православная, это неважно.

Интересное замечание. Я упомянул, что эпизод на близкую тему есть в моем эссе «Три еврея»: про то, как Карабчиевский оказался свидетелем неприязненного суждения о русских и на вопрос: «А вы кто?» — после раздумья ответил: «А вот не скажу».

— Он так ответил? — удивился Семен Израиле-вич. — Не знаю, как это звучало для армян, но для мусульман это было бы оскорблением. Так нельзя отвечать...

30.03.1999. С. И. Липкин заметил, что не счита-ет себя образованным человеком. А если хоть не-много и образован, то обязан этим прежней гимна-зии, в которой проучился полтора года.

Это он-то, переводивший с персидского, тюрк-ского и других языков, знающий народы, культу-ры, религии, он, великий знаток русской поэзии (и стихосложения), цитирующий наизусть поэмы! Конечно, этим он обязан самообразованию, он мог учиться у великих поэтов-современников, близко знал Ахматову и Мандельштама.

Галя по этому поводу напомнила: ты же писал о нашем образовании: если мы что-то знаем, то во-преки ему. Нам пришлось еще многое отхаркивать.

Да, подумал я, но вот наши дети — знают язы-ки, бывали в других странах, сидят у компьюте-ров, они, бесспорно, образованней нас. А, скажем, поэзия, знание которой Липкин считает одним из признаков культуры (допустим, хотя бы для свое-го цеха), для них не существует.

Видимо, надо опять разделить понятие обра-зованности и культурности. Массовая образован-ность нашего времени отличается от гимназиче-ской, но вряд ли верно считать ее более низкой. А вот культура?..

Липкин считает Есенина более культурным, чем Маяковский: у него не было образованности, но была связь с народной крестьянской традици-ей, а тот — просто городской дикарь. Раньше четко разделялись сословные уровни; культуру с образо-ванностью совмещало, как и сейчас, меньшинство.

Но прежняя народная культура (основанная на религии, традициях) была не тем же, что нынешняя массовая. И все-таки: поп-ансамбли — это культура? Телевизионные игры и ток-шоу — это культура? Компьютерные игры — это культура?

Надо это все время осмысливать, а жизнь коротка. Можно не принимать постмодернистский отказ от ценностных иерархий — все равноценно, нет хорошего и плохого, вкуса и безвкусия. Но додекафония отменила тонику, доминанту, разрешение — все звуки объявлены равноценными. И ничего, получается музыка, по-своему интересная.

1.04.1999. Читаю Липкина. Он четко сформулировал главный интерес своей жизни: «И ныне меня по-настоящему, сильнее и прочнее всего интересуют, волнуют, мучают, восхищают только два нераздельных явления — Бог и нация». И это с раннего детства. А я о некоторых вещах начал думать сравнительно недавно. Грустно, что я в таком возрасте кое-что лишь начинаю понимать. Впрочем, эта грусть сопровождает всю жизнь, и, если я лет через десять буду ощущать ту же грусть, значит, я еще живой...

10.04.1999. Немного работал. Читал «Записки жильца» Липкина: значительная книга. Даже удивительно, что в Букеровском списке премию получила не самая сильная повестушка Маканина, а не эта замечательная работа. Широкий охват, разнообразный жизненный опыт, чувство эпохи. Между прочим, по-другому понимаешь собственное время: все нынешнее воровство, даже бандитизм все-таки больше человечны, понятны, чем абсурдная идеологизированная жестокость режима, которая превращала людей просто в подлое быдло. Об этом и многом другом я сказал Семену Израилевичу, позвонив ему по телефону. Между прочим, спросил, насколько его мысль выражает один из героев, называя гениями лишь тех, кто понятны всем, как Гете или Шекспир, в то время как великие, но не гениальные могут быть понятны немногим избранным? Он в ответ рассказал, как смотрел в еврейском театре Одессы переделку гетевского «Фауста» (и Шекспира тоже), как зрители плакали и смеялись. «Но ведь так же смеются и плачут над нынешними телевизионными сериалами, "мыльными операми". И воспринимали они упрощенные переделки Гете, самого Гете они вряд ли могли понять. И разве Мандельштам — не гений, понятный немногим?» — «Нет, — сказал он, — Мандельштам не гений. У нас было три гениальных поэта: Пушкин, Лермонтов и Тютчев. Они понятны всем». Тут я возразил, что для понимания Пушкина понадобились годы, при жизни его не все понимали. «Надо подумать», — сказал он. Он читает сейчас биографию Тютчева, написанную младшим Аксаковым, там цитируется французское письмо, где Тютчев утверждает, что русский народ как народ христианский не может быть жестоким. А в восемнадцатом году крестьяне жестоко и бессмысленно разграбили его имение. Он ошибся.

Хорошо, что я прочел его роман после мемуаров — стала заметна автобиографическая основа. Он кое-что уточнил. Отдаленный прототип Гринева — Лурье-Ларин, он был с ним знаком. Про катакомбы ему рассказывал человек с итальянской фамилией Скалатто. Он уехал с родителями в Аргентину; в Одессе мать имела меховой магазин, отчим был ювелиром. Там отчим их бросил, они бедствовали, он вернулся в СССР, в Одессу. Там и остался во время войны, попал в катакомбы, про которые сочинил свой роман Катаев, рассказывал, что это было на самом деле.

«Вам надо написать о Платонове», — напомнил я. «Я пишу». — «И про Ойстраха, его отца-булочника вы так интересно рассказывали. Напишите». — «Память стала плохая»...

Из «Стенографии начала века»

1.04.2003. Вчера умер С. И. Липкин. Вышел погулять, почувствовал себя плохо, упал. Легкая, быстрая смерть. Ему шел 92-й год.

Выступление на вечере памяти Юрия Карабчиевского

В зале собрались в основном люди, знавшие его, но кто-то лично с ним не был знаком. Пишущие часто бывают мало похожи на то, что они написали. Юра был в этом смысле предельно адекватен тому, что писал. Он был на редкость органичен, не допускал ни в чем никакой фальши.

Мы были с ним в добрых отношениях. Нас обоих тогда не печатали. Его, впрочем, иногда печатали в эмигрантских изданиях. Он подарил мне некоторые оттиски, я давал ему читать свои рукописи. Как раз тогда по рукам ходила рукопись моей повести «Два Ивана», о временах Ивана Грозного. Возвращая ее мне, Юра не стал скрывать, что это не *его* литература. «Я понимаю, — сказал он, — что это настоящая литература, хорошо написано и т. д. Но я не понимаю, как можно писать о том, чего сам никогда не мог видеть, знать». Он действительно мог писать только о том, что лично видел, знал, пережил.

Встречаясь, мы больше всего говорили о литературе — что могло быть тогда интересней для таких, как мы? Я помню, как высоко он однажды отозвался об Андрее Битове. Личные отношения у них тогда были не самые лучшие, но он написал о нем статью. (Она была напечатана, кажется, уже после его смерти.) Я помню, как он сказал: «Битов — первый русский писатель после Достоевского, который считает нужным судить о человеке не по его поступкам, не по тому, что он делает и говорит, а по его затаенным, иногда как бы не произнесенным мыслям, в которых он проявляется вовсе не таким симпатичным, каким хотел бы казаться прежде всего себе».

И я помню, как стал с ним спорить. Каждый человек, сказал я, действительно может поймать себя на малодостойных, просто омерзительных мыслях. Он может не только пожелать кому-то смерти, но в мыслях столкнуть его с обрыва, может мысленно натворить неприятному человеку самых гнусных пакостей. Нам приходится за кем-то ухаживать, кого-то выхаживать, это трудно дается — можно поймать себя на мысли: хоть бы это поскорей кончилось и т. д. — перебирать можно сколько угодно. Но ловить то и дело человека с поличным на недостойных, компрометирующих душевных движениях и мыслях, уличать: вот он какой — на самом деле несправедливо. В этом есть какая-то неправда. Характеризует человека способность сопротивляться этим душевным движениям, брезгливо или с ужасом их отстранять, действовать вопреки им...

Он выслушал меня очень внимательно и сказал: «Над этим стоит подумать».

Иногда мне кажется, что ему — именно потому, что он умел быть предельно честным, — оказалось непросто разрешить в самом себе какое-то противоречие. Может, тут стоит искать один из ключей к его драме.

В нашей памяти остался человек очень светлый, чистый, честный — и очень грустный.

7.04.2000.

ЧЕЛОВЕК, УШЕДШИЙ В ИСТОРИЮ

Вечерами у Льва Зиновьевича Копелева всегда было полно людей: друзья, просто знакомые, приезжие, иностранные журналисты. На маленькой кухне его московской квартиры не все помещались, разбредались по комнатам. То и дело звонил телефон. «Рая, — звал жену Копелев, — подойди ты, а то я приглашу». Кухня его кёльнской квартиры на Нойенхёфераллее была гораздо просторнее, там собирались за большим столом с деревянной столешницей теперь уже преимущественно немецкие знакомые, сотрудники, бывали и московские гости вроде меня. Копелев в разговоре то и дело вспоминал какую-нибудь историю из своей жизни, каждый раз новую. Запас этих историй был у него неисчерпаем.

Его долгая жизнь была полна бурных, драматических событий, впечатлений, встреч. Лишь о малой их части он мог рассказать в книгах, которые мы знаем: «И сотворил себе кумира», «Хранить вечно», «Утоли моя печали». Детство и юность на Украине, изучение немецкого языка, работа на заводе и в газете, первый арест за принадлежность к «троцкистской оппозиции», участие в насильственной коллективизации, которого он потом стыдился всю жизнь, фронтовая служба в отделе пропаганды, арест в конце войны за попытку противодействовать насилию и мародерству на оккупированных немецких территориях, лагерь, недолгое освобождение, новый арест и новый срок, теперь уже в знаменитой «шарашке», которую описал потом Солженицын в романе «В круге первом». (Копелев послужил там прообразом Льва Рубина.) Это лишь общеизвестный пунктир. Всего ни в какие книги было, конечно, не вместить.

Рассказывал Лев Зиновьевич великолепно, память у него была необыкновенная, язык образный, живописный — ты начинал видеть перед собой людей, которых он описывал, слышал их речь.

Я познакомился с Копелевым в 1972 году у поэта Давида Самойлова. А потом однажды мы с Давидом зашли к нему в гости. Он жил тогда на первом этаже в одном из писательских домов на Красноармейской улице. Незадолго до нашего прихода у него разбили камнем окно, как я понял, не в первый раз. Время спустя он сумел получить в том же доме квартиру уже повыше, на шестом этаже. Там я стал бывать потом часто. Приносил ему и Раисе Давыдовне свои рукописи — меня тогда не печатали, их интерес меня ободрял; еще больше разного чтения уносил от них. Но главным в этих встречах было, конечно, общение, разговоры. Мы быстро сблизились, стали, несмотря на разницу в возрасте, называть друг друга по имени, а с Левой перешли даже на «ты».

Смена этажа не избавила его от постоянного давления. Оно особенно усилилось после того, как в 1973 году оказался опубликован «Архипелаг ГУЛАГ» и началась новая кампания против Солженицына. До шестого этажа камень было не добросить, но способы изобретались разные.

Как-то в январе 1974 года Копелев показал мне подброшенные ему в почтовый ящик листовки с некрологами «на смерть видного советского германиста, друга Солженицына, Сахарова» и т. п. Написано все было в издевательски возвышенных выражениях. Одна листовка особо адресовалась Раисе Давыдовне: «В этот трудный час мы разделяем ваше горе»...

«Лева посмеивается, — записал я тогда в своем дневнике, — но Раю это выбило из колеи».

Люди, помнящие те времена, тут вправе, пожалуй, покачать головами: не легкомыслием ли было делать тогда записи о встречах и разговорах, зная, что бумаги у тебя могут в любой момент изъять при обыске, от которого не был гарантирован никто, и использовать потом против упомянутых там людей? Я уже писал в другом месте, что много лет вел свои дневники, пользуясь видоизмененной стенографией. Кроме обычного преимущества, скорописи, это позволяло надеяться, что в случае, если бумаги действительно попадут в нежелательные руки, никто не сможет прочесть понятные лишь мне закорючки. Надежда, наверное, и впрямь несколько легкомысленная, риск, конечно же, был. Но, как бы там ни было, пронесло. Теперь я могу этими записями пользоваться. В последние годы я расшифровал небольшую их часть, так составилась книга «Стенография конца века», изданная в 2002 г.

Но вообще-то мы к осторожности в те годы были приучены. По пути к Копелеву и от него я привычно оглядывался: не дежурит ли кто у подъезда? На улице или в метро в любой момент могли остановить: покажите, что это у вас в портфеле? Откуда у вас такие книги, откуда эти немецкие журналы? Сколько было таких случаев!

Тем более всем хорошо было известно, что существует уже «дело Копелева», разговоры в его квартире, не говоря о телефонных, откровенно прослушиваются, иногда обнаруживались следы чьего-то присутствия в доме. Это даже особенно не скрывалось — все было способом давления. Можно было его оказывать и через других людей.

Помню, как тяжело Копелев переживал историю с Л., нашей общей знакомой, которая останавливалась у них, приезжая из Коломны. В Коломне ее подвергли обыску, стали вызывать на допросы.

— Тяжелей всего осознавать, что из-за тебя пострадали другие, — сказал мне Лева. — Только теперь по-настоящему понял Андрея Дмитриевича Сахарова, раньше понимал теоретически. У него это постоянно. Человек уходит от него, и его сбрасывают с поезда.

Его последовательно выталкивали из страны, делая жизнь здесь невыносимой, лишая всякого заработка. Много лет Копелев сопротивлялся, публично заявлял, что добровольно не уедет. Я тогда кормился переводами разных немецких текстов и один раз, помнится, даже предложил ему поделиться — под своим именем он ничего напечатать не мог. Удивительно, что этот именитый германист почти готов был согласиться. Нервы были напряжены, Рая страдала бессонницей. В 1978 году он уже было решил принять приглашение своего друга Генриха Бёлля поехать в Германию — как сам себя убеждал, на время. Но еще два года все-таки продержался.

В один из февральских дней 1980 года я, проходя мимо уличного стенда с газетой «Советская Россия», прочел там погромную статью, героем которой был Копелев. Начиналась она с описания омерзительного бородатого типа, который входит в посольство ФРГ с пустыми руками, а выходит, сгибаясь и спотыкаясь под тяжестью ящика. Неизвестно, что в этом ящике, издевательски писал автор (как всегда, скрывавшийся под псевдонимом), белье или коньяк, но мы-то в любом случае знаем: это награда за предательство Родины.

Я тут же поехал к Копелеву. Возле дома встретил выходившую из подъезда Раю.

— Что, — спросил я, — у вас дома сейчас никого нет?

— Марк, не смешите меня, — ответила она. — Там человек пятнадцать. За день был десяток корреспондентов.

В квартире действительно было обычное столпотворение. На кухонном столе, кстати, стоял прекрасный французский курвуазье, но к немецкому посольству он отношения не имел. Лева дал мне прочесть официальное заявление посольства ФРГ от имени правительства о том, что Копелев вообще в посольство не заходил ни разу, никаких подарков не брал, никаких материалов посольству не поставлял.

На кухне тем временем говорили о происшедшем недавно у Сахарова. К нему ворвались двое вооруженных людей, притворившихся пьяными, стали угрожать, кричали, что скоро Сахарова поместят в психушку. Копелев встретился с Еленой Боннер, по его словам, ее всю трясло.

— Я знаю ее десять лет, — сказал он, — она никогда не знала страха, но в таком состоянии я ее еще не видел.

— Каких вы ждете репрессий? — спросил его какой-то корреспондент.

— Вы что, хотите, чтобы я подсказал властям, как со мной поступить? — усмехнулся Копелев.

Среди присутствовавших был известный писатель и правозащитник Георгий Владимов. Разговор зашел о необходимости выяснить что-то с Шафаревичем, который отказался подписать совместное заявление правозащитников, обвинив их, как он уже тогда это делал, в «русофобии». Копелев сказал, что лучше всего было бы поговорить с ним Владимову, прежде всего как председателю московской секции «Международной амнистии».

— А кроме того, — сказал Копелев, — вы генетически чисты.

Оказалось, он тут ошибся. Мать Владимова была еврейка. Она отсидела свой срок в заключении, но до сих пор, в семьдесят лет, оставалась верной коммунисткой, ходила на партсобрания.

— Что, неужели и вы с прожидью? — удивился Копелев.

Я впервые услышал это замечательное выражение.

К концу года стало все-таки ясно, что им с Раисой Давыдовной придется уехать. Лева повторял, что они едут на год, что он хочет сразу взять обратные билеты. Но и самим им, и нам, которым вскоре пришлось провожать обоих, было ясно, что назад им уже не вернуться. Дальнейшего развития событий никто предвидеть не мог. Думал ли я, что через восемь лет окажусь за границей, в Федеративной Республике Германии?

Весной 1988 года я впервые получил приглашение выступить на литературной конференции в городке Бад-Мюнстерайфель под Кёльном. Чего стоила тогда поездка на Запад, да еще для такого человека, как я, никогда ни с какими делегациями за границу не выезжавшего, надо бы, наверное, рассказать особо. Я не был членом Союза писателей, тем более членом партии. А поездка за рубеж в ту пору была невозможна без рекомендаций, в том числе партийной. Пришлось добывать ее в каком-то парткоме по месту жительства, у старичков-пенсионеров, не понимающих, что происходит, потом надо было получить визу в райкоме партии. Первый и единственный раз в жизни я побывал в этом учреждении, сидел, дожидаясь приема, в коридоре, мимо меня спешили на какое-то экстренное собрание люди, почти одинаково одетые, даже внешне очень похожие — в массе своей они производили впечатление какой-то совершенно особой породы. Все казались чем-то встревоженными. Продолжала развиваться непонятная перестройка. Не так просто эти люди согласятся уступить власть, — отчетливо подумал я.

Приема я в тот день не дождался, но визу мне потом дали без разговоров. Кстати, всего через две недели требование партийной рекомендации для выезда за границу было вообще отменено.

Не буду описывать поездку — ощущения человека, внезапно попавшего в совершенно другой, открытый мир, не буду описывать конференцию, где я впервые выступал по-немецки. На другой день после выступления ко мне из Кёльна приехали Копелев вместе с Раей, дочерью Светланой и ее мужем, выдающимся лингвистом Вячеславом Всеволодовичем Ивановым. Приезд Копелева взволновал немцев необычайно, его приветствовали и принимали чуть ли не как президента. Я сам сразу стал выглядеть для них важной персоной — человек, к которому приехал сам Копелев! Такого великолепного обеда, который нам был устроен, я без него, конечно же, не удостоился бы.

Перед отъездом мы вместе прогулялись по городку. Люди на улице его узнавали, буквально каждый встречный приветствовал: «Guten Tag, Herr Kopelew!» Здравствуйте, господин Копелев! Он оказался, среди прочего, почетным гражданином этого самого Бад-Мюнстерайфеля. Здесь родился легендарный доктор Гааз, служивший в России и прославившийся своей бескорыстностью тюремный врач, о котором писал Достоевский. Копелев написал о Гаазе книгу «Святой доктор Федор Петрович».

Было чувство, что он за эти восемь лет совсем не изменился. Только роскошная седая борода еще живописней разрослась, делая его все больше похожим на величественного библейского патриарха. А разговоры пошли те же, что и всегда. Они с Раей сразу стали расспрашивать, что нового в Москве, что я думаю о перестройке.

По пути в Кёльн мы заехали в городок Ланген-бройх, где жил последние годы Генрих Бёлль. Нас встретила Анна-Мария, его вдова, их сын Винцент. Мы посидели с ними за столом, потом осмотрели с Левой дом, рабочий кабинет Бёлля, библиотеку, обошли участок. Пейзаж был почти подмосковный, неприбранный огород, поля рапса, свеклы, дававшие, говорят, хорошие урожаи. На пустыре поодаль паслись коровы. Копелев рассказывал мне, как умирал Бёлль. У него развивалась гангрена, которую называли «болезнь курильщика», от ноги отрезали кусок за куском. Но главное, нарастала депрессия. Однажды он сказал Леве, что больше не хочет жить. Местный священник отслужил по нему заупокойную службу, несмотря на запрет епископа: Бёлль последние годы выступал с резкой критикой католической церкви, официально вышел из церковной общины и перестал платить церковный налог.

Поздней общие знакомые рассказали мне, как много значил для Бёлля Копелев. Его приезд помогал ему справляться с депрессией. Казалось, Копелев переливал в него часть своей энергии, — сказала мне одна женщина. Если по телевизору показывали одного из них, всегда надо было искать рядом другого. Я услышал от немцев, каким уважением вообще пользуется здесь Копелев. На одном из его выступлений в Дюссельдорфе какой-то пожилой человек спросил его: вы критикуете коммунистическую систему, но ведь вы сами были коммунистом? Копелев ответил: «Да, я не просто был коммунистом, я участвовал в страшных делах, я знаю, как много зла сделал, думая, что так надо. Я сознаю свою вину и ответственность». После этих слов в зале началось что-то невообразимое, рассказывали мне, молодежь устроила ему овацию. Здесь привыкли прежде слышать людей, заявлявших, что они ничего не знали, ни в чем не считают себя виновными.

Вот как написал об этом сам Копелев в своей книге «Хранить вечно»: «Теперь я понимаю, что моя судьба, казавшаяся мне нелепо несчастной, незаслуженно жестокой, в действительности была и справедливой, и счастливой.

Справедливой потому, что я действительно заслуживал кары, — ведь я много лет не только послушно, но и ревностно участвовал в преступлениях — грабил крестьян, раболепно славил Сталина, сознательно лгал, обманывал во имя исторической необходимости, учил верить лжи и поклоняться злодеям.

А счастьем было то, что годы заключения избавили меня от неизбежного участия в новых злодеяниях и обманах. И счастливым был живой опыт арестантского бытия, ибо то, что я узнал, передумал, перечувствовал в тюрьмах и лагерях, помогло мне потом».

Он становился в Федеративной Республике видной общественной фигурой, постоянно выступал на телевидении, на разных конференциях, руководил так называемым «Вуппертальским проектом» — публикацией документов и исследований о русско-немецких культурных связях. Вокруг него сложился коллектив сотрудников. К нему приходило множество писем, в том числе из Советского Союза. Он присылал разным людям лекарства, помогал многим, поселял у себя приезжих.

Дом его и в Кёльне был всегда переполнен. В тот приезд я ночевал у него на балконе, где самка дрозда («Frau Amsel», — звал ее Копелев по-немецки), не страшась людей, высиживала птенцов; я их потом увидел.

Когда я попал в Кёльн на следующий год, в последние дни октября, Раи уже не было в живых. Я вначале боялся, не стеснит ли его мой приезд, но потом понял, что он был даже кстати: мое присутствие освободило одну из его секретарш от необходимости ночевать у Копелева. Его уже старались не оставлять одного.

Разговоры мы продолжали вести все о том же, обсуждали тревожное, неопределенное положение в нашей стране. Копелева тяготило, что он может лишь наблюдать за всем этим развитием издалека.

— А как мне теперь вернуться в Москву? — сказал он. — Невозможно. Здесь я русский, там я окажусь иностранцем. Здесь у меня работа, проект, мне платят за это деньги. Там я буду никто, и жить мне там не на что.

Между тем в самой Германии, тогда еще разделенной на Восточную и Западную, события развивались стремительно. Вместе с немцами мы, не отрываясь от телевизора, следили за происходившим в Восточном Берлине, где шли, ни на день не прекращаясь, многотысячные митинги, демонстрации. Коммунистическое руководство было растеряно, шло на все новые уступки. 9 ноября 1989 года, воспользовавшись первыми послаблениями, толпы людей стали переходить границу. Копелев, конечно же, не мог усидеть в Кёльне, он тут же сорвался с места, решил полететь в Берлин.

Вернулся он взбудораженный, переполненный берлинскими впечатлениями. Привыкший на Западе путешествовать без паспорта, он и для поездки за границу не взял его с собой, но его тотчас узнали в толпе люди. «Это же Копелев, — стали они убеждать гэдээровского пограничника. — Если вы его сейчас не пропустите, вам потом попадет». Растерянный сержант выдал ему пропуск. Впервые за двадцать лет прогулялся он по Восточному Берлину, зашел в гости к писательнице Кристе Вольф, давней своей приятельнице, посетил могилу Брехта, о котором когда-то написал книгу, музей Пергамон. Его бесплатно возил на такси болгарин — за то, что он стал читать ему вслух по-болгарски Ботева, возил бесплатно и турок, узнав, что его пассажир был знаком с Хикметом.

Рассказывал Копелев и про тревогу, которую уже тогда стал ощущать среди общей эйфории. Что будет, когда праздник сменится буднями?

Мы еще не знали, что скоро схожие чувства придется испытать нам и у себя. Наша очередь наступила меньше чем через два года. В дни августовского путча Копелев оказался в Москве среди участников как раз начинавшегося Конгресса соотечественников. Мы встретились с ним на конгрессе, не стали там задерживаться, сразу поехали с друзьями на Пресню, к Белому дому. Потрясающее впечатление этого дня описывать не буду. В толпе, строившей баррикады, мы с Копелевым скоро потерялись.

А в последний день августа он с друзьями приехал ко мне на день рождения. Это застолье оказалось записанным для Российского телевидения. Еще один участник Конгресса соотечественников и мой друг, известный правозащитник Кронид Любарский, должен был давать этому телевидению интервью, и он устроил мне сюрприз — пригласил журналистов к нам. Они снимали тосты, застолье, певшего свои песенки Юлия Кима, наш дом. Больше всех говорил в микрофон Копелев — он был радостно возбужден.

— Похоже это на застолье в Кёльне? — спросил я его.

— О нет! — рассиялся он в улыбке.

Я почувствовал, как ему хорошо.

Потом мы еще несколько раз виделись с ним в Москве и в Германии. Не только его — наши общие тревожные опасения, к несчастью, оправдывались. В Москве он все меньше чувствовал себя своим.

— Паршиво там, — сказал он мне однажды. — Никакой демократии — хамократия. Вообще чувство, что я все больше удаляюсь от Москвы. Никому я там помочь не могу...

В одну из последних встреч мы вместе с ним выступали на очередной конференции в Германии. Он размышлял о политике и морали, рассказывал немцам о Сахарове. Зал был полон, слушали его восторженно. До этого я некоторое время не видел Копелева и в первый момент ощутил, как сильно он постарел. Но уже после нескольких минут разговора это ощущение прошло. Такой же величавый, седобородый, высокий, и речь такая же энергичная.

— Почему ты обращаешься ко мне на «вы»? — поймал он меня на оговорке.

— Ты такой важный, — смутился я.

— А почему не звонил? — спросил он. — Учти, не будешь звонить — прокляну и лишу наследства.

Увы, лишь потеряв, мы начинаем по-настоящему ценить то, что было даровано нам судьбой.

В июне 1997 пришло известие о смерти Льва Зиновьевича. Совсем незадолго перед тем я поздравлял его с 85-летием. Месяц спустя его прах привезли в Москву и захоронили рядом с прахом жены, в колумбарии при Донском монастыре. Было множество людей, был немецкий посол.

Этого замечательного человека продолжают помнить и почитать, в Германии он уже фигура почти легендарная. Я был на одном из юбилейных заседаний созданного там «Копелевского форума». Выступали знавшие его люди, показывали кадры его телевизионных выступлений. Я вспоминал этого человека, его удивительную доброту, энергию, эрудицию. Какая человеческая мощь, — думал я. Какая судьба, какая биография, какой характер! Еще один близкий мне человек уходит в историю.

2005

«Нам нужно
восстанавливать память»
(К 80-летию Бориса Хазанова)

I

В 1976 году в шестом номере эмигрантского журнала «Время и мы» появилась повесть никому до сих пор не известного писателя Бориса Хазанова «Час короля». Автор все еще жил в России, поэтому скрывался под псевдонимом. В редакционном предуведомлении говорилось: «Чудеса случаются редко, но все же случаются. Потом они входят во все хрестоматии... Появление прозы Бориса Хазанова кажется нам одним из таких чудес».

История разворачивается во время Второй мировой войны в маленькой европейской стране, оккупированной фашистами. Всем живущим здесь евреям приказано было нашить на свою одежду желтые звезды. И первым это сделал король неназванной страны Седрик Десятый, человек пожилой, пунктуальный, не привыкший отступать от заведенного распорядка, — автор пишет о нем с восхищенным юмором. Вместе с королевой он, как всегда, без охраны, вышел на свою обычную прогулку, и жители столицы увидели на груди обоих звезды Давида. Прогулка еще не закончилась, когда едва ли не все население города высыпало на улицы с такими же звездами. «Какие-то люди выходили из подъездов с желтыми лоскутками, наспех приколотыми к пиджакам, дети выбегали из подворотен с уродливыми подобиями звезд, вырезанных из картона, некоторые нацепили раскрашенные куски газеты... Полисмен отдал честь королю, на его темно-синем мундире выделялась канареечная звезда».

Этой сценой роман заканчивается, что стало с королем, можно предположить. В написанном позже эссе «Идущий по воде» Борис Хазанов называет по видимости абсурдный поступок короля «Деянием с большой буквы», тем самым «мгновением истины», когда человек «раздвигает сетку узаконенных координат, словно прутья решетки», отстаивая ценность таких, казалось бы, растоптанных понятий, как честь, достоинство, человечность.

Вымышленная страна чем-то похожа на Данию — подобная легендарная история рассказывалась про ее короля и жителей Копенгагена. Достоверность, с какой описаны были улицы города, дворцовый быт, мельчайшие житейские подробности, позволяла читателю думать, что рассказчик все это видел, — между тем автор повести нигде в Европе тогда еще не побывал. Особенной же достоверностью отмечен эпизод, где король Седрик — кроме всего, еще и крупнейший в Европе уролог — осматривает фюрера оккупантов (по имени прямо не названного) и констатирует у него безнадежную импотенцию.

Медицину автор знал не понаслышке — он сам по образованию был врач. Точней, по одной из специальностей. Родившийся в 1928 году

Геннадий Моисеевич Файбусович (скрываться от компетентных органов под псевдонимом ему удалось недолго) изучал классическую филологию в Московском университете, когда его, студента последнего курса, в 1949 году арестовали и осудили на восемь лет лагерей строгого режима. Освободившись в 1955 году, он сумел поступить в Калинине (нынешней Твери) в медицинский институт и несколько лет работал врачом в сельских больницах, потом перебрался в Москву, защитил диссертацию, продолжал работать врачом.

Все это достаточно известная канва его биографии. По-настоящему кое-что начинаешь понимать, лишь внимательней вникнув в подробности. Помню, как удивлялся покойный ныне кёльнский славист профессор Вольфганг Казак, с которым Файбусович был дружен, человек, сам прошедший через советские лагеря для военнопленных: «Трудно себе даже представить, как после шести лет таких лагерей можно было сдать вступительные экзамены по биологии, химии. Ведь и в обычной жизни все школьные предметы успеваешь забыть». Я мог потом убедиться, что и классическую филологию Файбусович не забыл.

2

Мы познакомились в марте 1981 года у Григория Соломоновича Померанца. Я незадолго перед тем закончил повесть «Два Ивана» — о временах Ивана Грозного, Померанц давал читать мою рукопись разным людям. Среди читателей оказался и Файбусович-Хазанов. Моя работа ему понравилась. Зашел обычный наш разговор о литературе, о русской истории. Не помню, в какой связи жена Померанца, Зинаида Александровна Миркина, спросила меня, еврей ли я или только половинка. Я ответил, что еврей стопроцентный. Реакция Файбусовича оказалась для меня неожиданной.

— Знаете, — сказал он, — я даже разочарован. Я считал, что такую вещь мог написать только русский.

— Я русский писатель, — ответил я.

— Да, — немного замялся он, — но у меня были свои представления о границах возможностей писателя-еврея в России.

Сам он в своих работах не раз возвращался к этой теме: двойственному самоощущению еврея — и русского интеллигента, писателя, глубоко укорененного в русской культуре и русской истории. Мы стали перезваниваться, изредка встречались, иногда прогуливались по бульварам, подолгу беседовали. Хазанов продолжал публиковаться на Западе. В его книге «Запах звезд» на меня особенно сильное впечатление произвели рассказы о чудовищной лагерной повседневности — она здесь осмысливалась как-то по-новому, к этой жизни оказывались неприложимы обычные человеческие мерки и представления. Я спросил, собирается ли он продолжать эту тему.

— Нет, — сказал он. — О лагерях, если уж теперь писать, то по-другому, чем все делали до сих пор. Тут недостаточно обычного реализма, надо бы показать, до чего это особый мир. Думать, что существует общество угнетенных, которым противостоят палачи, — наивная романтика. Среди угнетенных есть свои палачи, а среди начальства, особенно в низких звеньях, такие же подневольные, те же мари месят.

Я узнал, что сейчас он заканчивает роман о послевоенной студенческой молодости, где пытается еще раз осмыслить трагическую историю страны и свою собственную судьбу. Все эти размышления были связаны для него с еврейской темой.

— Сейчас я учу еврейский язык, — рассказал он мне во время одной из наших встреч. — Познакомился с замечательным человеком, он работал заместителем конструктора Туполева, но при этом ухитрился унаследовать традиции девяти поколений раввинов, был ректором ешибота. Сейчас ему 82 года, на иврите он говорит, как мы с вами по-русски. Однажды я забыл головной убор и стал извиняться, потому что преподаватель говорил нам, что Священное Писание нельзя читать с непокрытой головой. Он махнул рукой: «Это совсем новый закон, ему нет тысячи лет. Раньше этого не требовалось».

«Я всегда ощущал себя евреем, — писал Борис Хазанов в эссе "Из 'Писем без штемпеля'", — и хотел, чтобы и для других это не было тайной. И, значит, никогда не был "ассимилирован"... Для меня есть только один способ определить свое отношение к еврейству — это осознать свою личную судьбу как судьбу человека, принадлежащего к определенной общественной и национальной группе, той группе, которая укоренена в этой стране до степени самоотождествления с ней, но одновременно представляет в ней иное, древнейшее человечество».

Эта «укорененность до степени самоотождествления» позволяла ему с презрением отвергать упреки в «непатриотизме», все чаще исходившие уже тогда от людей известного толка. «Я жил в городе и деревне, — писал он в том же эссе, — в медвежьих углах и столицах. Мне глубоко безразлично, что скажут о людях, подобных мне, патриоты с бородами из пакли, в лаптях, украденных из этнографического музея. Я ходил в таких отрепьях, которые им и не снились. И пусть черт унесет мою душу, если я не вправе повторить слова, сказанные другим человеком и на другой земле: где я — там русский язык, там русская культура...»

Активное участие Хазанова в выпуске журнала «Евреи в СССР», получавшего все более громкую известность, его публикации в эмигрантских изданиях не могли не привлечь к себе внимания КГБ. Однажды я узнал, что у него провели обыск, изъяв рукопись только что завершенного романа о послевоенных годах, о своей юности.

— Перескажите своими словами, — пошутил я — не подозревая, как напряженно сам Хазанов уже тогда осмысливал эту поистине еврейскую, древнюю тему — тему памяти, запечатленной в письменных текстах, трагедию возможной утраты этих текстов, проблему их сохранения, восстановления.

В эссе «Буквы» он пересказывает хасидскую легенду о «господине благого имени», Баал-Шем-Тове, «который решил воспользоваться своей властью, чтобы ускорить пришествие Мессии. Но наверху сочли, что время для этого не пришло, чаша страданий все еще не переполнилась. За свое нетерпение Баал-Шем был наказан.

Он очутился на необитаемом острове, вдвоем с учеником. Когда ученик стал просить учителя произнести заклинание, чтобы вернуться, оказалось, что рабби поражен амнезией: он забыл все формулы и слова. "Я тебя учил, — сказал он, — ты должен помнить". Но ученик тоже забыл всё, кроме одной-единственной буквы алфавита — алеф. "А я, — сказал учитель, — помню вторую: бет. Давай вспоминать дальше". И они напрягли свою память, двинулись, как два слепца, держась друг за друга, по тропе воспоминаний и припомнили одну за другой все двадцать две буквы. Сами собой из букв сложились слова, из слов сложилась волшебная фраза, и Баал-Шем вместе с учеником возвратился домой. Мессия не пришел, но зато они могли мечтать и спорить о нем».

Эта легенда возникает еще раз в финале романа, который Хазанов закончил восстанавливать уже в эмиграции, дав ему название «Антивремя». Ее рассказывает герою, юному студенту, неожиданно разыскавший его человек — он оказывается неизвестным ему прежде родным отцом. Это уже пожилой еврей, бывший коммунист, активный участник революции и гражданской войны, прошедший через лагеря и давно уже в прежних идеях разочаровавшийся. Теперь он получил возможность — по тем временам едва ли не фантастическую — покинуть страну и переселиться в Палестину, где еще лишь предстоит создание еврейского государства. «Срок мандата истекает, Палестина получает самостоятельность». Чтобы окончательно убедить все еще отчужденного сына, он и рассказывает ему легенду о Баал-Шеме.

«Эта притча о чудотворце, — объясняет он, — на самом деле притча о еврейском народе. Всякий раз, когда нам кажется, что мы уже у цели, что избавление вот-вот придет, всякий раз нас постигает жестокое разочарование. Всякий раз, когда мы пытаемся сбросить проклятье истории и выпрыгнуть из истории в рай, — нас ждет кара... Эта кара — забвение самих себя. Утрата памяти, единственного, что у нас есть, что сохранило нас как народ... И разве не то же произошло с нами сейчас? Бросившись в революцию, мы упали на камни, мы очутились на бесплодном острове. Мы забыли, кто мы и откуда мы. Мессия не пришел и никогда не придет, а мы? Что нам делать? Нам нужно восстанавливать память. Нужно начинать с азов. Буква за буквой, слово за словом восстанавливать свою память, иначе говоря, восстанавливать самих себя... Лёня, — проговорил он, и в глазах его стояли слезы. — Леня, мы должны с этого острова бежать... Для этого я тебя разыскал».

Юноша отвечает отказом. Он возвращается домой, где его уже поджидают, чтобы арестовать.

Когда эта сцена писалась заново уже в эмиграции, для самого автора она звучала, думается, по-другому, чем в Москве. Начиная свой роман, он тоже еще не хотел эмигрировать, долго сопротивлялся мысли об этом, как искушению. «Вот уже по крайней мере три года я вижу себя в невероятной ситуации. Становится осуществимой мечта, столько лет сосавшая меня: уехать. Уехать вон, бежать, не оглядываясь... Когда-то, сидя в лагере, я представлял себе, что было бы, если бы на десять минут открыли ворота лагпункта и сказали бы: кому надоело — сматывайтесь» («Новая Россия»). И объясняет — самому себе и другим, — почему этого не делает, признается в своего рода «извращенной любви» к стране, которой «привык стыдиться», фантазирует об утопии какой-то «новой России», которую могли бы создать где угодно родственные по духу люди. «В море обломков единственное, за что я могу уцепиться, это русский язык».

В августе 1982 года решение стало вынужденным.

3

Известно, что уехать в то время можно было едва ли не единственным способом — по приглашению неких израильских родственников, нередко фиктивных. Но Хазанова в Израиле действительно ждали, предполагалось, что он продолжит там деятельность в еврейском журнале. Мне приходилось потом слышать, что некоторых друзей обидело его решение остаться в Германии. То, что для других называлось репатриацией, для него стало эмиграцией.

«Настал день, когда я вылез из самолета, увидел немецкие надписи над входом в аэровокзал — и это было все равно как если бы они были начертаны на древней умершей латыни», — написал он в очерке «Жабры и легкие языка». Изучавший в университете классическую филологию, с детства знавший и любивший немецкий язык, восхищавшийся Гете и Шопенгауэром, он ощущал себя все-таки человеком европейской культуры — это оказалось решающим.

В одном из позднейших писем Файбусович рассказывал мне, как с семьей приехал поездом из Вены в Зальцбург, там его встретили друзья, Владимир Войнович с женой, и довезли в своей машине до баварской границы. «Подъехали, это было возле деревни Freilassing, я вылез из машины, подошел к человеку в зеленой форме и, что называется, сдался пограничной полиции. Нас отвезли в ближайший полицейский участок, где я диктовал вахмистру, сидевшему за старой пишущей машинкой, кто я такой и откуда и зачем приперся с семейством. Единственный документ, который я имел при себе, был жалкий клочок бумаги, называемый выездной визой, — филькина грамота. Но то были другие времена — полиция вела себя как филантропическое учреждение. Да еще, на мое счастье, я говорил по-немецки».

Разумеется, и в язык, и в непростую эмигрантскую повседневность Файбусовичу еще по-настоящему лишь предстояло войти. В эссе «Немецкий эпилог» он вспоминает рассказ знакомого московского раввина о своем брате, «замечательном знатоке священного языка, Библии и Талмуда. Тринадцать поколений его предков были учеными. Восьмидесяти с лишним лет он приехал в Иерусалим, вышел на улицу и задал вопрос первому попавшемуся мальчишке. Мальчуган посмотрел на его бороду и покачал головой. «В чем дело?» — спросил старик. «Дедушка, — сказал мальчик, — ты очень плохо говоришь на иврите!»

4

Я уже однажды писал, что в ту пору отъезд человека в эмиграцию представлялся чем-то окончательным, непоправимым, слово «Запад» обретало тот же смысл, что для библейского Иосифа: это был Египет, то есть царство мертвых, куда уходили безвозвратно. Надежды увидеться снова почти не было. Даже писать за границу надо было с опаской — письма просматривались, зачастую просто не доходили, тем более к человеку, отмеченному особым вниманием органов. Время спустя я все-таки стал отправлять Файбусовичу в Мюнхен письма на имя его жены, доходили и его письма. Все равно требовалось, конечно, умалчивать о многом, чего-то не называть своими словами, довольствоваться непрямыми намеками — это было тогда особое искусство.

Стало известно, что Борис Хазанов вскоре стал в Мюнхене одним из редакторов только что образованного журнала «Страна и мир». Номера доходили изредка через знакомых, я с радостью находил там блистательные эссе своего друга. А спустя несколько лет мне и самому довелось оказаться автором этого журнала, он все более становился не только эмигрантским. Времена понемногу менялись, возможность увидеться снова перестала казаться недостижимой.

В мае 1988 года я был впервые приглашен за границу, на литературную конференцию в небольшой западногерманский городок Бад-Мюнстерайфель. На второй день конференции, оглянувшись во время прений, я увидел входившего в зал Файбусовича. Он тоже увидел меня, помахал рукой и сел на заднюю скамейку. Уже совсем седой, волосы как-то смешно всклокочены. Мы обнялись, расцеловались, потом до полуночи просидели с ним за бутылкой вина — и бесконечными, как в Москве, разговорами обо всем на свете, главным образом о том, что происходило у нас в стране. Новостей накопилось много. А через несколько дней я смог приехать к нему в Мюнхен. Кроме меня, в гостях у Файбусовича оказался Бенедикт Сарнов, мы продолжали разговор уже втроем, прогуливаясь по мюнхенским улицам. На берегу реки Изар нас обогнала группа молодежи, и громкая немецкая речь, неожиданно вторгшись в наш разговор, показалась вдруг чужеродной. «Даже странно, — сказал Сарнов, — откуда здесь появились немцы».

На другой год Файбусович выхлопотал мне стипендию одного частного литературного фонда в городке Линдау на Боденском озере. Две недели мы провели вместе с ним и его женой Лорой, утром работали, после обеда гуляли по окрестностям. В разговорах Гена (так я к тому времени стал его звать) то и дело возвращался к теме эмиграции.

— У меня все время такое чувство, — сказал он однажды, — что я вырвался из отравленной страны. Я хожу по улице, вижу полицейского — и мне на него плевать. Я знаю, что ему до меня нет никакого дела. Тогда как в Москве я должен был бояться каждого.

«О чем я до сих пор жалею, — написал он позднее в письме, — так это о моих московских книгах. О пропавших книгах вспоминаешь как об умерших друзьях. Почти всё осталось там, разошлось по рукам или попросту погибло. Считалось, что «старые книги» (изданные больше пяти лет назад) брать с собой не разрешается. Нельзя было иметь при себе какие бы то ни было документы, кроме выездной визы — клочка бумаги, имевшего вид филькиной грамоты. В аэропорту Шереметьево-2 раздевали догола. Мой сын, ему не было восемнадцати лет, растерялся и поднял руки. Человек, производивший обыск, усмехнулся и сказал: ты что думаешь, здесь гестапо? Из чего, видимо, следует, что сам он именно так и думал. Женщин подвергали гинекологическому осмотру. Нравы и обычаи этой страны были неотличимы от преступлений. Закон представлял собой свод инструкций, по которым надлежит творить беззаконие. Права сведены к формуле: положено — не положено».

Я видел, как время от времени он поглядывал на меня с сомнением: что меня удерживает в стране, тогда еще СССР, над которой все явственней нависала угроза катастрофы — если я имею теперь возможность перебраться в другой, нормальный мир? Раз-другой действительно прорывался вопрос: «А ты не жалеешь, что не уехал?» Я отвечал, что разговоры в такой плоскости не для нас: прав ли он, что уехал, прав ли я, что остался. Все очень конкретно, очень индивидуально.

На одну из таких тем у нас возник неожиданно горячий спор, и Лора сказала мужу:

— Что ты хочешь, человек приехал из Союза, ему трудно отказаться от стула, на котором он сидит.

Меня это немного задело. На каком это стуле я сижу? Может, правильней говорить о топоре, который висит над головой; от него я очень даже готов отказаться. Лора стала в ответ рассказывать, как к ним пришли с обыском восемь человек вместо обычных шести, в дом, где никакой политики не могло быть.

— Я все последние годы работала на полторы ставки, приходила из больницы и думала только о том, чтобы пожрать и заснуть. Я им сказала: вы что, работу себе ищете? Если там столько народу, они должны иметь какую-то работу, оправдывать свое существование.

— Если бы я не уехал, я бы погиб, — сказал Гена. — Я видел документы, в которых значился вторым номером на арест. Второго лагеря я бы не выдержал... И даже если допустить, что я вернулся, что смог бы получить здесь квартиру, средства к существованию, — я бы не смог здесь писать. Мне нужна дистанция. Как Гоголю нужно было жить в Италии, чтобы написать «Мертвые души». Как Тургеневу надо было уехать из России, а Джойсу из Ирландии.

«Литература питается не настоящим, а пережитым», — утверждал он в эссе «Ветер изгнания». Раз-другой мы с ним вели на эту тему дискуссии на радио «Свобода» и на «Немецкой волне». Я был против таких обобщений. Пушкин никуда не уезжал, Гоголь написал «Ревизора» в России. Возможно, и я при нужде смог бы в Германии работать. Не так просто было сформулировать чувство, чего мне там все же не хватает.

Странное сцепление мыслей вернуло меня к этим разговорам однажды в Москве, когда я увидел на улице испуганную сучку: прижав зад к земле, она отлаивалась от трех кобельков, которые подступали обнюхать ее с разных сторон. И вдруг понял, как надо уточнить эпизод рассказа, над которым тогда работал. «Литература питается не настоящим», — вспомнилось мне. Для кого как. Для такого писателя, как я, важно ощущать некий трепет воздуха, шум повседневной жизни — это стимулирует мысль; возникают царапины, ниточки, на которых кристаллизуются внезапные идеи, образы.

Была еще другая сторона проблемы, которую Хазанов ощущал болезненней, чем я: основной читатель и у меня, и у него оставался в России. В своих письмах он не раз повторял, что не представляет себе, для кого пишет, не понимает, в чем внешний смысл его работы, — просто не может не писать.

Мы продолжали обсуждать эту тему среди многих других в нашей переписке, которая стала особенно интенсивной с появлением электронной почты. Как-то Файбусович прислал мне номера только что начавшего выходить в Германии журнала «Зарубежные записки». Публиковавшиеся здесь авторы жили в разных странах, в том числе и в России. Читая их, я чувствовал, как изменилась ситуация со времени наших дискуссий с Хазановым на «Немецкой волне» и «Свободе». Эмигранты уже не были политическими беженцами, они могли свободно приезжать в Россию, как приезжал теперь сам Файбусович, и при желании уезжать — или оставаться, как делали некоторые. «Я бы не стал говорить, как ты, что продолжают все-таки существовать две русские литературы, в метрополии и за рубежом, не вижу между текстами существенной разницы», — написал я ему.

Файбусович ответил мне в тот же день. «Вопрос (если он вообще существует) о двух потоках русской литературы или даже двух литературах все же заслуживает обсуждения; мне кажется, в этом тезисе что-то есть. И связано это, в частности, с неоднородным жизненным опытом пишущих. Общее российское прошлое разошлось по двум руслам. Качество и букет вина зависит от сорта лозы, но в еще большей степени от местного климата, солнечного режима и почвы. В литературе "почва" — это жизненный и культурный опыт писателя. На русское детство и юность накладывается — как бы ни сопротивлялись ему — совершенно новый и неслыханный опыт. Это опыт эмиграции. Я говорю именно об эмиграции, которая и сейчас представляет собой нечто отличное от поездок, от пребывания за границей в качестве участника фестивалей и симпозиумов, лектора в заграничных университетах, от туризма и гощения у живущих на Западе родственников и т. п. Психология экспатрианта — дело совершенно особое и даст себя знать у одних раньше, у других позже. Разница между реальной жизнью в Западной Европе и в России — когда оказываешься "в чреве китовом", внутри этой жизни, — все ж таки достаточно велика, и это, конечно, отдаленность взаимная.

Само собой, в таких рассуждениях невозможно не оглядываться на самого себя, даже принимать себя — невольно — за правило, и все же мне кажется, что тут есть и что-то общее, присущее многим. Мы с тобой слишком хорошо знаем, что главный поставщик сырья для литературного творчества — память. Все остальное — фантазии, книги, свежие впечатления, актуальные события — лишь вспомогательный материал, не так ли? Но (как сказано в Талмуде), быть может, справедливо и обратное: писатель впитывает и перерабатывает впечатления несущейся жизни, память о прошлом играет подсобную роль.

Можно сказать иначе, разделив роли. Автор, живущий в своем отечестве, — по крайней мере, русский автор, традиционно не затворяющийся в своем кабинете, — питается реальной действительностью. Эмигрант черпает материал из закромов памяти. Оба утверждения (вполне тривиальных) не так уж противоречат друг другу, у них есть общий знаменатель — жизненный опыт писателя, опыт, в котором все времена сплавлены.

Можно прожить за границей пять, десять или двадцать лет, приехать погостить на родину и убе-

диться, что при всех огромных переменах мало
что по существу изменилось: старые друзья остались друзьями, переулки детства все те же, хоть и с
другими вывесками; те же липы, те же дворы, те же
лица, и все кругом говорят по-русски, смеются по-
русски, толкаются по-русски. Тот же мат, древний,
как сама Россия. Все твердит о прошлом, воскре-
шает детство, юность; выхватываешь из увиденно-
го то, что носишь в себе; и кажется, что бродишь
среди видений прошлого.

Но, как ландшафт меняется, стоит только солн-
цу скрыться за тучей, отечество меняет свой об-
лик, как только гость погружается в эту жизнь,
ходит и ездит и встречается с разными людьми.
Он начинает понимать, что он не свой, но именно гость, и относятся к нему как к гостю; произо-
шла смена местоимений; когда ему говорят: "мы",
"у нас", то все понимают, что он исключен из этого
"мы", он принадлежит "им", а не "нам". Оказалось,
что за эти годы, сам того не сознавая, он превра-
тился из иностранного русского в русского ино-
странца. Как у Ахматовой:

...Бежим туда, но (как во сне бывает)
Там все другое: люди, вещи, стены,
И нас никто не знает — мы чужие.
Мы не туда попали...

В чем дело? А дело в том, что его житейский и
жизненный опыт более не совпадает с жизненным
опытом соотечественников. Хуже того: он проти-
воречит их опыту. Ты сбежал, тебя не было с нами,
когда у нас происходило то-то, совершались великие события, — вот что хотят ему сказать. Вас не
было там, где я был, вы понятия не имеете о мире,
где я живу, даже если вы и катались туристами по

европам, — думает он. Мы умчались вперед, а ты опоздал на поезд и остался стоять на платформе. Твои часы показывают прошлый век. Нет, — хочет он возразить, — это мой экспресс уже давно в пути, это вы топчетесь на платформе. Обе стороны правы».

«Мое суждение о количестве русских литератур, — отвечал я ему на другой день, — основывалось на текстах из присланных тобой журналов. Можешь ты по ним различить, где какая? Другим может быть материал, тема, и то не всегда, да и что это значит? Хемингуэй только начинал в Америке, потом всю жизнь писал об Италии, Франции, Испании, Кубе, Африке, становился все больше европейцем, оставаясь американским писателем. Как-то в Дюссельдорфе я беседовал с немецким писателем (забыл имя, ты тоже был на этой конференции), который живет во Франции, немецких газет даже не читает, его от них тошнит, как от всего немецкого — но пишет по-немецки и издается в Германии. То, о чем ты пишешь, имеет отношение к тебе (и не только к тебе), к стране, но не к литературе. Внутри самой страны можно подразделить литературу по идеологическому (как любили говорить раньше, партийному, классовому), эстетическому принципу — от иных моих компатриотов я отличаюсь не меньше, чем ты. Принадлежим ли мы к разным литературам? Некоторые, может, вообще ни к какой».

6

Письма Хазанова-Файбусовича — эссеистика высокого европейского уровня. Свои электронные послания ко мне он с некоторых пор стал нумеровать, их количество уже исчисляется сотнями.

«Я не вел дневников, мои письма — аналог дневника», — написал он в присланном мне эссе «Родники одиночества». Для меня же продолжающийся разговор с ним — существенная часть моей жизни.

Особенно драгоценными в этих письмах для меня бывали фрагменты реальных воспоминаний, эпизоды лагерной, больничной, эмигрантской повседневности, рассказы о подлинных человеческих драмах. Откликаясь на какие-то мои слова о железнодорожных впечатлениях, Файбусович попутно рассказывал: «В последние месяцы моего потустороннего существования я был "комендантом станции", последней остановки лагерной железнодорожной ветки, в нескольких километрах от нашего, самого северного лагпункта. Станция называлась Поеж, с ударением на первом слоге. Титул коменданта носил бесконвойный рабочий, в чьи обязанности входило заготовлять дрова и топить печи в помещениях станции, чистить крыльцо, выдавать машинистам керосин, добывая его из железной бочки известным способом — с помощью шланга, один конец которого погружается в бочку, а другой берут в рот, насасывают керосин, сплевывают (Мандельштам прав — керосин имеет сладковатый вкус) и опускают шланг в канистру; наконец, нужно было расчищать пути от снега и заправлять керосином, чистить и переводить стрелки. Собственно, там я и узнал, как функционирует железнодорожная стрелка».

В одном рассказе мне надо было написать о человеке, которому поставили ошибочный диагноз, потребовалась медицинская консультация. «Судя по тому, что ты пишешь, — отвечал Файбусович, — больной был доставлен с диабетической (кетоацидозной) комой. Кома — это состояние глубокого угнетения рефлексов, за исключением "первичных": например, зрачки реагируют на свет. Но больной без сознания, без чувств, его можно колоть, тормошить — он ничего не чувствует, ни на что не отзывается. При сахарном диабете кома может быть инсулиновой (резкая передозировка инсулина) либо кетоацидозной (резкий дефицит инсулина), о последней в данном случае идет речь».

И дальше еще два абзаца об экстренной помощи, о необходимых препаратах. Особое впечатление производили его рассказы о былых пациентах.

«У меня была одна больная, пожилая одинокая женщина, уже не встававшая с постели, с безнадежным диагнозом; дело было в 24-й больнице, лет сорок тому назад. Когда я подходил к ней, она вынимала из коробки на тумбочке диапозитивы: это была коллекция цветов. У нее уже не было ни цветов, ни квартиры. Она лежала и время от времени разглядывала эти стеклышки»...

Великое, несравненное знание! Мне бывало жаль, что в прозе этот бесценный жизненный опыт как бы видоизменялся, растворялся в вымышленном повествовании. Когда время от времени Файбусович сетовал, что зашла в очередной тупик его работа над прозой (обычное для пишущих людей ощущение), я не удерживался от желания напомнить ему, какой богатейший материал еще оставался им не использован.

«Знаешь, — писал я, — мне иногда вспоминаются эпизоды, разбросанные по твоим письмам. Петух с отмороженным гребнем, оркестр заключенных на лесоповале... Драгоценнейшая мозаика. Я, помнится, уже тебя убеждал по другому поводу: если бы ты написал об этом! Фрагментарно, без сюжетной связи, перемежая попутными размышлениями, литературными, историческими, а может, набросками, эпизодами из незавершенных замыслов. Я понимаю, как сомнительны и даже нелепы любые советы со стороны, ты однажды уже с усмешкой отмахивался от назойливого моего жужжания. Но, право, грешно оставлять не записанным такой несравненный опыт, жизненный, интеллектуальный. У меня все же чувство, что такая книга могла бы стать для тебя главной».

«Жанр, о котором ты пишешь, конечно, очень соблазнителен, — отвечал он. — *В его вместительную раму ты вставишь ряд картин, откроешь диораму.* Хотя возникает подозрение, что такая мозаика — в некотором роде симптом инвалидности. И, самое печальное, это относится ко мне. Я даже стал писать, дней десять тому назад, что-то подобное, что-то на эту тему, отчасти под влиянием последнего тома дневников Т. Манна (1953–1955). И бросил. Начало было такое:

"Вот я сижу и думаю... Рука, столько десятилетий сжимавшая перо, исписавшая пуды бумаги, вот эта самая рука с лиловыми венами, измятой кожей, трудно поверить, вновь, когда уже все сказано, все изжито, колотит по клавишам, глаза вперяются в экран, — неужели я еще жив, еще в состоянии выдавливать драгоценные, густые капли воображения? Всю жизнь я старался писать не о себе, всю жизнь писал о себе; но лишь при условии, что мое 'я' отторгалось от меня; ибо я рассматривал свою жизнь как сырье, как нечто достойное внимания лишь в той мере, в какой оно может служить материалом для литературы. Тот, кто не может раздвоиться и пересоздать своего двойника в новое и независимое существо, тот не писатель. Затевая новую книгу, словно отправляясь в новое путешествие, я ехал инкогнито; теперь я могу откинуть капюшон, снять черные стекла и отклеить искусственную бороду. Я больше не "художник". Я — это просто я, и больше никто. Поразительное чувство раскрепощения на пороге смерти"».

Приближаясь к восьмидесяти годам, Борис Хазанов продолжает напряженно и плодотворно работать. Это позволяет думать, что главная его книга, может быть, действительно еще впереди. Я могу лишь слегка перефразировать слова Гете, которые любил цитировать Томас Манн: нужно мужество, чтобы так долго продержаться. Особенно, добавлю, в наше время — и в такой прекрасной творческой форме.

2007

Оставаться самим собой
(К 90-летию Григория Померанца)

Когда видишь Григория Соломоновича Померанца, слушаешь его тихую точную речь, не так просто себе представить, что этот узкоплечий, небольшого роста, на вид слабый человек провел на фронте всю войну, водил в атаку солдат, был ранен, а после войны прошел через сталинские лагеря, участвовал в правозащитном движении, не раз переживал угрозу нового ареста. И все годы этих нелегких испытаний были отмечены напряженным духовным поиском, плодотворной творческой работой.

О своей жизни Померанц сам немало рассказывает в своих книгах и многочисленных публикациях. Он родился 13 марта 1918 года в тогдашнем Вильно. Его мать была актрисой еврейского театра, отец, по профессии бухгалтер, одно время был больше известен как активный деятель Бунда. Высланный за эту деятельность из Варшавы, он попал в Вильно, где и встретился со своей будущей женой.

Первым и долгое время основным языком Померанца был еврейский; русский занял его место, лишь когда он в семь лет переехал вместе с родителями в Москву и начал ходить там в школу. «Любимым писателем моего еврейского виленского детства, — вспоминал впоследствии Григорий Соломонович, — был Ицхок-Лейбуш Перец». Перечитав его уже много лет спустя по-русски, Померанц с трудом мог понять, что нашел мальчик 6–7 лет в этих хасидах, искавших Бога в посте и молитве, почему любимым писателем стал тогда он, а не Шолом-Алейхем, которого почитали в его атеистической семье.

«В Москве 1925 года очень быстро забылся еврейский язык», — писал Померанц. Семейные связи рано распались. В 1930 году матери пришлось уехать в Киев, она получила там работу в еврейском театре. Сын остался с отцом, но его он почти не видел, и особой близости с ним не было. «С 12 лет я учился жить, опираясь только на самого себя... Я сам решал, что хорошо и что плохо. Это было не по силам моему слабому духу, но в конце концов он окреп. Я вырос человеком воздуха — без почвы, традиций и без тоски по ним».

Он не раз называл себя «человеком воздуха» и любил повторять строки Осипа Мандельштама: «Свое родство и скучное соседство мы презирать заведомо вольны». У меня сохранилась запись, сделанная на вечере, который был устроен в честь 60-летия Померанца на одной частной квартире. Григорий Соломонович прочел там доклад «О поисках ближнего через дальнего», где объяснял, почему он ищет почву не вблизи (например, в еврейском мире), а на Востоке. (Он уже тогда проявил себя как серьезный востоковед, его статьи по буддистской философии, по индийской и другим религиям и культурам получили известность не только в стране, но и за рубежом.)

— Почва для меня внутри, она не может быть ничем внешним, — говорил он. — В чужой культуре и чужом языке можно найти недостающие слова и понятия для того, что туманно ощущает душа, что существует в мире — потому что культура не всю себя сознает.

Эту мысль я встречал потом во многих работах Померанца. «Я не боюсь потеряться, переступив через рамки вероисповеданий, национальных пристрастий, — писал он в книге "Записки гадкого утенка". — Я остаюсь самим собой, о чем бы ни писал». И в подтверждение своей позиции приводил слова хасидского цадика Зуси: «Бог не хочет, чтобы я был Моисеем. Он хочет, чтобы я был Зусей».

Померанц не принадлежал ни к одной конфессии, не придерживался никаких ритуалов, но я не знаю человека более религиозного, чем он. Религиозно все его мироощущение, само отношение к жизни. Рассуждая о разных вероисповеданиях, он мне как-то сказал:

— Окна у людей могут быть разной формы, квадратные, прямоугольные, круглые. Но свет, который в них льется, для всех один.

2

О том, что он все-таки еврей, Померанцу, конечно же, напоминали не раз. В его «Записках» можно встретить эпизоды всем известного бытового антисемитизма. Но по-настоящему заставил его коснуться этой темы роман Солженицына «В круге первом». В некоторых эпизодах романа он почувствовал что-то недостоверное, как будто затаенную неприязнь к евреям. За ними угадывалась не вполне осознанная детская травма, комплекс

обиды. Он написал по этому поводу Солженицыну письмо.

«У меня самого была куча комплексов, от которых я освободился. И я пытался убедить Солженицына проанализировать свои комплексы и не
продолжать свои распри». Отклик Солженицына
оказался неожиданно резким. Это стало началом
полемики, которая длилась не один год и получила широкую известность.

«Александр Исаевич Солженицын разбудил во
мне еврея (это целую четверть века не удавалось
отечественной истории...), — написал впоследствии Померанц. — Но, получив толчок, — продолжал он, — я тут же почувствовал, что не способен
быть *только* евреем. Во всех отношениях — и в национальном тоже — я не такой, как надо».

Размышления на национальную тему привели
Померанца к проблеме диаспоры. По поводу слов
Н. Трубецкого (русского философа, убитого гитле-
ровцами в Австрии) о том, что сложившаяся после
революции русская диаспора приобрела типично
«еврейские», то есть общие для всей диаспоры, черты, Григорий Соломонович заметил: «Но евреи —
старейший народ диаспоры, веками лишенный национального ядра. Поэтому вопрос о диаспоре — это
вопрос о евреях и вместе с тем не только о евреях».

Для Померанца все это были не просто теоретические, философские темы. В тех же «Записках
гадкого утенка» он рассказывает, как два года ко-
лебался, уезжать ли ему вслед за многими близкими друзьями в Израиль. И решил остаться. Одну
из причин он объяснил так: «Я не мог представить
себя в другом языковом облике. А если за мною
всюду потащится русский язык, то зачем, без крайней нужды, уезжать из России?»

Решение для каждого индивидуально, говорил он. «Богу безразлично, в какой угол человек забьется. Важно, чтобы это был *его* угол, чтобы человек нашел свой дом». И в письме, отправленном мне 25.01.2004 года, он по-иному выразился о том же: «Что больше вредит человеку, приспособление к трудной жизни в диаспоре или по-иному трудной в Палестине? Одно и то же вино, — говорит Талмуд, — иного делает львом, а иного — свиньей».

3

Связь с русским языком, русской культурой, русской литературой была для Померанца жизненно важной. Особенно много значил для него Достоевский. Еще во время учебы в Институте философии и литературы (ИФЛИ) он занялся изучением его творчества и углублялся в него всю жизнь. Статьи Померанца на разные темы получали широкое хождение в тогдашнем самиздате, имя его было у всех на слуху.

Впервые мы встретились с ним в мае 1972 года у нашего общего друга, замечательного востоковеда Евгении Владимировны Завадской. Она показала Померанцу мою статью об иронии у Томаса Манна, только что опубликованную в журнале «Вопросы философии». Григорию Соломоновичу статья понравилась.

— Но ирония все-таки ограничивает, — заметил он. — На уровне религиозном проблемы иронии снимаются. Прорыв на этот уровень давался иногда Достоевскому. Томас Манн оставался больше в области культуры.

Среди прочего его заинтересовала в статье мысль о том, что человек, ввязавшийся в политику, поневоле вынужден бывает расстаться с иронической позицией. Для творческого человека благо — разделавшись с политикой, вновь вернуться к иронии.

В 70-е годы, когда я с ним сблизился, Померанц отошел от активной диссидентской деятельности. Отчасти потому, что многое в этом движении оказалось ему чуждо, отчасти потому, что не чувствовал себя донкихотом. «Политическая безнадежность освободила меня от политических задач, — писал он. — Свобода от практической цели сделала семидесятые годы самыми плодотворными в моей жизни. Я писал "Сны земли", писал о Достоевском и попытался довести до печатного станка теоретические наброски, начатые в 60-е годы с целью создать альтернативу официальной концепции всемирной истории».

Я стал часто бывать у него, в небольшой двухкомнатной квартире на улице Новаторов, где они с женой Зинаидой Александровной Миркиной живут и сейчас. О том, что значила всю жизнь для Григория Соломоновича эта женщина, мне вряд ли написать лучше самого Померанца. Ее стихи воспроизводятся во многих его статьях и книгах, не просто подтверждая его мысли — у них общее мироощущение. Впрочем, то, что объединяет этих людей, можно назвать проще: любовью.

— Мы с Гришей живем уже много лет, и наша любовь не только не слабеет, но становится сильней, — сказала мне однажды Зина (мы все трое с первых же дней знакомства стали называть друг друга по имени). — Те, кто сам этого не испытал, не поверят, что такое возможно.

Однажды я обнаружил, что телефонный аппарат они уносят в другую комнату и прячут там в ящик для белья.

— Вот почему я вечерами не мог к вам дозвониться, — сказал я.

— Да, вечерами мы слушаем музыку, — ответил Гриша. Утром они оба работали, днем ходили гулять в ближний лес.

Совсем «уйти из истории», как выразился Померанц, ему, однако, не удалось. Новые события вынуждали его откликаться, его статьи сразу становились известны, печатались за рубежом, передавались по радио. Однажды его вызвали в КГБ, предложили подписать стандартное предупреждение (я тоже такое подписывал) об ответственности «за продолжение антисоветской деятельности». Подпись Померанц поставил, но добавил, что, отказываясь от политических заявлений, не будет препятствовать публикации за рубежом своих статей и книг литературно-исторического и философского характера. Как ни странно, власти предпочли это терпеть и не трогать слишком известного человека.

Григорий Соломонович к тому времени уже не один год работал библиографом в Фундаментальной библиотеке Института общественных наук. Он реферировал поступавшие в библиотеку книги и статьи на разных языках, писал на них аннотации. Эта малопрестижная работа открывала ему, однако, возможность знакомиться с мировой мыслью, наращивая незаурядную эрудицию. Как-то я увидел на его столе письмо, пришедшее из Италии; адресовано оно было «профессору Померанцу». Никто за рубежом представить не мог, что обращаются они к рядовому библиографу без всякой ученой степени, не защитившему даже диссертации. В свое время Померанц написал их даже две: одну, еще незаконченную, изъяли при аресте и сожгли, другую защитить не дали. Так он до сих пор без степени и обходится. (Не знаю, удосужился ли какой-нибудь университет хотя бы сейчас присвоить ему ее honoris causa?)

«Я... в социальной структуре никто», — писал Григорий Соломонович. Как вообще назвать его? Литературоведом, эссеистом, публицистом, философом, культурологом? Быть может, точней всего просто мыслителем, подумал я однажды. Кто, в самом деле, достоин этого определения больше, чем он?

Помнится, как-то один из собеседников полушутя обратился к нему: ребе.

— Что делать, ребе, скажите?

Это было в пору, когда то и дело начинались разговоры о близящейся катастрофе. Померанц их не поддерживал.

— У меня есть чутье на большие расстояния. Конца в одной отдельно взятой стране не будет. Россия как-то выпутается. Проблема в том, что будет с человечеством в целом.

Он не принимал и утверждений, будто в наше время происходит разрушение личности.

— Личность разрушается всегда, — сказал он мне однажды, — она сохраняется и развивается, только если противостоять потоку. Даже в сравнительно спокойные времена она разрушается, если человек идет по течению.

Может быть, именно эта внутренняя напряженность, готовность идти против течения, преодолевая внешние обстоятельства, позволила этому человеку, отнюдь не блиставшему здоровьем, дожить до своего возраста.

«Я не хочу, чтобы моим друзьям непрерывно везло, — писал Померанц в "Записках гадкого утенка". — Дерево, выросшее под ветром и дождем, лучше оранжерейной пальмы. В нем больше внутреннего напряжения, жизни, красоты».

Свойство, которое при всех испытаниях помогало ему держаться, я бы назвал способностью к счастью — способностью, которая дается подлинно религиозным мироощущением.

«Сам Бог не сумел сотворить мир так, чтобы в нем не было страдания, — читаем мы в "Записках гадкого утенка". — Закончив день, он говорил: тов (хорошо!)». И людям, которые спрашивали его, зачем же в этом мире столько страданий, он отвечал: «Я страдаю вместе с вами». Но «снова, как в первые дни говорю: тов — хорошо! Йом тов! — хороший день, праздник!»

И в другом месте Померанц развивает близкую мысль, ссылаясь на собственный опыт:

«Я был счастлив по дороге на фронт, с плечами и боками, отбитыми снаряжением, и с одним сухарем в желудке, потому что светило февральское солнце и сосны пахли смолой. Счастлив шагать поверх страха в бою. Счастлив в лагере, когда раскрывались белые ночи. И сейчас, в старости, я счастливей, чем в юности. Хотя хватает болезней и бед. Я счастлив с пером в руках, счастлив, глядя на дерево, и счастлив в любви».

3

До самого последнего времени Померанц ездил на велосипеде за продуктами в дачный магазин. Однажды, собираясь приехать ко мне и уточняя по телефону адрес, он спросил, можно ли от метро не ехать ко мне на автобусе, а идти пешком. Я был тронут: ему в тот год исполнилось 67 лет, и он поехал на другой конец города, чтобы продолжить начатый по телефону разговор о моем только что законченном романе «Линии судьбы, или Сундучок Милашевича». Гриша был первым читателем этого романа, который тогда существовал только в рукописи, перепечатать рукопись взялся его сосед. Меня ободрил добрый отзыв Померанца, но запомнились и его оговорки. Ни один мой герой, по его словам, не нашел пути к «высокой жизни», которая возможна даже в наших условиях, даже в провинции. Он подтверждал это рассказами о своих многочисленных корреспондентах из разных городов и даже прочел мне большое, очень умное письмо одной несчастной и незаурядной женщины, которая в духовном одиночестве напряженно ищет чего-то, к чему-то пробивается.

Для него с Зиной очень много значило общение с разными людьми. Оба вели обширную переписку, много выступали. Однажды знакомая библиотекарша попросила меня помочь: у нее сорвалось чье-то назначенное выступление перед читателями. Я позвонил Померанцу — он с готовностью согласился выступить.

— Вы не любите публичные выступления? — спросил он меня. — А для меня они очень важны.

Как-то Померанц принимал участие в популярной телевизионной передаче, по ходу дела упомянул, что у него через день выступление. И слушать его пришла толпа народа, на улице, рассказывал он мне потом, топталось человек триста, не могли войти: зал на такое количество не был рассчитан.

— Телевидения, нам, конечно, не хватает, — сказал он.

С годами вокруг него и Зины сложилась своего рода община поклонников, слушателей, читателей, просто людей, которым нужны их совет, слово, поддержка. Их выступления записываются, записи эти, включая ответы на вопросы, издаются на деньги, собранные почитателями, на такие же пожертвования издавались и другие их книги. Тиражи бывали небольшие, и аудиторию у них, что говорить, не сравнить было с той, что иные собирали на стадионах.

Что может значить существование такого крохотного меньшинства для общества, невосприимчивого порой даже к самым очевидным истинам, для судеб страны, культуры? — не раз задавался я вопросом. Гриша однажды мне на это ответил:

— Будда сказал: мое Я иллюзорно. Но личность может оказывать огромное влияние на развитие людей.

Вечер в честь 85-летнего юбилея Померанца был устроен в малом зале ЦДЛ, вмещающем человек сто — при нормальном оповещении он, несомненно, мог бы собрать и большой зал, человек пятьсот. Я сам узнал о вечере только потому, что позвонил ему. Слушали его с любовью, говорили о нем восторженно. Мне запомнился рассказ одного из выступавших про то, как Померанц летел на конгресс, кажется, русской интеллигенции в Уфу. У самолета что-то случилось с шасси, он стал кружить над аэродромом, вырабатывая горючее на случай аварийной посадки. И рассказчик услышал от совершенно спокойного Померанца:

— Жизнь представляется мне скрипучей пластинкой. Некоторые слышат скрип сквозь музыку, другие сквозь скрип слышат музыку.

Как это, право, прекрасно! И какой мир приносит в души людей!

В последние годы Померанц довольно много выступает за рубежом, его приглашают на конференции в разные страны. Мы, между тем, стали встречаться все реже, общение становилось больше эпистолярным. Его письма порой оказывались небольшими приватными лекциями на темы богословия, литературы, истории. «Редкая дружеская привилегия», — поблагодарил я его однажды. Я писал ему, что он и Зина постоянно присутствуют в моей жизни, даже если мы не встречаемся.

На последнее мое поздравление, с 89-летием, Померанц ответил: «Я чувствую себя обязанным прожить еще несколько лет, чтобы ободрить тех, кто значительно моложе: сколько еще лет впереди!»

Что можно пожелать этому удивительному человеку, жизнь которого так много значит для других? Мазл тов!

2007

К ним обращаю я взор свой

Этот цикл эссе был написан
специально для журнала «Лехаим»

Учитель радости

Дом, где родился Шагал, напомнил ему, напишет он впоследствии, «шишку на голове зеленого раввина с моей картины или картофелину, упавшую в бочку с селедками и разбухшую от рассола». Увидев его годы спустя, художник морщился и думал: «Как же я здесь ухитрился родиться? Чем здесь люди дышат?»

И о том же провинциальном, заплеванном Витебске, где на улицу выплескивались помои, где в луже посреди дороги блаженствовала свинья, — несколькими строчками ниже: «Церкви, заборы, лавки, синагоги, незамысловатые и вечные строения, как на фресках Джотто».

Джотто — не более, не менее! Где теперь эти строения? Преображенными и увековеченными они остались лишь на картинах художника — и в его душе.

Вместе с трезвым недоумением: как здесь можно было дышать?

Я узнавал схожее чувство, вспоминая пейзажи своего московского детства: убогую деревянную халупу в Нижних Котлах, речку, которая не зря называлась Вонючка — ее окрашивал своими стоками каждый день в разный цвет стоявший выше кожевенный завод, пустырь, где среди камней и мусора прорастали цветы и травы, которые я до сих пор знаю лучше, подробней, чем всю флору последующих лет. Для благодарного детского восприятия это оказывалось такой же полноценной, прекрасной природой, как настоящие леса, луга, сады и реки, в которых можно было купаться.

Шагал, как никто, учит нас счастливой способности восхищаться дарованным нам миром. Через всю жизнь пронес он эту благодарную детскую восхищенность — соединенную с умудренной насмешливой трезвостью.

«Вы когда-нибудь видели на картинах флорентийских мастеров фигуры с длинной, отроду не стриженной бородой, темно-карими, но как бы и пепельными глазами, с лицом цвета жженой охры, в морщинах и складках?

Это мой отец.

Или, может, вы видели картинки из Агады — пасхально-благочестивые и туповатые лица персонажей? (Прости, папочка!)»

Поразительны созданные им живописные портреты самых разных людей, родственников и случайных встречных. «Но описать их словами!» — восклицает Шагал, с нежной иронией любуясь своими тетушками. «У одной был длинный нос, доброе сердце и дюжина детей, у другой — нос покороче и полдюжины детей, но больше их всех она любила самое себя — а что такого? У третьей нос, как на портретах Моралеса, и трое детей: заика, глухой и еще неизвестно какой — совсем младенец».

Я провел детство среди таких женщин, хлопотливых, добрых, малообразованных, чадолюбивых, мастериц вкусно готовить. Они съезжались на семейные праздники, неумелыми голосами запевали непонятные мне еврейские песни. Если бы у меня хватило способностей написать о них с таким же родственным юмором! До меня дошли только обрывки воспоминаний об исчезнувшем мире времен моего деда и моих родителей. Я домысливаю черты этого мира, его воздух, глядя на картины Шагала и читая его. Мир тесной духоты и вкусных запахов, мир зеленых евреев, где пасли коров, учили Тору и помогали беднякам, зажигали по праздникам свечи, где щуплый мальчишка — мой отец — капал свечным воском на бороду ребе, задремавшего в хедере за столом.

«И вот я сижу, уставившись ему в бороду.

Я уже усвоил, что "а" с черточкой внизу будет "о". Но на «а» меня клонит в сон, а на черточке... В это время засыпает сам рабби».

Я узнаю своего отца по рассказам Шагала.

Он вырос в этом мире — и он из него вырастал.

«У меня было чувство, что если я еще останусь в Витебске, то обрасту шерстью и мхом», — сознает он однажды.

Чувство это было противоречивым. Достаточно посмотреть на его картины, чтобы понять, что значил для него Витебск. И много ли самому художнику было надо?

«При всей любви к передвижению я всегда больше всего желал сидеть запертый в клетке», — размышляет Шагал. «Я мог бы сутками не есть и сидеть где-нибудь около мельницы, разглядывая прохожих на мосту: нищих, убогих, крестьян с мешками».

Но не менее важной была для художника и другая, внутренняя потребность.

Как говорят некоторые знатоки иудейской религии, чтобы «ходить под Богом», человек постоянно должен преодолевать инерцию привычного существования. На протяжении долгой истории евреям приходилось менять свою жизнь поневоле, преследования вынуждали их странствовать. Однако есть еще импульс душевный, требующий непрестанно развиваться, не задерживаться на месте — оставаясь при этом самим собой.

С тем же восхитительным своим юмором Шагал рассказывает, как, оказавшись однажды летом в одной деревне с «великим раввином Шнеерсоном», пришел спросить у него совета: ехать ли ему в Петроград.

«Думаешь, там вам будет лучше? — спрашивает рабби. — Что ж, благословляю тебя, сын мой. Поезжай».

Художник в сомнении рассказывает, что его все-таки связывает с Витебском. Рабби не возражает: «Ну что ж, сын мой, если тебе больше нравится в Витебске, благословляю тебя, оставайся».

«Господи! Велика мудрость рабби Шнеерсона!» — восклицает Шагал. При всей ироничной интонации — разве не утверждался он всю свою жизнь именно в той же мудрости? Надо самому искать свой путь, ни на кого не оглядываясь, прислушиваясь лишь к голосу, который звучит в твоей собственной душе.

«Я бродил по городу, искал чего-то и молился:

"Господи... яви мне свой путь... Я хочу видеть этот мир по-своему".

И в ответ город лопался, как скрипичная струна, и люди, покинув обычные места, принимались ходить над землей».

На картинах Шагала художник идет вперед, но голова его обращена назад. Внутренне он до конца жизни не оторвался от своего Витебска. Он унес его с собой в душе — вместе с детской способностью радостно изумляться миру. И мир не переставал открываться ему словно впервые.

Эту радость излучают краски его картин.

Знающие люди говорят о внутренней близости шагаловского мироощущения хасидизму. «Хасидизм, — читаем мы у одного автора, — учит, что Бог проявляется в обыденных вещах, что ему угодны не рассудок, а чувства, и не уныние, а радость, и что познать это дано только взволнованной душе».

Именно такой взволнованной и радостной была душа Марка Шагала — наперекор всем горестям и тяготам его непростой жизни. Сколько бы ему ни пришлось пережить: революцию и войны, нищету, болезни, опасности, голод — способность радоваться не оставляла его никогда.

«Затопили печь, — описывает он комнатушку, где ему после долгих поисков удалось поселиться с женой и дочерью. — С труб закапала влага в постель. В глазах слезы — от дыма и радости. В углу ватной белизной искрится снег. Мирно посвистывает ветер, плеск пламени похож на звучные поцелуи.

Пусто и радостно».

Дым, холод, снег в жилой комнате, бедный быт — ничто не может лишить человека этой радости, если способность к ней — в его душе. Вспоминаются стихи Осипа Мандельштама:

> В роскошной бедности, в могучей нищете
> Живи спокоен и утешен —
> Благословенны дни и ночи те,
> И сладкогласный труд безгрешен.

Своим безразличием к внешним обстоятельствам жизни, к одежде Шагал напоминает мне другого великого мудреца, Альберта Эйнштейна. «Вообще терпеть не могу одежду и всю жизнь одеваюсь как попало». Он не горевал о множестве пропавших, украденных, отданных задаром картин. «Ну и ладно. По крайней мере, коль скоро картины достались даром, они не поленятся повесить их на стене».

Конечно, так проще было ощущать себя в относительно молодые годы. С возрастом, слава Богу, вместе с известностью пришла и несравненная обеспеченность. По рассказам, денежными делами сам Шагал занимался мало, передоверял их своей жене. Но один наблюдательный свидетель не без лукавства заметил, как во время переговоров о гонораре художник из-за двери на пальцах подсказывает ей желанную сумму. А что такого? — как сказал бы он сам.

Внутренне он до конца оставался все тем же витебским мальчиком — с глазами, распахнутыми в мир восхищенно и радостно. Я читал, каким просветленным оставалось его лицо даже в гробу. Вспомнились слова одного шумевшего в те годы философа о том, что всякая человеческая жизнь приходит к крушению. Нет, подумал я, не всякая.

Вот и художник — ребенок, заросший годами,
Как слоями древесных колец. Сквозь кору на щеке
Проступает лицо коровы, подсолнух — воспоминание
Обо всем, что не исчезает, пока хранится внутри.

Что ж, пора возвращаться в мир привычный, знакомый.
Но что с ним успело случиться? Как будто снялась
Поволока с переводной картинки, очертания, краски
Прояснились, освеженные влагой, — обновился зрачок.

Лошадь
в одноконной упряжке

На немногие вопросы я мог бы ответить так же уверенно и однозначно, как на вопрос о наиболее близкой, ценимой мною в мировой истории личности, иначе говоря, о человеческом образце. Уже много лет — и неизменно — для меня это Альберт Эйнштейн.

Казалось бы, почему именно он, гений науки, мне, в общем-то, недоступной? Но дело ведь не в науке и не в гениальности. Я готов лишь вчуже восхищаться, например, Альбертом Швейцером, сознавая, что даже в мыслях не могу себя с ним сравнивать. Чтобы бросить все прежнее ради некой идеи, а потом выдерживать многолетнюю подвижническую жизнь в тропиках, соответствовать представлениям, не позволяющим убить ненароком даже комара... — нет, для всего этого надо было обладать качествами, превосходящими обычные человеческие, мне, во всяком случае, недоступными. Ведь даже близкие Швейцеру люди, искренне желавшие быть рядом с ним, долго этой жизни выдержать не смогли — морально и просто физически.

В Эйнштейне же — при всей его гениальности — столько близкого мне и понятного. Эта житейская неприхотливость, это нежелание зависеть от вещей, готовность обходиться минимумом в одежде и обуви, это безразличие к деньгам, к славе, вообще к внешним обстоятельствам жизни. Врученный ему Рокфеллеровским фондом в день семидесятилетия чек на 15 000 долларов он долгое время использовал в качестве книжной закладки. «Комфорт и благополучие никогда не были для меня самоцелью, — говорил он. — Доброта, красота и правда — вот идеалы, которые освещают мой жизненный путь».

Когда-то его можно было увидеть на цюрихской мостовой
С заплечным мешком, в нем он нес мякину
Для колыбели новорожденного сына.
Старый свитер, куртка из коричневой кожи,
На ногах башмаки без носков.
Когда он писал формулы в аудитории на доске,
Повернувшись спиной к студентам,
Приходилось то и дело подтягивать брюки —
Не носил ни ремня, ни подтяжек.
«Часовых дел мастер из маленького городка, —
Определил по фотографии знаменитый физиономист, —
Или немного старомодный сапожник».
Сам он говорил, что был бы не прочь
Пристроиться смотрителем на каком-нибудь маяке,
Лишь бы свободно странствовать мыслью,
Чтобы заглянуть однажды за край,
Где, глядишь, закружится голова.
Что человеку нужно, говорил он,
Кроме кровати, стула да скрипки?
Чем меньше вещей, тем меньше от них зависишь,
Тем ты свободней.
Главным своим дарованием он считал
Страстное любопытство.

Я испытываю странное удовлетворение при мысли, что именно такой человек совершил величайшее открытие века, изменившее наши представления о самом мироздании, и в результате оказался достаточно рано избавлен от забот о хлебе насущном, без горечи и ненужных испытаний оставаясь всю жизнь самим собой. Он вызвал бы мое восхищение независимо от научных достижений. И все-таки хорошо, что именно он создал теорию относительности. Есть тут какая-то высокая справедливость — редкая в нашей жизни.

Однажды я заговорил об Эйнштейне со знакомым ученым, уезжавшим в Израиль. Он заметил, что для еврейского самосознания этот человек значит не так уж много — меньше, чем деятели национального движения, имена которых стал мне называть.

Мне близко еврейство Эйнштейна — гениального одиночки.

Странно выглядит автобиография, которую ученый написал незадолго до смерти. (Он сам не без иронии называл этот текст «некрологом».) Здесь нет обычной родословной, не приведены даже имена родителей и дата собственного рождения; лишь однажды вскользь упомянуто, что он еврей. Говорится с первых же строк о проблемах прежде всего научных и философских — главные события для него происходили в области духа.

Эйнштейн родился в семье, где, как во многих ассимилированных еврейских семьях, мало заботились о выполнении религиозных обрядов. Учиться его отдали в католическую народную школу, однако дальний родственник обучал Альберта основам еврейской религии. Он потом рассказывал приятелю, как по дороге в гимназию распевал песни во славу Божию, которые сам сочинил. А на вопрос, кем бы он стал, если бы родился в России в бедной еврейской семье, однажды ответил: «Наверное, раввином».

По-настоящему ощутить свое еврейство ему, как и многим, помогли, по словам самого Эйнштейна, «больше неевреи, чем евреи» — проявления антисемитизма приходилось испытывать на себе всю жизнь. Далекий от конфессиональной обрядовости, от жизни религиозной общины, противник любого национализма, он поддержал, однако, сионистское движение, увидев в нем единственное убежище для гонимых. Проблема трагически обострилась, когда в 1933 году он вынужден был покинуть страну, где родился, чтобы уже не вернуться в нее никогда. Впоследствии он не желал, чтобы даже его труды выходили в Германии — «из чувства еврейской солидарности».

Однако при всем том этот подлинный гражданин мира в каком-то смысле представляется мне одиноким во времени — по отношению к поколениям предков и одиноким в пространстве — по отношению к любой стране. «Не имеет значения, где ты живешь... — писал он Максу Борну. — Я нигде не пустил глубоких корней... Сам беспрестанно скитаюсь — и везде как чужак... Идеал для такого человека, как я, — чувствовать себя дома везде, где со мной мои родные и близкие».

Но не свидетельствует ли такое одиночество о высшей степени личной свободы, олицетворением которой Эйнштейн представляется мне во всем: в жизни, в научной деятельности, в общественно-политической активности, которая становилась порой вынужденной, ибо для все большего числа людей он оказывался воплощением совести, духовной и просто житейской опорой в трагических перипетиях эпохи?

«Страстный интерес к социальной справедливости и чувство социальной ответственности, — писал Эйнштейн, — противоречили моему резкому предубеждению против сближения с людьми и человеческими коллективами. Я всегда был лошадью в одноконной упряжке и не отдавался всем сердцем своей стране, государству, кругу друзей, родным, семье. Все эти связи вызывали у меня тягу к одиночеству, и с годами стремление вырваться и замкнуться все возрастало. Я живо ощущал отсутствие понимания и сочувствия, вызванное такой изоляцией. Но я вместе с тем ощущал гармоническое слияние с будущим. Человек с таким характером теряет часть своей беззаботности и общительности. Но эта потеря компенсируется независимостью от мнений, обычаев и пересудов и от искушения строить свое душевное равновесие на шаткой основе».

Он ведь и в науке шел путем одиноким, вырываясь из устоявшихся представлений. И надо отдавать себе отчет, какого интеллектуального, духовного, да просто человеческого мужества потребовал этот прорыв мысли, какой внутренней свободы от господствующих авторитетов, от привычного, казавшегося единственно верным взгляда на мир. А когда теория относительности стала получать блестящие подтверждения, он уже был занят другим поиском, который потребовал многолетних усилий и который сам Эйнштейн назвал в одном из писем «бесплодным» — попыткой создать единую теорию поля. Уже после смерти Эйнштейна стало все чаще звучать мнение, что он и в этой области предвосхитил многие позднейшие догадки. Ну а если бы, допустим, нет? Разве не остался бы этот человек для нас тем же образцом духовного, интеллектуального мужества и верности себе, достойным восхищения искателем истины?

«Нет ни одной идеи, относительно которой я был бы убежден, что она выдержит испытание временем, — писал Эйнштейн в 1949 году М. Соловину. — Я вообще не уверен, что нахожусь на правильном пути, и в глубине души недоволен собой. Да иначе и быть не может, если ты обладаешь критическим умом и честностью, а чувство юмора и скромность позволяют не терять равновесия вопреки внешним воздействиям».

Какими понятными и близкими кажутся мне эти слова о чувстве юмора и скромности! Или те, где Эйнштейн формулирует свое этическое кредо: «Что должен делать каждый человек, это давать пример чистоты и иметь мужество серьезно сохранять этические убеждения в обществе циников. С давних пор я стремлюсь поступать таким образом — с переменным успехом».

Наука для такого человека означала отнюдь не только профессию, занятие среди прочих. Его отношение к ней можно назвать в каком-то смысле религиозным. Зарабатывать на жизнь Эйнштейн предпочел бы чем-то другим — стоит вполне всерьез отнестись к его желанию стать, например, смотрителем маяка. Наука влекла его возможностью чистейшей, ничем не замутненной свободы. «Как и Шопенгауэр, я прежде всего думаю, — писал он в речи к 60-летию Макса Планка, — что одно из наиболее сильных побуждений, ведущих к искусству и науке, — это желание уйти от будничной жизни с ее мучительной жестокостью и пустотой, уйти от уз вечно меняющихся собственных прихотей... Но к этой негативной причине добавляется позитивная. Человек стремится каким-то адекватным способом создать в себе простую и ясную картину мира; и не только для того, чтобы преодолеть мир, в котором он живет, но и для того, чтобы в известной мере попытаться заменить этот мир созданной им картиной. Этим занимаются художник, поэт, теоретизирующий философ и естествоиспытатель, каждый по-своему... Душевное состояние, способствующее такому труду, подобно чувству верующего или влюбленного».

Что до религии как таковой, то Эйнштейн как-то сказал, что верует в Бога Спинозы, который являет себя в гармонии всего сущего. «Моя религия — это глубоко прочувствованная уверенность в существовании высшего интеллекта, который открывается нам в доступном познанию мире».

С этим мироощущением было связано и отношение Эйнштейна к смерти. Не боится ли он ее? — спросили его однажды. «Чего же в ней страшного? — ответил Эйнштейн. — Я настолько слился со всем живым, что мне безразлично, где начинается и где кончается какая-то одна жизнь». И по другому поводу: «Я не хочу и не могу также представить себе человека, остающегося в живых после телесной смерти, — что за слабые души у тех, кто питает из эгоизма или смешного страха подобные надежды... Мне достаточно испытывать ощущение вечной тайны жизни». Перед смертью он отказался от операции, которая могла бы ему на время помочь. «Это безвкусно — искусственно продлевать жизнь, я свое дело сделал, пора уходить. Я хотел бы сделать это элегантно».

В одном из последних писем он назвал себя «глубоко религиозным неверующим». В смысл этих слов стоит вникнуть. Ибо этот человек в самом деле был, как немногие, причастен к некой великой тайне.

Молитва Януша Корчака

В дневнике, который Януш Корчак начал писать месяца за три до гибели, в мае 1942 года, воспроизводится разговор двух «дедов».

«— Я вел правильную размеренную жизнь без потрясений и крутых поворотов, — с удовлетворением рассказывает о себе один. — Не курил, не пил, в карты не играл, за девицами не бегал. Никогда не голодал, не переутомлялся, не спешил, не рисковал. Всегда все вовремя и в меру...

— Я чуть-чуть иначе, — отвечает ему другой. — Всегда там, где достаются синяки и шишки. Еще был сопливым мальчишкой, как уже первый бунт, первые выстрелы. И ночи были бессонные, и тюрьмы столько, что любому юнцу было бы достаточно, чтобы поуняться. А потом война... Пришлось ее искать далеко, за Уральскими горами, за Байкальским морем, среди татар, киргизов, бурят, даже до китайцев добирался... Водку, разумеется, пил, и жизнь свою, а не скомканный банкнот, на карту ставил. Только на девчонок вот времени не было... Папирос искурил без счета... И нет во мне ни единого здорового местечка. Но живу. Да еще как живу!»

Разговор, конечно же, вымышленный, но черты самого Корчака во втором собеседнике угадываются несомненно. И в тюрьме он не раз сидел, и военным врачом во время трех войн служил, и в Китай его одна из войн занесла. Первый «дед» горделиво упоминает своих детей и внуков.

«— А у вас? Как у вас, коллега?

— У меня их двести.

— Шутник вы, сударь!»

Если Корчак и подшучивал в своем дневнике, то немного над собой. Он никогда не был женат, единственной его семьей до конца жизни оставался созданный им Дом сирот.

Вместе со своими детьми он проделал последний свой путь — в лагерь уничтожения. Это доселе невиданное, потрясающее шествие описано неоднократно. Двести воспитанников приюта шли на вокзал по улицам, оцепленным эсэсовцами, стройной колонной, с пением, неся впереди свое зеленое знамя. И во главе колонны, держа за руки двух детей, шел невысокий рыжеватый человек, Старый доктор, Хенрик Гольдшмидт, известный читателям во многих странах мира как Януш Корчак.

По-разному пересказывались легенды, будто немцы «великодушно» предложили знаменитому доктору спасти свою жизнь, покинув детей. Известны свидетельства вполне достоверные: Корчаку задолго до расправы предлагали бежать из гетто, уже приготовлено было даже убежище, где он мог спрятаться, пережить оккупацию.

Обсуждалась целесообразность избранного им самопожертвования. Детей он не спас все равно, а мог бы еще сослужить службу другим — сирот в мире хватало. Не кончает же самоубийством врач, пациент которого умер от неизлечимой болезни. Он повел себя, говорили некоторые, не как обычный человек — как мученик, как святой.

Я, которого судьба от такого выбора, слава Богу, уберегла, который не может всерьез даже сопоставлять себя с этой несравненной личностью, все же пробую сам мысленно этот выбор к себе примерить. И позволю себе утверждать убежденно: не мученик, не святой, человек обычный, если его душа не извращена, поступить иначе не мог. Разве можно покинуть своего ребенка, когда он болен, когда попал в беду, когда ему угрожает опасность? Отказаться от своих детей, отпустить их на гибель, чтобы самому остаться в живых, — нет, даже представить себе, чем стала бы для тебя эта твоя дальнейшая жизнь, невозможно.

Ведь двести еврейских сирот, совершавших последний свой путь вслед за Янушем Корчаком, были для него собственными детьми.

Мне труднее, признаюсь, представить себе другой, действительно не всякому посильный подвиг, которым оказалась вся жизнь этого во всем обычного, такого же, как мы, человека, — подвиг, который он совершал постоянно, день за днем, в течение многих лет, в самые страшные времена, и не отказался от него до последних мгновений.

Он служил на фронте врачом, работал в больнице, к нему обращались за помощью не только евреи, но богатые, знатные христиане. Другие могли гордиться такой практикой. Он ушел из больницы ради Дома сирот — и записывает в дневнике: «Осталось чувство вины... Отвратительное предательство». Хотя и здесь он не переставал быть врачом — дети постоянно болели. Поносы, кашель, обморожение, дистрофия, сыпь на коже, — записывает он в дневнике. «Рвота — пустяки». «Незабываемые картины пробуждающейся спальни». Ежедневное измерение температуры, взвешивание, добыча пропитания для детей. Он сажает детей на горшки, моет им головы, стрижет им ногти. Это были его дети.

Между тем попадали они в Дом сирот по-всякому, доктор Гольдшмидт их не выбирал. «Город выбрасывает мне детей, как море ракушки, а я ничего — только добр с ними». Чаще всего это были дети из бедных, неблагополучных семей, с подорванным телесным и душевным здоровьем, нередко трудновоспитуемые. «У меня такое впечатление, что сюда присылают отбросы — как детей, так и персонала из родственных учреждений», — с горечью записывает Корчак. Удивительные, новаторские методы воспитания описаны им в знаменитых книгах, но можно иной раз лишь догадываться, чего это ему стоило.

«Пять стопок спирта, разведенного пополам с горячей водой, приносят мне вдохновение.

После этого наступает блаженное чувство усталости, но без боли».

Ведь и боли он чувствовал постоянно. Но больше боли, ухудшающегося здоровья, больше наваливавшихся одна за другой невзгод пугало его иногда другое:

«Вялость. Бедность чувств, безграничная еврейская покорность: "Ну и что? Что дальше?"

Ну и что, что болит язык, ну и что, что расстреляли? Я уже знаю, что должен умереть. И что дальше? Ведь не умирают же больше одного раза?»

И в другом месте:

«Существуют проблемы, которые, как окровавленные лохмотья, лежат прямо поперек тротуара. А люди переходят на другую сторону улицы или отворачиваются, чтобы не видеть.

И я часто поступал так же...

Надо смотреть правде в глаза.

Жизнь моя была трудной, но интересной. Именно о такой жизни просил я у Бога в молодости.

"Пошли мне, Боже, тяжелую жизнь, но красивую, богатую, высокую"».

Бог, видимо, и вправду услышал его молитву — сам Корчак жизни себе не облегчал. Дороже многого стоит это вырвавшееся признание: «И я часто поступал так же». Но он продолжал смотреть правде в глаза. Под грохот бомб и снарядов, вызывающе надев свой офицерский мундир, ежедневно, ежеминутно рискуя жизнью и презирая опасность, он носится по варшавским улицам, подбирает испуганных, заблудившихся, истощенных детей, поднимает с мостовой раненых. Он добывает им пропитание, обувь, одежду, он стучится в учреждения и частные дома, требуя помощи для Дома сирот — для своих детей, умоляет, кричит, угрожает. Словно царящие вокруг страх и растерянность наделяют его новой, неистощимой энергией. Он пишет обращения к евреям и к христианам: «Исключительные условия требуют исключительного напряжения мысли, чувств, воли и действий. Сохраним же достоинство в несчастье!»

Перечитывая эти строки сейчас, в сравнительно спокойные времена, поневоле снова оглядываешься на себя. Чему можем научиться мы, люди обычные, у воспитателя, вся жизнь которого оказалась подвигом, у человека, личность которого несравненна? Если бы хоть вот этому: способности бороться с такой знакомой каждому душевной вялостью, расслабленностью чувств, мысли и воли, способности хотя бы иногда заглядывать правде в глаза.

Сам Корчак именно этому учил своих воспитанников — никаких истин им не проповедуя.

«Мы не даем вам Бога, — говорил он, обращаясь когда-то к детям, покидавшим его Дом, — ибо каждый из вас должен сам найти его в своей душе.

Не даем родины, ибо ее вы должны обрести трудом своего ума и сердца.

Не даем любви к человеку, ибо нет любви без прощения, а прощение есть тяжкий труд, и каждый должен взять его на себя.

Мы даем вам одно, даем стремление к лучшей жизни, которой нет, но которая когда-то будет, к жизни по правде и справедливости.

И может быть, это стремление приведет вас к Богу, Родине и Любви».

Боже, мог он сказать перед смертью, ты дал мне,
что я просил:
Жизнь, в которой прожить сполна каждый день
Было труднее, чем написать толстый том, как говорил поэт.
В каждом вмещалось больше, чем в книге или главе,
Сотни жизней входили в мою, становились частью моей.
Ты дал мне искать не для того, чтобы добраться до дна —
Чтоб, углубляясь, спрашивать вновь и вновь,
Дал понять, что не время делает нас — его делаем мы.
Жизнь оказывается не коротка — невероятно длинна.
Верны подсчеты Писания, я готов подтвердить:
Мафусаил вполне мог прожить почти тысячу лет.
Боже, ты дал мне жить, как я хотел, и даешь умереть,
Выбрав свою судьбу и не теряя себя.

2004

Молитва огненных красок

Я писал стихи уже много лет, но долго не решался предложить их журналам для публикации. Произошло это однажды как бы независимо от меня. Я лежал в больнице, когда мне домой позвонили из газеты «Еврейское слово», сказали жене, что хотели бы пригласить меня к сотрудничеству. Услышав, что у меня инсульт, спросили, не могут ли мне чем-то помочь, не нуждаюсь ли я в лекарствах. На меня это, помнится, произвело впечатление: не от всякого издания можно было такое услышать. Помощи мне, слава Богу, не понадобилось, но разговор о публикации получил продолжение. Посоветовавшись со мной, жена передала в журнал «Лехаим» подборку моих верлибров — и они были тут же приняты.

С тех пор мои стихи печатались в самых разных изданиях. Сохранилась, однако, моя благодарность журналу, с легкой руки которого я смог в дальнейшем именоваться не только прозаиком, эссеистом, переводчиком, но и поэтом.

Уход мамы

Мама уходила от нас с каждым днем все дальше,
Блуждала, пыталась припомнить дорогу.
Среди ночи вдруг встала, пошла, упала.
«Куда вы?» — поднимала в тревоге невестка
Отяжеленное слабостью тело.
«В школу», — смотрела еще не отсюда, еще не видя.
Значит, все-таки надо опять вернуться.
«Так мне было неловко, — рассказывала потом, —
Разбудила всех, переполошила больных в палате».
Брови страдальчески напряжены.
«Увези меня, — просит опять,— я хочу домой».
«Но где же ты? — говорю. — Посмотри, ты у себя дома».
В глазах недоверчивая тоска.
«Я соскучилась по своим детям».
Усталый мужчина с седеющими висками,
Один из трех, вышедших из ее тела.
Он ли умещался в руках у ее груди,
Покусывал больно сосок — проре́зались зубки?
С ним все время недосыпала...
Трет с усилием переносицу средним пальцем.
Что-то надо опять совместить, составить,
Вспомнить, что еще хотела спросить.
«У тебя на зиму все есть? — вспоминает. —
Шарфик, теплые носки, свитер?
Возьми, тут, в шкафу, все, что тебе нужно».
Только где ключ от шкафа? Припрятан, куда — забыла.
Незнакомые то и дело входят без спросу,
Тяжело жить не у себя, в чужом месте.
Хоть бы самой расплачиваться за услуги —
Своего тут ничего не осталось.
«Я не понимаю теперешних денег,
Не могу сама ходить в магазины,
Новых цен совершенно не знаю,

Уход мамы

А какие были шестьдесят лет назад, помню».
Копна яиц — шестьдесят штук — стоила шестьдесят копеек.
На сахарном заводе платили пятнадцать рублей в месяц.
Еда была: хлеб с патокой, луковица да помидор.
(Помидоры ходили с подружками рвать, пригибаясь,
                                        на колхозное поле.)
А спроси, что ела сегодня на завтрак?...
«Я хочу к себе, — повторяет просительно, —
                              к себе, в Андрушовку.
Где моя бабушка Хана, где брат Арончик?»
Стриженый мальчик в коротких штанишках с помочами,
Студент, отправленный на фронт в сорок первом,
Пропавший без вести, смешавшийся с прахом,
Где-то там, где давно ушли в небо с дымом
Андрушовка, мазанка с соломенной крышей,
С глиняным полом, разрисованным в клетку,
Каждая украшена, уложена пахучими травами.
Вот они сейчас, явственней, чем стены вокруг.
Почему ей не давали вернуться,
                        заставляли жить на чужбине?
Обращала ко мне измученный взгляд:
Неужели я заслужила такое?
Объяснения казались здравыми только нам, отсюда.
«Ладно, — обрывала, — не будем об этом».
О, это постукивание кулаком по столу, по коленке!
В смущенном мозгу проворачивается все то же.
Никакой размягченности, согласия примириться.
Будь она мягче, она бы не встала на ноги
После болезненного потрясения.
Сознание было помрачено, речь бессвязна.
Не только лекарства помогли ей вернуться —
Сила гордого сопротивления.
Уже ходить могла только с чужой поддержкой —
Палку в руки брать не желала.
«Дотянуть бы до конца», — сказала однажды.
Нам ли было отвечать, что это всем удается?
Она уже пробовала, возвращалась, не могла найти слов,
Доступных пониманию здешних.
Справляться надо было самой.
«Будет круглосуточная ночь», — проговорила вдруг ясно.
Вечером закрыла глаза и уже не открыла,

Не просыпалась еще пять суток,
Не пила, не ела, не откликалась.
Переходила реку по плотине у мельницы, над запрудой,
Где плескались успевшие раньше подружки.
Нас оставляла на другом берегу.
Стоим теперь на своих ногах — разберемся сами.
Освободилась. Уходила все безвозвратней,
По тропе над рекой, узнавая каждый изгиб,
Среди ромашек, высоких трав, пахучей полыни.
С каждым шагом все легчала, легчала.
Ореол курчавых волос светился вокруг головы.
Ссадина на колене прикрыта листом подорожника.
Береговой стриж цвета синей птицы
Пролетал перед нею над самой водой,
Дальше, дальше, туда, где у белой хатки
Дожидаются, приветственно машут руками
Бабушка Хана с лицом в добрых морщинах.
Братец Арончик в коротких штанишках.

Свеча

Необыкновенная сказочная свеча
В виде селения, прилепившегося к горе.
Гору венчает храм с куполом небесной лазури,
Из купола высовывается фитиль.
Каждый дом обозначен подробно:
Резные карнизы, пилястры, оконные рамы.
За окнами угадываются фигуры.
В сумраке они едва различимы.
Но если только зажечь фитиль
(Необыкновенная сказочная свеча),
Вдруг высвечиваются, оживают.
Рдеют в очаге угли, из котла поднимается пар,
Женщина трогает колыбель, распускает волосы по плечам.
Хочется, не отрываясь, без конца наблюдать
Трепет и колыхание засветившейся ярко жизни...
Но что это? На окно вдруг наплывает натек.
Слишком увлекся, надо бы уследить.
Пламя на черном фитиле разрослось,
Не желает теперь погаснуть — и сил не хватает задуть.
На месте лазурного купола кратер, оранжевый, раскаленный.
Зажег, теперь уже ничего не поделать.
Но как же тогда иначе увидеть жизнь?

Исторические руины

Защита проекта «Исторические руины»:
Сооружения для будущих экскурсантов.
Образцами могут служить Парфенон, Колизей,
Проросшие джунглями храмы Востока,
Иерусалимская Стена Плача.
Восстанавливать первоначальный,
                              предварительный вариант
Было бы, согласитесь, кощунством.
Столько понадобилось веков, переживаний, усилий,
Чтобы превратить их в объект восхищения.
Современные технологии убыстряют работу.
Вот скелет собора после бомбежки —
Будоражит воспоминания, мысли.
Стена с тенью неизвестного человека,
Запечатленного атомной вспышкой,
Саркофаг вокруг взбесившегося реактора,
Остатки разрушенной Берлинской стены,
Нечто, называвшееся Мавзолеем.
Архитектурные стили значения не имеют.
Здесь перед нами раздел несбывающихся утопий,
Все, что в перспективе остается от Городов Солнца.
Фрагменты можно будет пустить в продажу —
Есть любители украшать ими свои виллы.
Проект окупится. Особо выделены
Объекты нематериальные. От библиотеки
Вроде Александрийской можно и камней не оставить,
Но вот, пожалуйста, пепел — Эсхил, или Аристотель,
Или кто-то из новых гениев, загубленных на корню,
Написанного ими никто уже никогда не узнает,
Но сколько пищи, не правда ли, воображению?

Хаим Сутин

Хаим — жизнь.

Курица оцепенела в руке местечкового резника,
Блеск ножа, вспышка яростной крови,
Крик застрял в перехваченном горле — кажется, навсегда.

Жизнь — попытка освободиться, вытолкнуть крик.

Голый юноша с детской губастой улыбкой
Смотрит на чистый холст, как влюбленный на девушку,
Обмакнул осторожно кисть в красную краску —
Брызнула первая кровь, вскрикнул первый мазок.
Алая рана рта, нервно сцеплены пальцы,
Многоцветно пульсируют жилы, напряжены,
Беспокойно вздернуты плечи, взбудоражены складки,
Изумленье смещает черты, лицо живее, чем в жизни.

Мир неправилен, вздыблен, тревожен, если не омертвел.
Кисть в руке — сопротивление небытию. Ребе сказал:
Не изображай ничего, что имеет душу, это запрещено.
Краски вопят с холста: разве мертв натюрморт?
Пейзаж освежеванных тел, распятых, цветущих кровью,
Ритуальная бойня, молитва, заклинание боли.

Вскрыта земля, копошась, расползаются склоны,
Обнажены потроха цвета глины, пульсируют
                                        жилы дорог,
Взбаламучено, взбугрено небо, рощи срываются с места,
Деревья летят кувырком с горы, запутаны волосы-ветви,
Дома вцепились корнями в землю,
                    наклонились не в сторону ветра —
Против ветра, чтоб удержаться на крутизне.

Жизнь — попытка держаться.
Только с кистью в руке одолеваешь тревогу,
Если ты без нее — значит, спишь или пьян.

Хаим — жизнь.
Спит художник на просохшем холсте,
                         укрывшись едва просохшим.
Под ним и над ним вздымаются, дышат холмы,
Дорога, взобравшись на гору, повернулась, глянула вниз —
Кружится голова. Дома громоздятся на плечи друг другу,
Заблудилось под ними облако,
                         освежеваны красные крыши,
Вздуты реки цвета рубина. В ущельях, рощах, оврагах
Проявляются вдруг обитатели — застигнешь врасплох,
Отведешь на мгновение взгляд — больше уже не увидишь,
Не сможешь вернуться, заблудишься в складках мира.

Хаим — жизнь.
                   Ты, наверное, много страдал? —
Спросят его. Я был счастлив всю жизнь, —
Улыбнется художник детской губастой улыбкой,
Спрятанный в катафалке, чтобы проникнуть в город,
Который сравнил однажды с телом, цветущим кровью,
Мимо постов оккупантов — и там умереть в больнице.

Кровь, наконец, прорвется.
                   Крик предсмертного счастья,
Молитва огненных красок будет звучать с холстов.

ДАР

— Прими несравненный дар: тебе дается способность
Во все проникать сквозь покровы, под шелуху шелестящих,
Обманчивых, как улыбки, слов, угадывать за молчанием
То, что осталось несказанным. Черты неприкрашенных лиц
Проступят под нарисованными. Тебе откроется правда.
Вдруг обнаружишь пропажу, поймешь, что был обокраден
Тем, кто казался другом. Ты, наконец, узнаешь,
С кем тебе изменяла та, кого ты любил...

Постой, не спеши с благодарностью. Это не все. Ты сумеешь
Заглянуть в себя самого, больше не будешь, как прежде,
Малодушно лукавить с собой, отворачиваться, зажмурясь,
Лишь бы не видеть, не признавать жизни, как она есть,
Фальши, блевотины, крови, перестанешь тешить себя
Выдумками, увертками, довольствоваться обманом.
Трезвость сродни бесстрашию — только она позволит
Ощутить эту жизнь сполна — кожей, ноздрями, нутром.

— Не надо, твой дар не по мне, возьми его лучше обратно.
К чему непосильная правда, когда ничего отменить,
Изменить, переделать не можешь? Только сойти с ума,
Головой биться о стену. Оставь мне способность и дальше
Обманываться безоглядно, верить тем же словам,
Завереньям в любви и дружбе...

                                        Говоришь, уже поздно? Тогда
Лиши меня зрения, слуха, сделай меня дурачком,
Чтоб мог умереть, как жил, с блаженной слюнявой улыбкой.

Тот же сон...

Тот же сон: подхожу опять к тому же старому дому.
Значит, он еще существует, еще не снесен — деревянный
Среди неузнаваемых новостроек, бетонных многоэтажек.
Облезлый забор, остатки сухого сада, косая калитка,
Мама смотрит в окно куда-то, не удивляясь, не отмечая
Моего появления, — чем я так необъяснимо смущен?
Значит, все-таки знал, что она продолжает тут жить.
(Воспоминание недостоверного сна: будто дом этот снесен,
Будто ее уже нет.) Так долго не приходил. Что-то понял не так
Или постыдно забыл. Как теперь объяснить, объясниться,
Вспомнить, зачем я пришел, что ей хотел сказать?
Надо хоть принести воды — но где же теперь колонка?
Смотрит мимо меня,
                 блик на оконном стекле закрывает лицо.

О, безнадежность сна! Невозможно в нем задержаться,
Невыносимо проснуться, томясь неясной виной,
Недостоверной надеждой наконец подтвердить, убедиться,
Снова попасть туда.

              В тот же сон. Деревянный дом почернел,
В окошко никто не смотрит. На последней петле калитка,
Провалилась ступенька крыльца. Надо ее починить...
Нет, я пришел не за этим, я вспомнил — сообразил наконец,
Почему столько лет не доходят долгожданные письма:
Их приносят по прежнему адресу, продолжают бросать
В старый почтовый ящик. Ключ, как в сказке, подходит.
Смяты газеты, конверты, вываливаются, выпирают.
Сколько успело вместиться! Назад уже не запихнешь.
Адреса, имена припоминаются смутно, малопонятны
Запоздалые новости, предложения — даже не подозревал,
Сколько было упущено в жизни и уже не имеет значения...

Тот же сон...

Корешок извещения... почерк мамы — вздрогнуло сердце:
«В посылке письмо, там сказано все, получишь на почте».
Но где же старая почта?

О, неизбывность сна!
Не удержаться, не разрешить — только опять проснуться
С бьющимся сердцем, надеждой хоть что-то поправить,
Повторить, объяснить, объясниться, снова вернуться туда,

В тот же сон...

ВПЕРВЫЕ

I

В теплом тумане сиянье улыбки — впервые.
Голос возник, отделился от музыки вод,
                                  от биенья Вселенной.
Неблагополучие мира, как непонятная боль —
                                  прорезались зубы.
Слово соединилось со смыслом. Нерукотворное чудо
На рукавице становится каплей. Запах хвои в тепле
Оттаивает ожиданьем подарка. Покачивается, набухает
На конце соломинки радуга. Майский жук посылает
Депешу в ухо из коробка: с тобою будет впервые.
Все, чего еще не было. Выведешь первое имя
На стекле по дыханию пальцем. Будет первая встреча,
Прикосновение, страх обнаженности, потрясение, дрожь.

2

Это мы уже знаем, повторяется снова и снова
То же, что и у всех: голоса, объясненная боль, однообразие
Снежных кристаллов. Присмотревшись, увидишь опять
Те же узоры, вариантов немного.
                          Те же талые капли сливаются
В лужи, дождь вздувает на них пузыри — незачем различать.
На запотелом стекле (вставленном вместо разбитого)
Расплывается имя. Все знакомо, понятно: еще одна встреча,
Прикосновение, зябкая дрожь, страх, обнаженность,
                                              усталость.
Дети играют в песочнице. Маленький заговорщик, сияя,
Протягивает коробок: поднеси его к уху, послушай.
Усмехаешься утомленно: слышал, слышал уже.

3

Впервые, все только впервые, опомнись, очнись —

ты живешь.

Такого, как ты, еще не было, ты для того был и создан,
Чтоб обновлять этот мир ежедневно, соединять на стекле
Тепло своего дыхания с еще неотчетливым чувством,
Перебирая набор запыленных, давно всем известных слов,
Их протирать, обновлять, составлять магический шифр —
Возвращать первозданную яркость краскам,

запахам, звукам.

Первые пробные капли — виртуоз слегка прикоснулся
К клавишам мостовой, поют водосточные трубы.
Пузыри на сияющих водах набухают, ликуют.
Сонная поволока смыта с листьев, травы, с лиц.

Ничего, кроме чудес

Нет ничего, кроме чудес. Расцветает радуга в капле,
Круг неба вмещается в выпуклом органе зрения,
Тяжесть птицы зависла в воздухе без усилий,
Голубой невесомый трепет, ожив, окружает полено,
Частица прозрачного запаха одолевает пространство,
Чтобы кто-то, ее уловив, устремился в поисках встречи,
Соединения с другим — возникает новая жизнь.
Неподвижное тело сопит во сне, переживая при этом
Приключения где-то в нездешнем, другом измерении.
Вот — только попробуй вникнуть: раскрыты створки,
Сочетание мелких значков на пластинах белого вещества
Под взглядом становится именем, очертанием, мыслью.
Время продолжает двигаться между тем само по себе
Только в одну сторону.

Еврейское песнопение

Сколько страсти в мелодии! Подпевает голосу скрипка,
Россыпь звезд откликается хором, шевелятся лунные травы.
Пусть слова языка непонятны — поет, восхищается сердце,
Отзываются струны смычку, воздух полнится дрожью
                                          и светом,
Заливает сияньем холмы. Как нас тянет друг к другу!
Слышишь? Музыка о тебе — песнопение нашей любви.

Говоришь, что слова не о том, что песнопенье — молитва,
Благодарение, *Алель* Тому, кто нам явлен во всем,
Кто создал светило большое для дня и поменьше — для ночи.
Я это услышал без слов: восхищение и благодарность
За то, что все в мире едино: сияние, полное тайны,
Благоухание трав под луной, священная песнь Суламифи.

Мелодия льется, течет.

Молитва

Из-под тучи закатное солнце. Осеннее золото рощи
Засветилось на темном небе, напряглась до краев тишина,
Засияла, запела, наполнилась трепетом, гулом —
Как благовест к молитве.
                    Но это и есть молитва.

Смотришь на ту, что любишь, — тело ее сияет.
Перехватило дыхание, сердце устремляется к ней —
Приникнуть в безмолвном восторге. Если б найти слова!
Восхищенье сродни молитве.
                    Но это и есть молитва.

Обращаешься памятью к тем, кто был тебе близок,
Кого знал и любил, о ком плакал, не в силах вернуть.
Они снова с тобой, не забытые, оживленные чувством.
Воспоминание, как молитва.
                    Но это и есть молитва.

Пророк и гений

Напиши о пророке, о том, кто не был услышан,
Когда он кричал об очевидном, о неизбежном,
В доме собраний, на площадях, полных народу.

«Вы, приносящие жертвы ложным богам,
Опомнитесь! Уже заколебалась земля.
Уже поднялись, подступают все ближе воды.
О чем вы заботитесь? О насыщении, об утехах?
Ваши сокровища станут черней угля,
Ваши девы станут добычей пришельцев,
Обрушатся горы, и стены падут на землю».

Морщатся, отворачиваясь: охота ему пугать?
«Не от себя говорю, пославший меня воззвал:
Пусть мятежный, лживый народ не требует от провидца,
Чтоб ублажал их приятным, не предсказывал правды,
Пусть в устах твоих слово мое станет огнем,
Народ этот станет дровами, и огонь их пожрет».

Обидные, дикие речи. Только наладилась жизнь,
Не хуже, чем до изгнания, да ту успели забыть,
Обросли кой-каким добром, чем ему это плохо?
Обвиняет, хрипит, как в падучей, грязный, босой,
В грубом верблюжьем плаще, на губах уже пена.
Гоните его по добру, а не то побейте камнями.

Злободневный сюжет, герой тебе чем-то близок.
Опередивший других всегда при жизни отвергнут,
Не услышан, не понят. Был, наверное, косноязычен,
Не отрабатывал произношение, набирая камешки в рот,
Думал, убедительность воплю дает не умение, а вода,
Когда уже подступила, грозит затопить, огонь,
Когда уже полыхает вокруг и жжет.

Еще не создана ars poetica, литература не началась.
На бумаге за ним найдется кому записать.
Обработают, позаботятся о выразительном стиле,
Убедительной композиции. Поколения будут читать,
Изучать, восхищаться прозорливой, глубокой мыслью —
Но не те, кого он надеялся предупредить.

Постарайся найти слова. Пусть и тебя услышат не сразу,
Время произнесет свой суд, оценит достоинства, слог,
Талант, наконец. Глядишь, когда-нибудь даже скажут: гений.

Но не пророк. Вот что попробуй сперва понять.

Плач поколений

О чем он плачет, пряча лицо в подушку,
Рыженький сирота, еврейский питомец,
Думает Януш Корчак у постели ребенка.
Так не плачут о житейской обиде,
О несправедливом упреке, о наказании.
Этот мальчик старше, чем думает сам.
Плачет память, дремлющая в крови,
Накопившаяся, наготове прорваться,
Память прадедов, изгнанных из страны,
Обвиненных в распространении чумы,
Память дедов, чьи вобравшие знанье мозги,
Остались, разбрызганные, на мостовой погрома,
Память родителей, которые на коленях
Натирали зубными щетками тротуар
Под улюлюканье недавних соседей.

Невыразимое знание, неосознанная тоска,
Затаенная скорбь и боль, сновидения наяву!
Это плачет не мальчик — плачут тысячелетия,
Плачет вместе с ним Заключивший завет —
Не на синайских скрижалях, не на бумаге —
В памяти поколений, завет на все времена,
Не расторгнутый, не отмененный в веках.

Эта память расправит завтра спины детей,
Горделиво вскинет их головы, когда они будут идти,
Унижаемые, но не униженные, без слезинки в глазах,
По дороге уничтожения мимо идолов смерти,
И смятение сменит на лицах ухмылки злобного торжества.

О, невыразимая память! О, завет, живущий в крови!

393

СУДЬБА

1

Судьба суждена, судьею назначен срок,
Какой, под конец узнаешь,
А то позолоти той, что просит, ручку:
Программа оттиснута на ладони.
Уточнятся не более чем подробности,
Можешь себя перекрасить
В блондина или в брюнета, переменить
Не только внешность, но пол,
Воображать, будто решаешь свободно.
Кто-то где-то кивает с усмешкой:
Даже воображаешь не ты.
Все заложено. Думай самолюбиво,
Что это сам ты сочиняешь сейчас
Того, кто воображает тебя,
Диктует тебе твой стишок.

2

Суждено ли рожденному в рабстве
Оставаться рабом всю жизнь?

Судьбы удостаивается не каждый,
Лишь способный ее творить,
Осуществляя предназначение.

Тут, считай, всего лишь омонимы.

Башня

Ясный, казалось, замысел разросся по ходу работы,
Менялся неузнаваемо, начала уже не вспомнить,
Чертежи не раз обновлялись, язык стал малопонятен.
Чем дольше строим, чем дальше видится завершенье.
Готовые стены ветшают, растасканы на кирпичи,
Вокруг возникают склады, виллы, бани, времянки,
Поднялся уже целый город, не предусмотренный планом.
Пусть башня становится мифом — что было бы без нее?

* * *

Ангел теряет форму, давно ему не с кем бороться.
Слегка пополнел, облысел, крылья трачены молью.
(Кто-то сказал бы: временем, но его для ангелов нет.)
В кафе «У Иакова» под стеклом показывают перо,
Найденное при раскопках — сохранилось на удивленье.
У игровых автоматов азарт: новинка
                              «Борьба с неизвестным».
До приза никак не добраться. Победа, кажется, близко —
Опять game is over. И приз остается загадкой.
                              Знать бы приемы.
Приходится пробовать снова. Зато выброс адреналина!
(И доход заведению.) В задней комнате полусумрак.
Запыленные переплеты на полках —
                              собранье старинных снов.
Дым сладкого курева в воздухе загустевает,
                              обещая видения.
В этих местах они, говорят, непростые,
                              здесь проходит разлом,
Геологический и духовный, что-то вдруг может открыться.
Ангел принюхивается, вдыхает. Виденья даются каждому
По способностям, по готовности к встрече, к прорыву
За доступный предел.
              Но как же сладко растечься!

Диалог с Иовом

— Благодари за страданья, за бедствия. Если бы не они,
Ты не прикоснулся бы к боли, к нерву, к чувствилищу жизни,
Прозябал бы бездумно, как блаженный тростник на ветру,
Не узнав самого себя. Испытания возвышают, трагедии
Преображают обыденность, раскрывают суть человека,
Очищают, как очищает огонь, заряжают

энергией творчества.
Есть величие в катаклизмах. Революции,

войны, история —
Как изверженье вулкана, землетрясение, та же стихия,
Не подвластная никому. Взбудоражена, вспучена жизнь.
Ты свидетель грозных событий, перевернувших весь мир,
Прикоснулся к их напряжению — оказался отмечен.

— Картинный конец Помпеи, с заревом во все небо,
Митинги, шествия с флагами, интеллигентные комиссары,
Всадники с шашками наголо, взрывы, трупы в воронках,
Пусть даже голод, пусть раны, пусть вывороченные кишки...
Восторги эстетов на расстоянии, пока не дошло,

не проникло.
Стихия? Насилье ублюдков, у быдла развязаны руки.
Хуже, чем боль — униженье: опустят, сломают, размажут.
Опомнишься запоздало, со стыдом, омерзением, ужасом,
Отвернешься от себя же недавнего — лучше не вспоминать.

— Есть пена, есть грязь, не укроешься.

Страданье не каждому впрок,
Боль не для слабых духом, решает основа,
Причастность к высшему замыслу, назовем это Верой.
Конец все равно неминуем, но не у всех равноценен.
Блажен, чью жизнь увенчает единственный, не случайный,
Достойный прожитой жизни, как оправданье и смысл.
Не всем дано выйти из испытаний, обогатившись.

Есть избранные, есть званые. Судьбы удостоен не всякий.
Кто-то уйдет незамеченный, о ком-то слагаются песни.

— Живут и страдают одни, воспевают живших другие.
Обосновывай, философствуй — но за что младенцев, детей?
Ради какого эксперимента, пари с сатаной? Чтобы проверить
На стойкость, на верность вере? Пробудить духовные силы?
Какой высший замысел в газовых камерах, душегубках,
Где переводят тела на мыло, волосы на матрацы?
Что извлекли из страданий выжившие?

                               Кого они могут славить?
Кому задавать вопросы? Кто может на них ответить?

— Логика здесь не поможет. Послушаем голос свыше.

      Вслушиваются, ждут.

                                      2001–2008

Харитонов, Марк

X20   Путеводные звезды /Марк Харитонов. — Москва: Книжники, 2015. — 396 [4] с. — (Чейсовская коллекция).

ISBN 978-5-9953-0358-9

«Путеводные звезды» — сборник воспоминаний известного писателя Марка Харитонова. Пристально вглядываясь в прошлое, он рассказывает о своей семье, делится с читателем впечатлениями от встреч и дружбы с писателями, художниками, философами, общественными деятелями. В книгу включены также эссе и стихи Марка Харитонова, публиковавшиеся в журнале «Лехаим».

УДК 82.43
ББК 83.3 (2Рос=Рус)

ЧЕЙСОВСКАЯ КОЛЛЕКЦИЯ

МАРК ХАРИТОНОВ

ПУТЕВОДНЫЕ ЗВЕЗДЫ

Редактор Б. Марковский
Художественный редактор Е. Черненькова
Корректоры Л. Ким, В. Рябцева

Подписано в печать 24.11.2014. Формат 84 x 100/32.
Усл. печ. л. 19,5. Тираж 1000 экз. Заказ № 6549.

Издательство «Книжники»
127055, Москва, ул. Образцова, 19, стр. 9
Тел. (495) 663–21–06; 710–88–03
E-mail: info@knizhniki.ru; lechaim@lechaim.ru
Интернет-магазин: www.knizhniki.ru

Отпечатано способом ролевой струйной печати
в ОАО «Первая Образцовая типография»
Филиал «Чеховский Печатный Двор»
142300, Московская область, г. Чехов, ул. Полиграфистов, д.1
Сайт: www.chpd.ru, E-mail: sales@chpd.ru, т/ф. 8(496)726-54-10

3 1125 00990 2824